CW00539665

Alexandre Dumas

Les Trois Mousquetaires

I

Introduction
de Roger Nimier

Gallimard

INTRODUCTION

Une histoire d'amour qui finit par un coup de hache, publiée en 1844, fut rapidement célèbre. Faite d'épées vives et de cheveux blonds, elle n'en est pas moins d'une mélancolie glacée. A ce charme secret à l'intérieur du livre on ne prêta pas une grande attention. Alexandre, dit-on, exagère toujours (Alexandre était le prénom de l'auteur), Milady avait perdu la tête depuis longtemps, à force de coquetterie, et le chagrin n'est pas si grand de voir un long corps blanc glisser dans une rivière du Nord, qui caresse de ses eaux les lis et le lin.

Et puis l'époque paraissait trop belle pour souffrir de cette dernière image : France héroïque où des régiments de Planchet se battaient volontiers derrière quelques d'Artagnan. Qu'une révolution survînt ou simplement la bonne marche des affaires, le résultat n'était pas déshonorant — comme nous le découvrons dans Vingt ans après, Planchet épicier pourrait dominer d'Artagnan, lieutenant aux Mousquetaires, mais il n'y pense pas. L'idée ne lui vient pas non plus de se plaindre parce que d'Artagnan se fait tuer à sa place.

Les jeunes Français, depuis ce temps, sont élevés dans la discipline des « Mousquetaires ». Ils y apprennent des *vertus cardinales, ce qui est imprévu quand elles découlent d'Athos, d'Aramis, de Porthos ou de d'Artagnan. Ces vertus apparentes se nomment la noblesse, le mystère, la force et l'audace. C'est l'audace ou l'esprit d'entreprise, comme on voudra, qui les met en mouvement. En effet, Athos se moque de tout, enfermé dans la religion de son malheur. Aramis est très occupé, il est un peu snob, il rougit parce qu'il connaît des actrices célèbres : Madame de Bois-Tracy, la duchesse de Chevreuse. Porthos est vaniteux, et Alexandre Dumas, entraîné par les idées de son temps qui vantaient l'homme blond, mince et nerveux, aux yeux d'ange et au sourire de tigre (Henry de Marsay chez Balzac), lui si sportif, n'a pas songé que Porthos, cent ans plus tard, serait le séducteur musclé que toutes les procureuses de vingt ans rêveraient d'approcher.*

D'Artagnan tombe au milieu de cette amitié, avec sa jeunesse, un goût de vivre et d'arriver à quelque place au soleil ou au pied du Roi-Soleil, qui exaltera ces hommes au bord de la retraite : une maison pour Athos (le vin n'est pas mauvais en Anjou), le mariage pour Porthos, l'Église pour Aramis.

En 1631, trois ans après le siège de La Rochelle, d'Artagnan reste seul, ses amis l'ont quitté. Il va s'ennuyer. Aussi le retrouvons-nous, dans Le Vicomte de Bragelonne, *lissant ses moustaches dans les couloirs du roi. Entre-temps, quelque espoir sous Mazarin, cette rapide expédition en Angleterre pour défendre une monarchie et maudire la bière — mais d'Artagnan n'avait pas le cœur de lutter vraiment contre le cardinal de Retz, qui, pour une part, a sans doute servi de modèle à Aramis.*

Dans ce roman gascon, il n'est pas étonnant que d'Artagnan joue le rôle de demi d'ouverture, au rugby. Il distribue les rôles, il utilise les chances et il marque

un essai magistral en ramenant les ferrets de la reine et
en les plaquant sur le plancher de l'Hôtel de Ville, sous
les yeux du cardinal médusé. Porthos représente l'avant
indomptable. Derrière lui, nul besoin de pousser. Il est
une mêlée à lui seul. Athos, noble et serein, c'est le trois-
quarts centre, offert à tous les coups et qui les évite par
élégance plutôt que par dessein. Aramis, moins bien
traité par Dumas, est l'arrière aux interventions inat-
tendues, qui s'intercale dans l'attaque et dégage au bon
moment. « Une touche ! » dit-il. Et la duchesse de Chevreuse, qui passait, sourit.

Qui lira verra et saura que d'Artagnan, comme il
arrive aux sourires jeunes, est très vite le meilleur ami de
chacun de ces amis incomparables. Athos le considère
comme son fils, Porthos dans Vingt ans après, comme
son aîné. Seul, Aramis restera longtemps un peu loin.
« Vous, notre ami, notre lumière, notre protecteur invisible »,
lui dit d'Artagnan à la fin des Trois Mousquetaires. Le
compliment sent l'huile rance. Cette lumière, Aramis la
promènera toujours autour de lui. Il est du parti aristo-
cratique de la révolution : pour Anne d'Autriche, pour
Retz, pour Fouquet — pour la dépense et l'anarchie, pour
l'étranger et les cigarettes anglaises. Un temps viendra,
cependant, où les deux hommes se retrouveront : à la
fin du Vicomte de Bragelonne, « un murmure d'admiration enveloppa d'Artagnan comme une immense caresse »,
parce que Louis XIV venait de l'inviter à dîner. Ce soir-
là, d'Artagnan retrouvera Aramis, ambassadeur d'Espagne, blanc et cassé, et ces deux survivants s'embras-
seront, comme s'ils étaient seuls à connaître pour jamais
l'histoire des Mousquetaires. Colbert promettra à d'Artagnan le bâton de maréchal de France et d'Artagnan répondra (toujours comme un joueur de rugby qui se verrait
en mesure de marquer un essai à Cardiff ou à Johannes-

burg) : « *On serait bien fier de moi dans mon pays.* »
*Puis il tombera dans les bras d'Aramis : « Aimons-
nous pour quatre, nous ne sommes plus que deux.* »
    *Il faut parler de l'avenir dès qu'on invoque les Mous-
quetaires. C'est là leur rencontre et leur choix. Si l'amitié,
c'est de se revoir, l'histoire des quatre mousquetaires est
bien celle des retrouvailles ; en deux occasions surtout :
après l'expédition des ferrets, lorsque d'Artagnan part
à la recherche de ses compagnons ; pendant la Fronde,
quand Mazarin recrute des hommes. Mais le roman même
qui s'intitule* Les Trois Mousquetaires *n'est aucunement
le récit des aventures de d'Artagnan, jeune ambitieux
venu à Paris sur un cheval jaune. En effet, ni ses amours
avec la Bonacieux, ni l'antipathie qu'il inspire à Milady,
ne peuvent intéresser. Le vrai sujet, c'est l'histoire du
comte de La Fère, enseveli sous le nom montagneux
d'Athos, et de sa femme, redoutable et perfide comme sont les
blondes. C'est aussi une bizarre leçon donnée aux enfants
qui liront ce livre. Sous prétexte de leur faire croire que
la liberté, l'amitié, la jeunesse et les épées triomphent
toujours, on leur montre l'affreux spectacle d'un homme
de trente ans qui se veut un vieillard, d'un amoureux
dont le cœur s'est pincé dans une porte et qui répète, en
buvant religieusement du vin d'Anjou, que la vie l'a
trompé. Or, il est bien vrai que la vie l'a trompé, mais il
devrait le cacher. L'ardente mélancolie d'Athos est d'un
exemple fatal. Ceux qui auront sucé cette leçon, bu ce
Jerez maléfique, n'en trouveront pas la guérison.
    Si Porthos ressortit au parachutisme, Athos, pour les
modernes, s'expliquera par la psychanalyse. Son malheur
n'est pas tant un mariage déshonorant qu'une apparition,
celle de cette épaule marquée de la fleur de lis — que Milady
recouvrira de crèmes, sa courte vie durant. Bienheureux
Athos, celui qui trouverait aujourd'hui cet emblème fran-*

çais sur l'épaule de sa femme : une série de graffitis dans toutes les langues serait plus à craindre... Mais le langage de l'amour est sévère, pour soi-même avant tout, et la morale d'Athos en donne l'exemple. Le comte de La Fère pourrait prétendre aux grandes charges de l'État : non pas valet de chambre du roi ou directeur de journal, juste la lumière au-dessus : grand écuyer, par exemple. Il pourrait aussi régner dans ses provinces, imposer ses goûts. Il ne le fait pas. Il entre à la Légion étrangère, qui portait en ce temps la casaque des Mousquetaires. Après quelques instants d'amertume, il y trouve de fidèles piliers : Porthos qui est l'acier, Aramis qui est l'ambre. Avec eux, en lâchant sur la table quelques bouteilles et des dés, la vie devient possible — mais pour un jeu et pour quelques instants. La fleur de lis sur l'épaule de Milady réapparaît toujours, quoi qu'Athos fasse et quoi que dise le vin d'Espagne à l'oreille des maris bafoués.

D'Artagnan dérange et guérit Athos : il réveille le fantôme. Milady est vivante, on peut lui couper la tête. Dès lors, Athos est délivré. Plus tard, en effet, il se consacrera à l'éducation d'un grand garçon qui lui donnera des satisfactions — jusqu'au jour où une blonde, de nouveau, La Vallière, lui prouvera que les femmes sont décidément méchantes et que le pire des hommes, dans les affaires du cœur, est encore une assez bonne femme.

Athos n'est pas le pire, il n'est que le meilleur. Cet homme outragé, dévasté par sa redoutable expérience et les torrents de Vouvray qui suivirent, Musset peut-être, est à plaindre. Quand Porthos se gonfle de sa procureuse, quand Aramis porte les petits billets de ses dames, quand d'Artagnan se conduit comme il le fait avec Ketty, Athos ne demande rien à la vie. L'ivresse du malheur et du souvenir lui suffit. On répondra que ce n'est pas très intéressant, sauf pour le public placé au premier rang. Mais Athos, à côté de cette face sombre, qu'il garde pour lui-même et pour ses nuits, est d'un autre exemple. Rien ne lui coûte. Rien ne le contraint que lui-même. Le temps pour lui est un emblème maudit. Et c'est Athos qu'il faut écouter, quand on relit Les Trois Mousquetaires.

Nous savons que cette épopée, notre seule épopée depuis le Moyen Age, n'a pas été écrite par Balzac ou Racine (quels alexandrins rêvés dans la bouche d'Athos !). Plus proche d'Homère, Dumas eut des collaborateurs : Gatien de Courtilz, auteur des Mémoires de Charles de Batz-Castelmore, comte d'Artagnan *et Auguste Maquet, le meilleur des Dumas — meilleur, bien sûr, que Paul Bocage qui travailla aux* Hôpitaux de Paris, *que Nerval qui contribua à* L'Alchimiste, *ou que Paul Meurice qui fit* Ascanio.

D'Artagnan, Porthos, Aramis demeurent pour les vrais hommes — ces grands enfants, comme les femmes faites ou les femmes-fêtes l'assurent — trois carrières séduisantes : celle d'ardent jeune homme qui rêve d'une situation, et d'Artagnan en est l'exemple ; celle d'orgueilleux athlète, qui, après une rude carrière de ski nautique, épousera une héritière : Porthos dicte la voie. Ou Aramis, plus séduisant encore parce qu'on le connaît très mal et qu'il sera Valmont un siècle plus tard. Tragique Athos, sanglant Athos, au milieu de ce maréchal de France, de ce général des Jésuites, de cet adjudant des Colosses. Fidèle Athos qui doit nous apprendre à tirer l'épée, non pas comme ce fou qui mourut au milieu de cette année, mais dès qu'il le faut, plus souvent que nous ne le croyons. L'épée, ce n'est pas la force, ni le talent. C'est le désir de ne rien laisser passer qui soit insupportable à nos oreilles, c'est ce langage aussi : « Messieurs, je ne vous écouterai pas, je n'ai rien à faire en vos manières, mais il faut se limiter avec moi. J'appartiens à cette catégorie des corps solides que les physiciens n'ont pas prévue, sauf Pascal, et qui ne tiennent pas à leur conservation. C'est un péché d'ailleurs, mais je l'assume et Dieu m'en donnera raison. En garde, s'il vous plaît ! »

Roger Nimier.

Les Trois Mousquetaires

PRÉFACE

DANS LAQUELLE IL EST ÉTABLI
QUE, MALGRÉ LEURS NOMS EN *OS* ET EN *IS*,
LES HÉROS DE L'HISTOIRE QUE NOUS ALLONS
AVOIR L'HONNEUR DE RACONTER
A NOS LECTEURS
N'ONT RIEN DE MYTHOLOGIQUE

Il y a un an à peu près qu'en faisant à la Bibliothèque royale des recherches pour mon histoire de Louis XIV je tombai par hasard sur les *Mémoires de M. d'Artagnan*, imprimés — comme la plus grande partie des ouvrages de cette époque, où les auteurs tenaient à dire la vérité sans aller faire un tour plus ou moins long à la Bastille — à Amsterdam, chez Pierre Rouge. Le titre me séduisit : je les emportai chez moi, avec la permission de M. le conservateur, bien entendu, et je les dévorai.

Mon intention n'est pas de faire ici une analyse de ce curieux ouvrage, et je me contenterai d'y renvoyer ceux de mes lecteurs qui apprécient les tableaux d'époque. Ils y trouveront des portraits crayonnés de main de maître ; et, quoique ces esquisses soient, pour la plupart du temps, tracées sur des portes de caserne et sur des murs de cabaret, ils n'y reconnaîtront pas moins, aussi ressemblantes que dans l'histoire de M. Anquetil, les images de Louis XIII, d'Anne d'Autriche, de Richelieu, de Mazarin et de la plupart des courtisans de l'époque.

Mais, comme on le sait, ce qui frappe l'esprit capricieux du poète n'est pas toujours ce qui impressionne

la masse des lecteurs. Or, tout en admirant, comme les
autres admireront sans doute, les détails que nous avons
signalés, la chose qui nous préoccupa le plus est une
chose à laquelle bien certainement personne avant nous
n'avait fait la moindre attention.

D'Artagnan raconte qu'à sa première visite à M. de
Tréville, le capitaine des mousquetaires du roi, il rencontra dans son antichambre trois jeunes gens servant
dans l'illustre corps où il sollicitait l'honneur d'être
reçu, et ayant nom Athos, Porthos et Aramis.

Nous l'avouons, ces trois noms étrangers nous frap-
pèrent, et il nous vint aussitôt à l'esprit qu'ils n'étaient
que des pseudonymes à l'aide desquels d'Artagnan avait
déguisé des noms peut-être illustres, si toutefois les
porteurs de ces noms d'emprunt ne les avaient pas
choisis eux-mêmes le jour où, par caprice, par mécontent-
tement ou par défaut de fortune, ils avaient endossé la
simple casaque de mousquetaire.

Dès lors nous n'eûmes plus de repos que nous n'eus-
sions retrouvé, dans les ouvrages contemporains, une
trace quelconque de ces noms extraordinaires qui avaient
si fort éveillé notre curiosité.

Le seul catalogue des livres que nous lûmes pour
arriver à ce but remplirait un chapitre tout entier, ce
qui serait peut-être fort instructif, mais à coup sûr peu
amusant pour nos lecteurs. Nous nous contenterons
donc de leur dire qu'au moment où, découragé de tant
d'investigations infructueuses, nous allions abandonner
notre recherche, nous trouvâmes enfin, guidé par les
conseils de notre illustre et savant ami Paulin Paris,
un manuscrit in-folio, coté sous le n° 4772 ou 4773,
nous ne nous le rappelons plus bien, ayant pour titre :

« Mémoire de M. le comte de La Fère, concernant
quelques-uns des événements qui se passèrent en France

vers la fin du règne du roi Louis XIII et le commencement du règne du roi Louis XIV. »

On devine si notre joie fut grande lorsqu'en feuille-
tant ce manuscrit, notre dernier espoir, nous trouvâmes
à la vingtième page le nom d'Athos, à la vingt-septième
le nom de Porthos, et à la trente et unième le nom
d'Aramis.

La découverte d'un manuscrit complètement inconnu,
dans une époque où la science historique est poussée à
un si haut degré, nous parut presque miraculeuse. Aussi
nous hâtâmes-nous de solliciter la permission de le faire
imprimer, dans le but de nous présenter un jour avec
le bagage des autres à l'Académie des inscriptions et
belles-lettres, si nous n'arrivions, chose fort probable,
à entrer à l'Académie française avec notre propre bagage.
Cette permission, nous devons le dire, nous fut gracieusement accordée ; ce que nous consignons ici pour donner un démenti public aux malveillants qui prétendent
que nous vivons sous un gouvernement assez médiocrement disposé à l'endroit des gens de lettres.

Or, c'est la première partie de ce précieux manuscrit
que nous offrons aujourd'hui à nos lecteurs, en lui resti-
tuant le titre qui lui convient, prenant l'engagement,
si, comme nous n'en doutons pas, cette première partie
obtient le succès qu'elle mérite, de publier incessamment la seconde.

En attendant, comme le parrain est un second père,
nous invitons le lecteur à s'en prendre à nous, et non
au comte de La Fère, de son plaisir ou de son ennui.

Cela posé, passons à notre histoire.

LES TROIS PRÉSENTS DE M. D'ARTAGNAN PÈRE

Le premier lundi du mois d'avril 1625, le bourg de Meung, où naquit l'auteur du *Roman de la Rose*, semblait être dans une révolution aussi entière que si les huguenots en fussent venus faire une seconde Rochelle. Plusieurs bourgeois, voyant s'enfuir les femmes du côté de la Grande-Rue, entendant les enfants crier sur le seuil des portes, se hâtaient d'endosser la cuirasse et, appuyant leur contenance quelque peu incertaine d'un mousquet ou d'une pertuisane, se dirigeaient vers l'hôtellerie du *Franc Meunier*, devant laquelle s'empressait, en grossissant de minute en minute, un groupe compact, bruyant et plein de curiosité.

En ce temps-là les paniques étaient fréquentes, et peu de jours se passaient sans qu'une ville ou l'autre enregistrât sur ses archives quelque événement de ce genre. Il y avait les seigneurs qui guerroyaient entre eux ; il y avait le roi qui faisait la guerre au cardinal ; il y avait l'Espagnol qui faisait la guerre au roi. Puis, outre ces guerres sourdes ou publiques, secrètes ou patentes, il y avait encore les voleurs, les mendiants, les huguenots, les loups et les laquais, qui faisaient la guerre à tout le monde. Les bourgeois s'armaient toujours contre les voleurs, contre les loups, contre les laquais — souvent

contre les seigneurs et les huguenots — quelquefois
contre le roi, mais jamais contre le cardinal et l'Espagnol.
Il résulta donc de cette habitude prise, que, ce susdit
premier lundi du mois d'avril 1625, les bourgeois, entendant du bruit, et ne voyant ni le guidon jaune et rouge
ni la livrée du duc de Richelieu, se précipitèrent du
côté de l'hôtel du *Franc Meunier.*

Arrivé là, chacun put voir et reconnaître la cause de
cette rumeur.

Un jeune homme... traçons son portrait d'un seul
trait de plume : figurez-vous don Quichotte à dix-huit
ans, don Quichotte décorcelé, sans haubert et sans
cuissards, don Quichotte revêtu d'un pourpoint de laine
dont la couleur bleue s'était transformée en une nuance
insaisissable de lie de vin et d'azur céleste. Visage long
et brun ; la pommette des joues saillante, signe d'astuce ;
les muscles maxillaires énormément développés, indice
infaillible auquel on reconnaît le Gascon, même sans
béret, et notre jeune homme portait un béret orné d'une
espèce de plume ; l'œil ouvert et intelligent ; le nez
crochu, mais finement dessiné ; trop grand pour un
adolescent, trop petit pour un homme fait, et qu'un
œil peu exercé eût pris pour un fils de fermier en voyage,
sans sa longue épée qui, pendue à un baudrier de peau,
battait les mollets de son propriétaire quand il était à
pied, et le poil hérissé de sa monture quand il était à
cheval.

Car notre jeune homme avait une monture, et cette
monture était même si remarquable qu'elle fut remarquée : c'était un bidet du Béarn, âgé de douze ou quatorze ans, jaune de robe, sans crins à la queue, mais non
pas sans javarts aux jambes, et qui, tout en marchant
la tête plus bas que les genoux, ce qui rendait inutile
l'application de la martingale, faisait encore également

ses huit lieues par jour. Malheureusement les qualités
de ce cheval étaient si bien cachées sous son poil étrange
et son allure incongrue que, dans un temps où tout le
monde se connaissait en chevaux, l'apparition du susdit
bidet à Meung, où il était entré il y avait un quart
d'heure à peu près par la porte de Beaugency, produisit
une sensation dont la défaveur rejaillit jusqu'à son
cavalier.

Et cette sensation avait été d'autant plus pénible au
jeune d'Artagnan (ainsi s'appelait le don Quichotte de
cette autre Rossinante), qu'il ne se cachait pas le côté
ridicule que lui donnait, si bon cavalier qu'il fût, une
pareille monture ; aussi avait-il fort soupiré en accep-
tant le don que lui en avait fait M. d'Artagnan père.
Il n'ignorait pas qu'une pareille bête valait au moins
vingt livres ; il est vrai que les paroles dont le présent
avait été accompagné n'avaient pas de prix.

— Mon fils, avait dit le gentilhomme gascon — dans
ce pur patois de Béarn dont Henri IV n'avait jamais
pu parvenir à se défaire — mon fils, ce cheval est né
dans la maison de votre père, il y a tantôt treize ans,
et y est resté depuis ce temps-là, ce qui doit vous porter
à l'aimer. Ne le vendez jamais, laissez-le mourir tranquillement et honorablement de vieillesse ; et si vous
faites campagne avec lui, ménagez-le comme vous
ménageriez un vieux serviteur. A la cour, continua
M. d'Artagnan père, si toutefois vous avez l'honneur
d'y aller, honneur auquel, du reste, votre vieille noblesse vous donne des droits, soutenez dignement votre
nom de gentilhomme, qui a été porté dignement par vos
ancêtres depuis plus de cinq cents ans. Pour vous et
pour les vôtres — par les vôtres, j'entends vos parents
et vos amis — ne supportez jamais rien que de M. le
cardinal et du roi. C'est par son courage, entendez-vous

bien, par son courage seul, qu'un gentilhomme fait son
chemin aujourd'hui. Quiconque tremble une seconde
laisse peut-être échapper l'appât que, pendant cette
seconde justement, la fortune lui tendait. Vous êtes
jeune, vous devez être brave par deux raisons : la première, c'est que vous êtes Gascon, et la seconde, c'est
que vous êtes mon fils. Ne craignez pas les occasions
et cherchez les aventures. Je vous ai fait apprendre à
manier l'épée ; vous avez un jarret de fer, un poignet
d'acier ; battez-vous à tout propos ; battez-vous, d'autant plus que les duels sont défendus, et que, par conséquent, il y a deux fois du courage à se battre. Je n'ai,
mon fils, à vous donner que quinze écus, mon cheval
et les conseils que vous venez d'entendre. Votre mère y
ajoutera la recette d'un certain baume qu'elle tient
d'une bohémienne, et qui a une vertu miraculeuse pour
guérir toute blessure qui n'atteint pas le cœur. Faites
votre profit du tout, et vivez heureusement et longtemps. Je n'ai plus qu'un mot à ajouter, et c'est un
exemple que je vous propose, non pas le mien, car je
n'ai, moi, jamais paru à la cour et n'ai fait que les
guerres de religion en volontaire ; je veux parler de
M. de Tréville, qui était mon voisin autrefois, et qui a eu
l'honneur de jouer tout enfant avec notre roi Louis XIII,
que Dieu conserve ! Quelquefois leurs jeux dégénéraient
en bataille, et dans ces batailles le roi n'était pas toujours le plus fort. Les coups qu'il en reçut lui donnèrent
beaucoup d'estime et d'amitié pour M. de Tréville.
Plus tard, M. de Tréville se battit contre d'autres dans
son premier voyage à Paris, cinq fois ; depuis la mort
du feu roi jusqu'à la majorité du jeune, sans compter
les guerres et les sièges, sept fois ; et depuis cette majorité jusqu'aujourd'hui, cent fois peut-être ! Aussi, malgré
les édits, les ordonnances et les arrêts, le voilà capitaine

des mousquetaires c'est-à-dire chef d'une légion de Césars dont le roi fait un très grand cas, et que M. le cardinal redoute, lui qui ne redoute pas grand-chose, comme chacun sait. De plus, M. de Tréville gagne dix mille écus par an ; c'est donc un fort grand seigneur. Il a commencé comme vous ; allez le voir avec cette lettre, et réglez-vous sur lui, afin de faire comme lui.

Sur quoi, M. d'Artagnan père ceignit à son fils sa propre épée, l'embrassa tendrement sur les deux joues et lui donna sa bénédiction.

En sortant de la chambre paternelle, le jeune homme trouva sa mère qui l'attendait avec la fameuse recette dont les conseils que nous venons de rapporter devaient nécessiter un assez fréquent emploi. Les adieux furent de ce côté plus longs et plus tendres qu'ils ne l'avaient été de l'autre, non pas que M. d'Artagnan n'aimât son fils, qui était sa seule progéniture mais M. d'Artagnan était un homme, et il eût regardé comme indigne d'un homme de se laisser aller à son émotion, tandis que Mme d'Artagnan était femme et, de plus, était mère. Elle pleura abondamment, et, disons-le à la louange de M. d'Artagnan fils, quelques efforts qu'il tentât pour rester ferme comme le devait être un futur mousquetaire, la nature l'emporta, et il versa force larmes, dont il parvint à grand-peine à cacher la moitié.

Le même jour le jeune homme se mit en route, muni des trois présents paternels et qui se composaient, comme nous l'avons dit, de quinze écus, du cheval et de la lettre pour M. de Tréville ; comme on le pense bien, les conseils avaient été donnés par-dessus le marché.

Avec un pareil vade-mecum, d'Artagnan se trouva, au moral comme au physique, une copie exacte du héros de Cervantes, auquel nous l'avons si heureusement

comparé lorsque nos devoirs d'historien nous ont fait
une nécessité de tracer son portrait. Don Quichotte
prenait les moulins à vent pour des géants et les mou-
tons pour des armées, d'Artagnan prit chaque sourire
pour une insulte et chaque regard pour une provocation.
Il en résulta qu'il eut toujours le poing fermé depuis
Tarbes jusqu'à Meung, et que l'un dans l'autre il porta
la main au pommeau de son épée dix fois par jour ;
toutefois le poing ne descendit sur aucune mâchoire,
et l'épée ne sortit point de son fourreau. Ce n'est pas
que la vue du malencontreux bidet jaune n'épanouît
bien des sourires sur les visages des passants ; mais,
comme au-dessus du bidet sonnait une épée de taille
respectable et qu'au-dessus de cette épée brillait un
œil plutôt féroce que fier, les passants réprimaient leur
hilarité, ou si l'hilarité l'emportait sur la prudence, ils
tâchaient au moins de ne rire que d'un seul côté, comme
les masques antiques. D'Artagnan demeura donc
majestueux et intact dans sa susceptibilité jusqu'à
cette malheureuse ville de Meung.

Mais là, comme il descendait de cheval à la porte du
Franc Meunier sans que personne, hôte, garçon ou pale-
frenier, fût venu prendre l'étrier au montoir, d'Artagnan
avisa à une fenêtre entrouverte du rez-de-chaussée un
gentilhomme de belle taille et de haute mine, quoique
au visage légèrement renfrogné, lequel causait avec
deux personnes qui paraissaient l'écouter avec déférence.
D'Artagnan crut tout naturellement, selon son habitude,
être l'objet de la conversation et écouta. Cette fois,
d'Artagnan ne s'était trompé qu'à moitié : ce n'était
pas de lui qu'il était question, mais de son cheval. Le
gentilhomme paraissait énumérer à ses auditeurs toutes
ses qualités, et comme, ainsi que je l'ai dit, les auditeurs
paraissaient avoir une grande déférence pour le narra-

teur, ils éclataient de rire à tout moment. Or, comme un
demi-sourire suffisait pour éveiller l'irascibilité du jeune
homme, on comprend quel effet produisit sur lui tant
de bruyante hilarité.

Cependant d'Artagnan voulut d'abord se rendre
compte de la physionomie de l'impertinent qui se mo-
quait de lui. Il fixa son regard fier sur l'étranger et
reconnut un homme de quarante à quarante-cinq ans,
aux yeux noirs et perçants, au teint pâle, au nez fortement accentué, à la moustache noire et parfaitement
taillée ; il était vêtu d'un pourpoint et d'un haut-de-
chausses violet avec des aiguillettes de même couleur,
sans aucun ornement que les crevés habituels par lesquels passait la chemise. Ce haut-de-chausses et ce
pourpoint, quoique neufs, paraissaient froissés comme
des habits de voyage longtemps renfermés dans un
portemanteau. D'Artagnan fit toutes ces remarques
avec la rapidité de l'observateur le plus minutieux, et
sans doute par un sentiment instinctif qui lui disait
que cet inconnu devait avoir une grande influence sur
sa vie à venir.

Or, comme au moment où d'Artagnan fixait son
regard sur le gentilhomme au pourpoint violet, le gentilhomme faisait à l'endroit du bidet béarnais une de ses
plus savantes et de ses plus profondes démonstrations,
ses deux auditeurs éclatèrent de rire, et lui-même laissa
visiblement, contre son habitude, errer, si l'on peut
parler ainsi, un pâle sourire sur son visage. Cette fois,
il n'y avait plus de doute, d'Artagnan était réellement
insulté. Aussi, plein de cette conviction, enfonça-t-il
son béret sur ses yeux, et, tâchant de copier quelques-uns
des airs de cour qu'il avait surpris en Gascogne chez
des seigneurs en voyage, il s'avança, une main sur la
garde de son épée et l'autre appuyée sur la hanche.

Malheureusement, au fur et à mesure qu'il avançait, la colère l'aveuglant de plus en plus, au lieu du discours digne et hautain qu'il avait préparé pour formuler sa provocation, il ne trouva plus au bout de sa langue qu'une personnalité grossière qu'il accompagna d'un geste furieux.

— Eh! Monsieur, s'écria-t-il, Monsieur, qui vous cachez derrière ce volet! oui, vous, dites-moi donc un peu de quoi vous riez, et nous rirons ensemble.

Le gentilhomme ramena lentement les yeux de la monture au cavalier, comme s'il lui eût fallu un certain temps pour comprendre que c'était à lui que s'adressaient de si étranges reproches ; puis, lorsqu'il ne put plus conserver aucun doute, ses sourcils se froncèrent légèrement, et après une assez longue pause, avec un accent d'ironie et d'insolence impossible à décrire, il répondit à d'Artagnan :

— Je ne vous parle pas, Monsieur.

— Mais je vous parle, moi! s'écria le jeune homme exaspéré de ce mélange d'insolence et de bonnes manières, de convenances et de dédain.

L'inconnu le regarda encore un instant avec son léger sourire, et, se retirant de la fenêtre, sortit lentement de l'hôtellerie pour venir à deux pas de d'Artagnan se planter en face du cheval. Sa contenance tranquille et sa physionomie railleuse avaient redoublé l'hilarité de ceux avec lesquels il causait et qui, eux, étaient restés à la fenêtre.

D'Artagnan, le voyant arriver, tira son épée d'un pied hors du fourreau.

— Ce cheval est décidément ou plutôt a été dans sa jeunesse bouton d'or, reprit l'inconnu continuant les investigations commencées et s'adressant à ses auditeurs de la fenêtre, sans paraître aucunement remarquer

l'exaspération de d'Artagnan, qui cependant se redres-
sait entre lui et eux. C'est une couleur fort connue en
botanique, mais jusqu'à présent fort rare chez les chevaux.

— Tel rit du cheval qui n'oserait pas rire du maître!
s'écria l'émule de Tréville, furieux.

— Je ne ris pas souvent, Monsieur, reprit l'inconnu,
ainsi que vous pouvez le voir vous-même à l'air de mon
visage ; mais je tiens cependant à conserver le privilège
de rire quand il me plaît.

— Et moi, s'écria d'Artagnan, je ne veux pas qu'on
rie quand il me déplaît!

— En vérité, Monsieur? continua l'inconnu plus
calme que jamais, eh bien! c'est parfaitement juste. Et,
tournant sur ses talons, il s'apprêta à rentrer dans
l'hôtellerie par la grande porte, sous laquelle d'Artagnan en arrivant avait remarqué un cheval tout sellé.

Mais d'Artagnan n'était pas de caractère à lâcher
ainsi un homme qui avait eu l'insolence de se moquer
de lui. Il tira son épée entièrement du fourreau et se mit
à sa poursuite, en criant :

— Tournez, tournez donc, Monsieur le railleur, que
je ne vous frappe point par-derrière.

— Me frapper, moi! dit l'autre en pivotant sur ses
talons et en regardant le jeune homme avec autant
d'étonnement que de mépris. Allons, allons donc, mon
cher, vous êtes fou!

Puis, à demi-voix, et comme s'il se fût parlé à lui-
même :

— C'est fâcheux, continua-t-il, quelle trouvaille
pour Sa Majesté, qui cherche des braves de tous côtés
pour recruter ses mousquetaires!

Il achevait à peine que d'Artagnan lui allongea un
si furieux coup de pointe, que, s'il n'eût fait vivement

un bond en arrière, il est probable qu'il eût plaisanté
pour la dernière fois. L'inconnu vit alors que la chose
passait la raillerie, tira son épée, salua son adversaire
et se mit gravement en garde. Mais au même moment
ses deux auditeurs, accompagnés de l'hôte, tombèrent
sur d'Artagnan à grands coups de bâton, de pelles et de
pincettes. Cela fit une diversion si rapide et si complète
à l'attaque que l'adversaire de d'Artagnan, pendant que
celui-ci se retournait pour faire face à cette grêle de
coups, rengainait avec la même précision, et, d'acteur
qu'il avait manqué d'être, redevenait spectateur du
combat, rôle dont il s'acquitta avec son impassibilité
ordinaire, tout en marmottant néanmoins :

— La peste soit des Gascons! Remettez-le sur son
cheval orange, et qu'il s'en aille!

— Pas avant de t'avoir tué, lâche! criait d'Artagnan
tout en faisant face du mieux qu'il pouvait et sans
reculer d'un pas à ses trois ennemis, qui le moulaient
de coups.

— Encore une gasconnade, murmura le gentilhomme.
Sur mon honneur, ces Gascons sont incorrigibles!
Continuez donc la danse, puisqu'il le veut absolument.
Quand il sera las, il dira qu'il en a assez.

Mais l'inconnu ne savait pas encore à quel genre
d'entêté il avait affaire ; d'Artagnan n'était pas homme
à jamais demander merci. Le combat continua donc
quelques secondes encore ; enfin d'Artagnan, épuisé,
laissa échapper son épée qu'un coup de bâton brisa en
deux morceaux. Un autre coup, qui lui entama le front,
le renversa presque en même temps tout sanglant et
presque évanoui.

C'est à ce moment que de tous côtés on accourut
sur le lieu de la scène. L'hôte, craignant du scandale, emporta, avec l'aide de ses garçons, le blessé

dans la cuisine, où quelques soins lui furent accordés.

Quant au gentilhomme, il était revenu prendre sa place à la fenêtre et regardait avec une certaine impatience toute cette foule, qui semblait en demeurant là lui causer une vive contrariété.

— Eh bien! comment va cet enragé? reprit-il en se retournant au bruit de la porte qui s'ouvrit et en s'adressant à l'hôte qui venait s'informer de sa santé.

— Votre Excellence est saine et sauve? demanda l'hôte.

— Oui, parfaitement saine et sauve, mon cher hôtelier, et c'est moi qui vous demande ce qu'est devenu notre jeune homme.

— Il va mieux, dit l'hôte : il s'est évanoui tout à fait.

— Vraiment? fit le gentilhomme.

— Mais avant de s'évanouir il a rassemblé toutes ses forces pour vous appeler et vous défier en vous appelant.

— Mais c'est donc le diable en personne que ce gaillard-là! s'écria l'inconnu.

— Oh! non, Votre Excellence, ce n'est pas le diable, reprit l'hôte avec une grimace de mépris, car pendant son évanouissement nous l'avons fouillé, et il n'a dans son paquet qu'une chemise et dans sa bourse que douze écus, ce qui ne l'a pas empêché de dire en s'évanouissant que si pareille chose était arrivée à Paris, vous vous en repentiriez tout de suite, tandis qu'ici vous ne vous en repentirez que plus tard.

— Alors, dit froidement l'inconnu, c'est quelque prince du sang déguisé.

— Je vous dis cela, mon gentilhomme, reprit l'hôte, afin que vous vous teniez sur vos gardes.

— Et il n'a nommé personne dans sa colère?

— Si fait, il frappait sur sa poche, et il disait : « Nous

verrons ce que M. de Tréville pensera de cette insulte
faite à son protégé. »

— M. de Tréville ? dit l'inconnu en devenant atten-
tif ; il frappait sur sa poche en prononçant le nom de
M. de Tréville ?... Voyons, mon cher hôte, pendant que
votre jeune homme était évanoui, vous n'avez pas été,
j'en suis bien sûr, sans regarder aussi cette poche-là.
Qu'y avait-il ?

— Une lettre adressée à M. de Tréville, capitaine des
mousquetaires.

— En vérité !

— C'est comme j'ai l'honneur de vous le dire, Excellence.

L'hôte, qui n'était pas doué d'une grande perspica-
cité, ne remarqua point l'expression que ses paroles
avaient donnée à la physionomie de l'inconnu. Celui-ci
quitta le rebord de la croisée sur lequel il était toujours
resté appuyé du bout du coude, et fronça le sourcil en
homme inquiet.

— Diable ! murmura-t-il entre ses dents, Tréville
m'aurait-il envoyé ce Gascon ? Il est bien jeune ! Mais
un coup d'épée est un coup d'épée, quel que soit l'âge
de celui qui le donne, et l'on se défie moins d'un enfant
que de tout autre ; il suffit parfois d'un faible obstacle
pour contrarier un grand dessein.

Et l'inconnu tomba dans une réflexion qui dura
quelques minutes.

— Voyons, l'hôte, dit-il, est-ce que vous ne me
débarrasserez pas de ce frénétique ? En conscience, je
ne puis le tuer, et cependant, ajouta-t-il avec une expression froidement menaçante, cependant il me gêne. Où
est-il ?

— Dans la chambre de ma femme, où on le panse,
au premier étage.

— Ses hardes et son sac sont avec lui? Il n'a pas quitté son pourpoint?

— Tout cela, au contraire, est en bas dans la cuisine. Mais puisqu'il vous gêne, ce jeune fou...

— Sans doute. Il cause dans votre hôtellerie un scandale auquel d'honnêtes gens ne sauraient résister. Montez chez vous, faites mon compte et avertissez mon laquais.

— Quoi! Monsieur nous quitte déjà?

— Vous le savez bien, puisque je vous avais donné l'ordre de seller mon cheval. Ne m'a-t-on point obéi?

— Si fait, et comme Votre Excellence a pu le voir, son cheval est sous la grande porte, tout appareillé pour partir.

— C'est bien, faites ce que je vous ai dit alors.

— Ouais! se dit l'hôte, aurait-il peur du petit garçon?

Mais un coup d'œil impératif de l'inconnu vint l'arrêter court. Il salua humblement et sortit.

— Il ne faut pas que Milady * soit aperçue de ce drôle, continua l'étranger : elle ne doit pas tarder à passer ; déjà même elle est en retard. Décidément, mieux vaut que je monte à cheval et que j'aille au-devant d'elle... Si seulement je pouvais savoir ce que contient cette lettre adressée à Tréville!

Et l'inconnu, tout en marmottant, se dirigea vers la cuisine.

Pendant ce temps, l'hôte, qui ne doutait pas que ce ne fût la présence du jeune garçon qui chassât l'inconnu de son hôtellerie, était remonté chez sa femme et avait

---

* Nous savons bien que cette locution de *milady* n'est usitée qu'autant qu'elle est suivie du nom de famille. Mais nous la trouvons ainsi dans le manuscrit, et nous ne voulons pas prendre sur nous de la changer. [Note de l'édition originale.]

trouvé d'Artagnan maître enfin de ses esprits. Alors,
tout en lui faisant comprendre que la police pourrait
bien lui faire un mauvais parti pour avoir été chercher
querelle à un grand seigneur — car, à l'avis de l'hôte,
l'inconnu ne pouvait être qu'un grand seigneur — il le
détermina, malgré sa faiblesse, à se lever et à continuer
son chemin. D'Artagnan, à moitié abasourdi, sans pourpoint et la tête tout emmaillotée de linges, se leva donc
et, poussé par l'hôte, commença de descendre ; mais, en
arrivant à la cuisine, la première chose qu'il aperçut
fut son provocateur qui causait tranquillement au mar-
chepied d'un lourd carrosse attelé de deux gros chevaux
normands.

Son interlocutrice, dont la tête apparaissait encadrée
par la portière, était une femme de vingt à vingt-deux
ans. Nous avons déjà dit avec quelle rapidité d'investi-
gation d'Artagnan embrassait toute une physionomie ;
il vit donc du premier coup d'œil que la femme était
jeune et belle. Or cette beauté le frappa d'autant plus
qu'elle était parfaitement étrangère aux pays méridio-
naux que jusque-là d'Artagnan avait habités. C'était
une pâle et blonde personne, aux longs cheveux bouclés
tombant sur ses épaules, aux grands yeux bleus lan-
guissants, aux lèvres rosées et aux mains d'albâtre. Elle
causait très vivement avec l'inconnu.

— Ainsi, Son Éminence m'ordonne..., disait la dame.

— De retourner à l'instant même en Angleterre, et
de la prévenir directement si le duc quittait Londres.

— Et quant à mes autres instructions ? demanda la
belle voyageuse.

— Elles sont renfermées dans cette boîte, que vous
n'ouvrirez que de l'autre côté de la Manche.

— Très bien ; et vous, que faites-vous ?

— Moi, je retourne à Paris.

— Sans châtier cet insolent petit garçon ? demanda la dame.

L'inconnu allait répondre : mais, au moment où il ouvrait la bouche, d'Artagnan, qui avait tout entendu, s'élança sur le seuil de la porte.

— C'est cet insolent petit garçon qui châtie les autres, s'écria-t-il, et j'espère bien que cette fois-ci celui qu'il doit châtier ne lui échappera pas comme la première.

— Ne lui échappera pas ? reprit l'inconnu en fronçant le sourcil.

— Non, devant une femme, vous n'oseriez pas fuir, je présume.

— Songez, s'écria Milady en voyant le gentilhomme porter la main à son épée, songez que le moindre retard peut tout perdre.

— Vous avez raison, s'écria le gentilhomme ; partez donc de votre côté, moi, je pars du mien.

Et, saluant la dame d'un signe de tête, il s'élança sur son cheval, tandis que le cocher du carrosse fouettait vigoureusement son attelage. Les deux interlocuteurs partirent donc au galop, s'éloignant chacun par un côté opposé de la rue.

— Eh ! votre dépense, vociféra l'hôte, dont l'affection pour son voyageur se changeait en un profond dédain en voyant qu'il s'éloignait sans solder ses comptes.

— Paye, maroufle, s'écria le voyageur toujours galopant à son laquais, lequel jeta aux pieds de l'hôte deux ou trois pièces d'argent et se mit à galoper après son maître.

— Ah ! lâche, ah ! misérable, ah ! faux gentilhomme ! cria d'Artagnan s'élançant à son tour après le laquais.

Mais le blessé était trop faible encore pour supporter une pareille secousse. A peine eut-il fait dix pas que

ses oreilles tintèrent, qu'un éblouissement le prit, qu'un
nuage de sang passa sur ses yeux et qu'il tomba au milieu
de la rue, en criant encore :

— Lâche! lâche! lâche!

— Il est en effet bien lâche, murmura l'hôte en s'approchant de d'Artagnan, et essayant par cette flatterie
de se raccommoder avec le pauvre garçon, comme le
héron de la fable avec son limaçon du soir.

— Oui, bien lâche, murmura d'Artagnan ; mais elle,
bien belle!

— Qui, elle? demanda l'hôte.

— Milady, balbutia d'Artagnan.

Et il s'évanouit une seconde fois.

— C'est égal, dit l'hôte, j'en perds deux, mais il me
reste celui-là, que je suis sûr de conserver au moins
quelques jours. C'est toujours onze écus de gagnés.

On sait que onze écus faisaient juste la somme qui
restait dans la bourse de d'Artagnan.

L'hôte avait compté sur onze jours de maladie à un
écu par jour ; mais il avait compté sans son voyageur.
Le lendemain, dès cinq heures du matin, d'Artagnan se
leva, descendit lui-même à la cuisine, demanda, outre
quelques autres ingrédients dont la liste n'est pas parvenue jusqu'à nous, du vin, de l'huile, du romarin, et,
la recette de sa mère à la main, se composa un baume
dont il oignit ses nombreuses blessures, renouvelant ses
compresses lui-même et ne voulant admettre l'adjonction d'aucun médecin. Grâce sans doute à l'efficacité
du baume de Bohême, et peut-être aussi grâce à l'absence
de tout docteur, d'Artagnan se trouva sur pied dès le
soir même, et à peu près guéri le lendemain.

Mais, au moment de payer ce romarin, cette huile
et ce vin, seule dépense du maître qui avait gardé une
diète absolue, tandis qu'au contraire le cheval jaune,

au dire de l'hôtelier du moins, avait mangé trois fois
plus qu'on n'eût raisonnablement pu le supposer pour
sa taille, d'Artagnan ne trouva dans sa poche que sa
petite bourse de velours râpé ainsi que les onze écus
qu'elle contenait ; mais quant à la lettre adressée à
M. de Tréville, elle avait disparu.

Le jeune homme commença par chercher cette lettre
avec une grande patience, tournant et retournant vingt
fois ses poches et ses goussets, fouillant et refouillant
dans son sac, ouvrant et refermant sa bourse ; mais
lorsqu'il eut acquis la conviction que la lettre était
introuvable, il entra dans un troisième accès de rage,
qui faillit lui occasionner une nouvelle consommation
de vin et d'huile aromatisés : car, en voyant cette jeune
mauvaise tête s'échauffer et menacer de tout casser
dans l'établissement si l'on ne retrouvait pas sa lettre,
l'hôte s'était déjà saisi d'un épieu, sa femme d'un manche
à balai, et ses garçons des mêmes bâtons qui avaient
servi la surveille.

— Ma lettre de recommandation! s'écriait d'Artagnan, ma lettre de recommandation, sangdieu! ou je
vous embroche tous comme des ortolans!

Malheureusement une circonstance s'opposait à ce
que le jeune homme accomplît sa menace : c'est que,
comme nous l'avons dit, son épée avait été, dans sa
première lutte, brisée en deux morceaux, ce qu'il avait
parfaitement oublié. Il en résulta que, lorsque d'Artagnan voulut en effet dégainer, il se trouva purement
et simplement armé d'un tronçon d'épée de huit ou
dix pouces à peu près, que l'hôte avait soigneusement
renfoncé dans le fourreau. Quant au reste de la lame,
le chef l'avait adroitement détourné pour s'en faire
une lardoire.

Cependant cette déception n'eût probablement pas

arrêté notre fougueux jeune homme, si l'hôte n'avait
réfléchi que la réclamation que lui adressait son voyageur était parfaitement juste.

— Mais, au fait, dit-il en abaissant son épieu, où
est cette lettre?

— Oui, où est cette lettre? cria d'Artagnan. D'abord,
je vous en préviens, cette lettre est pour M. de Tréville,
et il faut qu'elle se retrouve ; ou si elle ne se retrouve
pas, il saura bien la faire retrouver, lui!

Cette menace acheva d'intimider l'hôte. Après le
roi et M. le cardinal, M. de Tréville était l'homme
dont le nom peut-être était le plus souvent répété par
les militaires et même par les bourgeois. Il y avait bien
le père Joseph c'est vrai ; mais son nom à lui n'était
jamais prononcé que tout bas, tant était grande la
terreur qu'inspirait l'Éminence grise, comme on appelait le familier du cardinal.

Aussi, jetant son épieu loin de lui, et ordonnant à
sa femme d'en faire autant de son manche à balai et
à ses valets de leurs bâtons, il donna le premier l'exemple
en se mettant lui-même à la recherche de la lettre
perdue.

— Est-ce que cette lettre renfermait quelque chose
de précieux? demanda l'hôte au bout d'un instant
d'investigations inutiles.

— Sandis! je le crois bien! s'écria le Gascon qui
comptait sur cette lettre pour faire son chemin à la
cour ; elle contenait ma fortune.

— Des bons sur l'Espagne? demanda l'hôte inquiet.

— Des bons sur la trésorerie particulière de Sa
Majesté, répondit d'Artagnan, qui, comptant entrer
au service du roi grâce à cette recommandation, croyait
pouvoir faire sans mentir cette réponse quelque peu
hasardée.

— Diable! fit l'hôte tout à fait désespéré.

— Mais il n'importe, continua d'Artagnan avec l'aplomb national, il n'importe, et l'argent n'est rien : cette lettre était tout. J'eusse mieux aimé perdre mille pistoles que de la perdre.

Il ne risquait pas davantage à dire vingt mille, mais une certaine pudeur juvénile le retint.

Un trait de lumière frappa tout à coup l'esprit de l'hôte, qui se donnait au diable en ne trouvant rien.

— Cette lettre n'est point perdue, s'écria-t-il.

— Ah! fit d'Artagnan.

— Non ; elle vous a été prise.

— Prise! et par qui ?

— Par le gentilhomme d'hier. Il est descendu à la cuisine, où était votre pourpoint. Il y est resté seul. Je gagerais que c'est lui qui l'a volée.

— Vous croyez ? répondit d'Artagnan peu convaincu ; car il savait mieux que personne l'importance toute personnelle de cette lettre, et n'y voyait rien qui pût tenter la cupidité. Le fait est qu'aucun des valets, aucun des voyageurs présents n'eût rien gagné à posséder ce papier.

— Vous dites donc, reprit d'Artagnan, que vous soupçonnez cet impertinent gentilhomme.

— Je vous dis que j'en suis sûr, continua l'hôte ; lorsque je lui ai annoncé que Votre Seigneurie était le protégé de M. de Tréville, et que vous aviez même une lettre pour cet illustre gentilhomme, il a paru fort inquiet, m'a demandé où était cette lettre, et est descendu immédiatement à la cuisine où il savait qu'était votre pourpoint.

— Alors c'est mon voleur, répondit d'Artagnan ; je m'en plaindrai à M. de Tréville, et M. de Tréville s'en plaindra au roi. Puis il tira majestueusement deux écus de sa poche, les donna à l'hôte, qui l'accompagna, le chapeau à la main, jusqu'à la porte, remonta sur son cheval jaune, qui le conduisit sans autre accident jusqu'à la porte Saint-Antoine à Paris, où son propriétaire le vendit trois écus, ce qui était fort bien payé, attendu que d'Artagnan l'avait fort surmené pendant la dernière étape. Aussi le maquignon auquel d'Artagnan le céda moyennant les neufs livres susdites ne cacha-t-il point au jeune homme qu'il n'en donnait cette somme exorbitante qu'à cause de l'originalité de sa couleur.

D'Artagnan entra donc dans Paris à pied, portant son petit paquet sous son bras, et marcha tant qu'il trouvât à louer une chambre qui convînt à l'exiguïté de ses ressources. Cette chambre fut une espèce de mansarde, sise rue des Fossoyeurs, près du Luxembourg.

Aussitôt le denier à Dieu donné, d'Artagnan prit possession de son logement, passa le reste de la journée à coudre à son pourpoint et à ses chausses des passementeries que sa mère avait détachées d'un pourpoint presque neuf de M. d'Artagnan père, et qu'elle lui avait données en cachette ; puis il alla quai de la Ferraille, faire remettre une lame à son épée ; puis il revint au Louvre s'informer, au premier mousquetaire qu'il rencontra, de la situation de l'hôtel de M. de Tréville, lequel était situé rue du Vieux-Colombier, c'est-à-dire justement dans le voisinage de la chambre arrêtée par d'Artagnan, circonstance qui lui parut d'un heureux augure pour le succès de son voyage.

Après quoi, content de la façon dont il s'était conduit à Meung, sans remords dans le passé, confiant dans le présent et plein d'espérance dans l'avenir, il se coucha et s'endormit du sommeil du brave.

Ce sommeil, tout provincial encore, le conduisit jusqu'à neuf heures du matin, heure à laquelle il se leva

pour se rendre chez ce fameux M. de Tréville, le troisième personnage du royaume d'après l'estimation
paternelle.

II

L'ANTICHAMBRE DE M. DE TRÉVILLE

M. de Troisville, comme s'appelait encore sa famille
en Gascogne, où M. de Tréville, comme il avait fini par
s'appeler lui-même à Paris, avait réellement commencé
comme d'Artagnan, c'est-à-dire sans un sou vaillant,
mais avec ce fonds d'audace, d'esprit et d'entendement
qui fait que le plus pauvre gentillâtre gascon reçoit
souvent plus en ses espérances de l'héritage paternel
que le plus riche gentilhomme périgourdin ou berrichon
ne reçoit en réalité. Sa bravoure insolente, son bonheur
plus insolent encore dans un temps où les coups pleu-
vaient comme grêle, l'avaient hissé au sommet de cette
échelle difficile qu'on appelle la faveur de cour, et dont
il avait escaladé quatre à quatre les échelons.

Il était l'ami du roi, lequel honorait fort, comme chacun sait, la mémoire de son père Henri IV. Le père de
M. de Tréville l'avait si fidèlement servi dans ses guerres
contre la Ligue qu'à défaut d'argent comptant — chose
qui toute la vie manqua au Béarnais, lequel paya
constamment ses dettes avec la seule chose qu'il n'eût
jamais besoin d'emprunter, c'est-à-dire avec de l'esprit
— qu'à défaut d'argent comptant, disons-nous, il l'avait
autorisé, après la reddition de Paris, à prendre pour
armes un lion d'or passant sur gueules avec cette devise :

Fidelis et fortis. C'était beaucoup pour l'honneur mais
c'était médiocre pour le bien-être. Aussi, quand l'illustre
compagnon du grand Henri mourut, il laissa pour seul
héritage à Monsieur son fils son épée et sa devise. Grâce
à ce double don et au nom sans tache qui l'accompagnait, M. de Tréville fut admis dans la maison du jeune
prince, où il servit si bien de son épée et fut si fidèle à
sa devise, que Louis XIII, une des bonnes lames du
royaume, avait l'habitude de dire que, s'il avait
un ami qui se battît, il lui donnerait le conseil de prendre
pour second, lui d'abord, et Tréville après, et peut-être
même avant lui.

Aussi Louis XIII avait-il un attachement réel pour
Tréville, attachement royal, attachement égoïste, c'est
vrai, mais qui n'en était pas moins un attachement.
C'est que, dans ces temps malheureux, on cherchait
fort à s'entourer d'hommes de la trempe de Tréville.
Beaucoup pouvaient prendre pour devise l'épithète de
fort, qui faisait la seconde partie de son exergue ; mais
peu de gentilshommes pouvaient réclamer l'épithète de
fidèle, qui en formait la première. Tréville était un de
ces derniers ; c'était une de ces rares organisations, à
l'intelligence obéissante comme celle du dogue, à la
valeur aveugle, à l'œil rapide, à la main prompte, à qui
l'œil n'avait été donné que pour voir si le roi était mécontent de quelqu'un, et la main que pour frapper ce
déplaisant quelqu'un : un Besme, un Maurevers, un
Poltrot de Méré, un Vitry. Enfin, à Tréville, il n'avait
manqué jusque-là que l'occasion ; mais il la guettait,
et il se promettait bien de la saisir par ses trois cheveux
si jamais elle passait à la portée de sa main. Aussi
Louis XIII fit-il de Tréville le capitaine de ses mousquetaires, lesquels étaient à Louis XIII, pour le dévouement ou plutôt pour le fanatisme, ce que ses ordinaires

étaient à Henri III et ce que sa garde écossaise était
à Louis XI.

De son côté, et sous ce rapport, le cardinal n'était
pas en reste avec le roi. Quand il avait vu la formidable
élite dont Louis XIII s'entourait, ce second ou plutôt
ce premier roi de France avait voulu, lui aussi, avoir sa
garde. Il eut donc ses mousquetaires comme Louis XIII
avait les siens, et l'on voyait ces deux puissances rivales
trier pour leur service, dans toutes les provinces de
France et même dans tous les États étrangers, les
hommes célèbres pour les grands coups d'épée. Aussi
Richelieu et Louis XIII se disputaient souvent, en faisant leur partie d'échecs, le soir, au sujet du mérite de
leurs serviteurs. Chacun vantait la tenue et le courage
des siens ; et tout en se prononçant tout haut contre les
duels et contre les rixes, ils les excitaient tout bas à en
venir aux mains, et concevaient un véritable chagrin ou
une joie immodérée de la défaite ou de la victoire des
leurs. Ainsi, du moins, le disent les Mémoires d'un
homme qui fut dans quelques-unes de ces défaites et
dans beaucoup de ces victoires.

Tréville avait pris le côté faible de son maître, et
c'est à cette adresse qu'il devait la longue et constante
faveur d'un roi qui n'a pas laissé la réputation d'avoir
été très fidèle à ses amitiés. Il faisait parader ses mousquetaires devant le cardinal Armand Duplessis avec un
air narquois qui hérissait de colère la moustache grise
de Son Éminence. Tréville entendait admirablement
bien la guerre de cette époque, où, quand on ne vivait
pas aux dépens de l'ennemi, on vivait aux dépens de
ses compatriotes : ses soldats formaient une légion de
diables à quatre, indisciplinée pour tout autre que
pour lui.

Débraillés, avinés, écorchés, les mousquetaires du

roi, ou plutôt ceux de M. de Tréville, s'épandaient dans
les cabarets, dans les promenades, dans les jeux publics,
criant fort et retroussant leurs moustaches, faisant
sonner leurs épées, heurtant avec volupté les gardes
de M. le cardinal quand ils les rencontraient ; puis
dégainant en pleine rue, avec mille plaisanteries ; tués
quelquefois, mais sûrs en ce cas d'être pleurés et vengés ;
tuant souvent, et sûrs alors de ne pas moisir en prison,
M. de Tréville étant là pour les réclamer. Aussi M. de
Tréville était-il loué sur tous les tons, chanté sur toutes
les gammes par ces hommes qui l'adoraient, et qui,
tout gens de sac et de corde qu'ils étaient, tremblaient
devant lui comme des écoliers devant leur maître,
obéissant au moindre mot, et prêts à se faire tuer pour
laver le moindre reproche.

M. de Tréville avait usé de ce levier puissant, pour
le roi d'abord et les amis du roi — puis pour lui-même
et pour ses amis. Au reste, dans aucun des Mémoires de
ce temps, qui a laissé tant de Mémoires, on ne voit que
ce digne gentilhomme ait été accusé, même par ses
ennemis — — et il en avait autant parmi les gens de plume
que chez les gens d'épée — nulle part on ne voit, disons-
nous, que ce digne gentilhomme ait été accusé de se
faire payer la coopération de ses séides. Avec un rare
génie d'intrigue, qui le rendait l'égal des plus forts intri-
gants, il était resté honnête homme. Bien plus, en dépit
des grandes estocades qui déhanchent et des exercices
pénibles qui fatiguent, il était devenu un des plus galants
coureurs de ruelles, un des plus fins damerets, un des
plus alambiqués diseurs de phœbus de son époque ;
on parlait des bonnes fortunes de Tréville comme on
avait parlé vingt ans auparavant de celles de Bassompierre — et ce n'était pas peu dire. Le capitaine des mousquetaires était donc admiré, craint et

aimé, ce qui constitue l'apogée des fortunes humaines.

Louis XIV absorba tous les petits astres de sa cour dans son vaste rayonnement ; mais son père, soleil *pluribus impar*, laissa sa splendeur personnelle à chacun de ses favoris, sa valeur individuelle à chacun de ses courtisans. Outre le lever du roi et celui du cardinal, on comptait alors à Paris plus de deux cents petits levers un peu recherchés. Parmi les deux cents petits levers, celui de Tréville était un des plus courus.

La cour de son hôtel, situé rue du Vieux-Colombier, ressemblait à un camp, et cela dès six heures du matin en été et dès huit heures en hiver. Cinquante à soixante mousquetaires, qui semblaient s'y relayer pour présenter un nombre toujours imposant, s'y promenaient sans cesse, armés en guerre et prêts à tout. Le long d'un de ces grands escaliers sur l'emplacement desquels notre civilisation bâtirait une maison tout entière, montaient et descendaient les solliciteurs de Paris qui couraient après une faveur quelconque, les gentilshommes de province avides d'être enrôlés, et les laquais chamarrés de toutes couleurs, qui venaient apporter à M. de Tréville les messages de leurs maîtres. Dans l'antichambre, sur de longues banquettes circulaires, reposaient les élus, c'est-à-dire ceux qui étaient convoqués. Un bourdonnement durait là depuis le matin jusqu'au soir, tandis que M. de Tréville, dans son cabinet contigu à cette antichambre, recevait les visites, écoutait les plaintes, donnait ses ordres et, comme le roi à son balcon du Louvre, n'avait qu'à se mettre à sa fenêtre pour passer la revue des hommes et des armes.

Le jour où d'Artagnan se présenta, l'assemblée était imposante, surtout pour un provincial arrivant de sa province : il est vrai que ce provincial était Gascon, et que surtout à cette époque les compatriotes de d'Artagnan avaient la réputation de ne point facilement se laisser intimider. En effet, une fois qu'on avait franchi la porte massive, chevillée de longs clous à tête qua-drangulaire, on tombait au milieu d'une troupe de gens d'épée qui se croisaient dans la cour, s'interpellant, se querellant et jouant entre eux. Pour se frayer un passage au milieu de toutes ces vagues tourbillonnantes, il eût fallu être officier, grand seigneur ou jolie femme.

Ce fut donc au milieu de cette cohue et de ce désordre que notre jeune homme s'avança, le cœur palpitant, rangeant sa longue rapière le long de ses jambes maigres, et tenant une main au rebord de son feutre avec ce demi-sourire du provincial embarrassé qui veut faire bonne contenance. Avait-il dépassé un groupe, alors il respirait plus librement ; mais il comprenait qu'on se retournait pour le regarder et, pour la première fois de sa vie, d'Artagnan, qui jusqu'à ce jour avait une assez bonne opinion de lui-même, se trouva ridicule.

Arrivé à l'escalier, ce fut pis encore ; il y avait sur les premières marches quatre mousquetaires qui se divertissaient à l'exercice suivant, tandis que dix ou douze de leurs camarades attendaient sur le palier que leur tour vînt de prendre place à la partie.

Un d'eux, placé sur le degré supérieur, l'épée nue à la main, empêchait ou du moins s'efforçait d'empêcher les trois autres de monter.

Ces trois autres s'escrimaient contre lui de leurs épées fort agiles. D'Artagnan prit d'abord ces fers pour des fleurets d'escrime, il les crut boutonnés ; mais il reconnut bientôt à certaines égratignures que chaque arme, au contraire, était affilée et aiguisée à souhait, et à chacune de ces égratignures, non seulement les spectateurs, mais encore les acteurs riaient comme des fous.

Celui qui occupait le degré en ce moment tenait

merveilleusement ses adversaires en respect. On faisait
cercle autour d'eux ; la condition portait qu'à chaque
coup le touché quitterait la partie, en perdant son tour
d'audience au profit du toucheur. En cinq minutes
trois furent effleurés, l'un au poignet, l'autre au menton, l'autre à l'oreille, par le défenseur du degré, qui
lui-même ne fut pas atteint — adresse qui lui valut,
selon les conventions arrêtées, trois tours de faveur.

Si difficile non pas qu'il fût, mais qu'il voulût être
à étonner, ce passe-temps étonna notre jeune voyageur ;
il avait vu dans sa province, cette terre où s'échauffent
cependant si promptement les têtes, un peu plus de
préliminaires aux duels, et la gasconnade de ces quatre
joueurs lui parut la plus forte de toutes celles qu'il
avait ouïes jusqu'alors, même en Gascogne. Il se crut
transporté dans ce fameux pays des géants où Gulliver
alla depuis et eut si grand-peur ; et cependant il n'était
pas au bout : restaient le palier et l'antichambre.

Sur le palier on ne se battait plus, on racontait des
histoires de femmes, et dans l'antichambre des histoires
de cour. Sur le palier, d'Artagnan rougit ; dans l'antichambre, il frissonna. Son imagination éveillée et vaga-
bonde, qui en Gascogne le rendait redoutable aux jeunes
femmes de chambre et même quelquefois aux jeunes
maîtresses, n'avait jamais rêvé, même dans ces moments
de délire, la moitié de ces merveilles amoureuses et le
quart de ces prouesses galantes, rehaussées des noms
les plus connus et des détails les moins voilés. Mais si
son amour pour les bonnes mœurs fut choqué sur le
palier, son respect pour le cardinal fut scandalisé dans
l'antichambre. Là, à son grand étonnement, d'Artagnan
entendait critiquer tout haut la politique qui faisait
trembler l'Europe, et la vie privée du cardinal, que tant
de hauts et puissants seigneurs avaient été punis d'avoir

tenté d'approfondir : ce grand homme, révéré par
M. d'Artagnan père, servait de risée aux mousquetaires
de M. de Tréville, qui raillaient ses jambes cagneuses
et son dos voûté ; quelques-uns chantaient des noëls
sur Mme d'Aiguillon, sa maîtresse, et Mme de Combalet,
sa nièce, tandis que les autres liaient des parties contre
les pages et les gardes du cardinal-duc, toutes choses
qui paraissaient à d'Artagnan de monstrueuses impos-
sibilités.

Cependant, quand le nom du roi intervenait parfois
tout à coup à l'improviste au milieu de tous ces quolibets
cardinalesques, une espèce de bâillon calfeutrait pour
un moment toutes ces bouches moqueuses ; on regardait
avec hésitation autour de soi, et l'on semblait craindre
l'indiscrétion de la cloison du cabinet de M. de Tréville ;
mais bientôt une allusion ramenait la conversation sur
Son Éminence, et alors les éclats reprenaient de plus
belle, et la lumière n'était ménagée sur aucune de ses
actions.

— Certes, voilà des gens qui vont tous être embas-
tillés et pendus, pensa d'Artagnan avec terreur, et moi
sans aucun doute avec eux, car, du moment où je les ai
écoutés et entendus, je serai tenu pour leur complice.
Que dirait Monsieur mon père, qui m'a si fort recommandé le respect du cardinal, s'il me savait dans la
société de pareils païens ?

Aussi, comme on s'en doute sans que je le dise,
d'Artagnan n'osait se livrer à la conversation ; seulement
il regardait de tous ses yeux, écoutant de toutes ses
oreilles, tendant avidement ses cinq sens pour ne rien
perdre, et malgré sa confiance dans les recommandations
paternelles, il se sentait porté par ses goûts et entraîné
par ses instincts à louer plutôt qu'à blâmer les choses
inouïes qui se passaient là.

Cependant, comme il était absolument étranger à la foule des courtisans de M. de Tréville, et que c'était la première fois qu'on l'apercevait en ce lieu, on vint lui demander ce qu'il désirait. A cette demande, d'Artagnan se nomma fort humblement, s'appuya du titre de compatriote, et pria le valet de chambre qui était venu lui faire cette question de demander pour lui à M. de Tréville un moment d'audience, demande que celui-ci promit d'un ton protecteur de transmettre en temps et lieu.

D'Artagnan, un peu revenu de sa surprise première, eut donc le loisir d'étudier un peu les costumes et les physionomies.

Au centre du groupe le plus animé était un mousquetaire de grande taille, d'une figure hautaine et d'une bizarrerie de costume qui attirait sur lui l'attention générale. Il ne portait pas, pour le moment, la casaque d'uniforme, qui, au reste, n'était pas absolument obligatoire dans cette époque de liberté moindre mais d'indépendance plus grande, mais un justaucorps bleu de ciel, tant soit peu fané et râpé, et sur cet habit un baudrier magnifique, en broderies d'or, et qui reluisait comme les écailles dont l'eau se couvre au grand soleil. Un manteau long de velours cramoisi tombait avec grâce sur ses épaules, découvrant par-devant seulement le splendide baudrier, auquel pendait une gigantesque rapière.

Ce mousquetaire venait de descendre de garde à l'instant même, se plaignait d'être enrhumé et toussait de temps en temps avec affectation. Aussi avait-il pris le manteau, à ce qu'il disait autour de lui, et tandis qu'il parlait du haut de sa tête, en frisant dédaigneusement sa moustache, on admirait avec enthousiasme le baudrier brodé, et d'Artagnan plus que tout autre.

— Que voulez-vous, disait le mousquetaire, la mode

en vient ; c'est une folie, je le sais bien, mais c'est la mode. D'ailleurs, il faut bien employer à quelque chose l'argent de sa légitime.

— Ah! *Porthos!* s'écria un des assistants, n'essaye pas de nous faire croire que ce baudrier te vient de la générosité paternelle ; il t'aura été donné par la dame voilée avec laquelle je t'ai rencontré l'autre dimanche vers la porte Saint-Honoré.

— Non, sur mon honneur et foi·de gentilhomme, je l'ai acheté moi-même, et de mes propres deniers, répondit celui qu'on venait de désigner sous le nom de Porthos.

— Oui, comme j'ai acheté, moi, dit un autre mousquetaire, cette bourse neuve avec ce que ma maîtresse avait mis dans la vieille.

— Vrai, dit Porthos, et la preuve c'est que je l'ai payé douze pistoles.

L'admiration redoubla, quoique le doute continuât d'exister.

— N'est-ce pas, *Aramis?* dit Porthos se tournant vers un autre mousquetaire.

Cet autre mousquetaire formait un contraste parfait avec celui qui l'interrogeait et qui venait de le désigner sous le nom d'Aramis : c'était un jeune homme de vingt-deux à vingt-trois ans à peine, à la figure naïve et doucereuse, à l'œil noir et doux et aux joues roses et velou·tées comme une pêche en automne ; sa moustache fine dessinait sur sa lèvre supérieure une ligne d'une rectitude parfaite ; ses mains semblaient craindre de s'abaisser, de peur que leurs veines ne se gonflassent, et de temps en temps il se pinçait le bout des oreilles pour les maintenir d'un incarnat tendre et transparent. D'habitude il parlait peu et lentement, saluait beaucoup, riait sans bruit en montrant ses dents, qu'il avait belles et dont, comme du reste de sa personne, il semblait prendre le plus grand soin. Il répondit par un signe de tête affirmatif à l'interpellation de son ami.

Cette affirmation parut avoir fixé tous les doutes à l'endroit du baudrier ; on continua donc de l'admirer, mais on n'en parla plus ; et, par un de ces revirements rapides de la pensée, la conversation passa tout à coup à un autre sujet.

— Que pensez-vous de ce que raconte l'écuyer de Chalais ? demanda un autre mousquetaire sans interpeller directement personne mais s'adressant au contraire à tout le monde.

— Et que raconte-t-il ? demanda Porthos d'un ton suffisant.

— Il raconte qu'il a trouvé à Bruxelles Rochefort, l'âme damnée du cardinal, déguisé en capucin ; ce Rochefort maudit, grâce à ce déguisement, avait joué M. de Laigues comme un niais qu'il est.

— Comme un vrai niais, dit Porthos ; mais la chose est-elle sûre ?

— Je la tiens d'Aramis, répondit le mousquetaire.

— Vraiment ?

— Eh ! vous le savez bien, Porthos, dit Aramis ; je vous l'ai racontée à vous-même hier, n'en parlons donc plus.

— N'en parlons plus, voilà votre opinion à vous, reprit Porthos. N'en parlons plus ! peste ! comme vous concluez vite. Comment ! le cardinal fait espionner un gentilhomme, fait voler sa correspondance par un traître, un brigand, un pendard ; fait, avec l'aide de cet espion et grâce à cette correspondance, couper le cou à Chalais, sous le stupide prétexte qu'il a voulu tuer le roi et marier Monsieur avec la reine ! Personne ne savait un mot de cette énigme, vous nous l'apprenez hier, à la grande

satisfaction de tous, et quand nous sommes encore
tout ébahis de cette nouvelle, vous venez nous dire
aujourd'hui : N'en parlons plus !

— Parlons-en donc, voyons, puisque vous le désirez,
reprit Aramis avec patience.

— Ce Rochefort, s'écria Porthos, si j'étais l'écuyer
du pauvre Chalais, passerait avec moi un vilain moment.

— Et vous, vous passeriez un triste quart d'heure
avec le duc Rouge, reprit Aramis.

— Ah! le duc Rouge! bravo, bravo, le duc Rouge!
répondit Porthos en battant des mains et en approuvant
de la tête. Le « duc Rouge » est charmant. Je répandrai
le mot, mon cher, soyez tranquille. A-t-il de l'esprit,
cet Aramis! Quel malheur que vous n'ayez pas pu suivre
votre vocation, mon cher! quel délicieux abbé vous
eussiez fait!

— Oh! ce n'est qu'un retard momentané, reprit
Aramis ; un jour je le serai. Vous savez bien, Porthos,
que je continue d'étudier la théologie pour cela.

— Il le fera comme il le dit, reprit Porthos, il le fera
tôt ou tard.

— Tôt, dit Aramis.

— Il n'attend qu'une chose pour le décider tout à
fait et pour reprendre sa soutane, qui est pendue derrière son uniforme, reprit un mousquetaire.

— Et quelle chose attend-il? demanda un autre.

— Il attend que la reine ait donné un héritier à la
couronne de France.

— Ne plaisantons pas là-dessus, Messieurs, dit Porthos ; grâce à Dieu, la reine est encore d'âge à le donner.

— On dit que M. de Buckingham est en France,
reprit Aramis avec un rire narquois qui donnait à cette
phrase, si simple en apparence, une signification passablement scandaleuse.

— Aramis, mon ami, pour cette fois vous avez tort,
interrompit Porthos, et votre manie d'esprit vous
entraîne toujours au-delà des bornes ; si M. de Tréville
vous entendait, vous seriez malvenu de parler ainsi.

— Allez-vous me faire une leçon, Porthos ? s'écria
Aramis, dans l'œil doux duquel on vit passer comme
un éclair.

— Mon cher, soyez mousquetaire ou abbé. Soyez
l'un ou l'autre, mais pas l'un et l'autre, reprit Porthos.
Tenez, Athos vous l'a dit encore l'autre jour : vous
mangez à tous les râteliers. Ah! ne nous fâchons pas,
je vous prie, ce serait inutile, vous savez bien ce qui
est convenu entre vous, Athos et moi. Vous allez chez
Mme d'Aiguillon, et vous lui faites la cour ; vous allez
chez Mme de Bois-Tracy, la cousine de Mme de Chevreuse, et vous passez pour être fort en avant dans les
bonnes grâces de la dame. Oh! mon Dieu, n'avouez
pas votre bonheur, on ne vous demande pas votre
secret, on connaît votre discrétion. Mais puisque vous
possédez cette vertu, que diable! faites-en usage à
l'endroit de Sa Majesté. S'occupe qui voudra et comme
on voudra du roi et du cardinal ; mais la reine est sacrée,
et si l'on en parle, que ce soit en bien.

— Porthos, vous êtes prétentieux comme Narcisse,
je vous en préviens, répondit Aramis, vous savez que
je hais la morale, excepté quand elle est faite par Athos.
Quant à vous, mon cher, vous avez un trop magnifique
baudrier pour être bien fort là-dessus. Je serai abbé s'il
me convient ; en attendant, je suis mousquetaire : en
cette qualité, je dis ce qu'il me plaît, et en ce moment
il me plaît de vous dire que vous m'impatientez.

— Aramis!

— Porthos!

— Eh! Messieurs! Messieurs! s'écria-t-on autour d'eux.

— M. de Tréville attend Monsieur d'Artagnan, interrompit le laquais en ouvrant la porte du cabinet.

A cette annonce, pendant laquelle la porte demeurait ouverte, chacun se tut, et au milieu du silence général le jeune Gascon traversa l'antichambre dans une partie de sa longueur et entra chez le capitaine des mousquetaires, se félicitant de tout son cœur d'échapper aussi à point à la fin de cette bizarre querelle.

III

L'AUDIENCE

M. de Tréville était pour le moment de fort méchante humeur ; néanmoins il salua poliment le jeune homme, qui s'inclina jusqu'à terre, et il sourit en recevant son compliment, dont l'accent béarnais lui rappela à la fois sa jeunesse et son pays, double souvenir qui fait sourire l'homme à tous les âges. Mais, se rapprochant presque aussitôt de l'antichambre et faisant à d'Artagnan un signe de la main, comme pour lui demander la permission d'en finir avec les autres avant de commencer avec lui, il appela trois fois, en grossissant la voix à chaque fois, de sorte qu'il parcourut tous les tons intervallaires entre l'accent impératif et l'accent irrité :

— Athos ! Porthos ! Aramis !

Les deux mousquetaires avec lesquels nous avons déjà fait connaissance, et qui répondaient aux deux derniers de ces trois noms, quittèrent aussitôt les groupes dont ils faisaient partie et s'avancèrent vers le cabinet, dont la porte se referma derrière eux dès qu'ils en eurent franchi le seuil. Leur contenance, bien qu'elle ne fût pas tout à fait tranquille, excita cependant, par son laisser-aller à la fois plein de dignité et de soumission, l'admiration de d'Artagnan, qui voyait dans ces hommes des demi-dieux, et dans leur chef un Jupiter olympien armé de toutes ses foudres.

Quand les deux mousquetaires furent entrés, quand la porte fut refermée derrière eux, quand le murmure bourdonnant de l'antichambre, auquel l'appel qui venait d'être fait avait sans doute donné un nouvel aliment, eut recommencé ; quand enfin M. de Tréville eut trois ou quatre fois arpenté, silencieux et le sourcil froncé, toute la longueur de son cabinet, passant chaque fois devant Porthos et Aramis, roides et muets comme à la parade, il s'arrêta tout à coup en face d'eux, et les couvrant des pieds à la tête d'un regard irrité :

— Savez-vous ce que m'a dit le roi, s'écria-t-il, et cela pas plus tard qu'hier soir ? Le savez-vous, Messieurs ?

— Non, répondirent après un instant de silence les deux mousquetaires ; non, Monsieur, nous l'ignorons.

— Mais j'espère que vous nous ferez l'honneur de nous le dire, ajouta Aramis de son ton le plus poli et avec la plus gracieuse révérence.

— Il m'a dit qu'il recruterait désormais ses mousquetaires parmi les gardes de M. le cardinal !

— Parmi les gardes de M. le cardinal ! et pourquoi cela ? demanda vivement Porthos.

— Parce qu'il voyait bien que sa piquette avait besoin d'être ragaillardie par un mélange de bon vin.

Les deux mousquetaires rougirent jusqu'au blanc des yeux. D'Artagnan ne savait où il en était et eût voulu être à cent pieds sous terre.

— Oui, oui, continua M. de Tréville en s'animant, oui, et Sa Majesté avait raison, car, sur mon honneur,

il est vrai que les mousquetaires font triste figure à la
cour. M. le cardinal racontait hier au jeu du roi, avec un
air de condoléance qui me déplut fort, qu'avant-hier
ces damnés mousquetaires, ces diables à quatre — il
appuyait sur ces mots avec un accent ironique qui me
déplut encore davantage — ces pourfendeurs, ajoutait-il
en me regardant de son œil de chat-tigre, s'étaient
attardés rue Férou, dans un cabaret, et qu'une ronde
de ses gardes — j'ai cru qu'il allait me rire au nez —
avait été forcée d'arrêter les perturbateurs. Morbleu!
vous devez en savoir quelque chose! Arrêter des mousquetaires! Vous en étiez, vous autres, ne vous en défendez
pas, on vous a reconnus, et le cardinal vous a nommés.
Voilà bien ma faute, oui, ma faute, puisque c'est moi
qui choisis mes hommes. Voyons, vous, Aramis, pourquoi diable m'avez-vous demandé la casaque quand
vous alliez être si bien sous la soutane? Voyons, vous,
Porthos, n'avez-vous un si beau baudrier d'or que pour
y suspendre une épée de paille? Et Athos! je ne vois
pas Athos. Où est-il?

— Monsieur, répondit tristement Aramis, il est malade, fort malade.

— Malade, fort malade, dites-vous? et de quelle
maladie?

— On craint que ce ne soit de la petite vérole,
Monsieur, répondit Porthos voulant mêler à son tour
un mot à la conversation, et ce qui serait fâcheux en
ce que très certainement cela gâterait son visage.

— De la petite vérole! Voilà encore une glorieuse
histoire que vous me contez là, Porthos!... Malade de
la petite vérole, à son âge?... Non pas!... mais blessé
sans doute, tué peut-être... Ah! si je le savais!... Sangdieu! Messieurs les mousquetaires, je n'entends pas que
l'on hante ainsi les mauvais lieux, qu'on se prenne de

querelle dans la rue et qu'on joue de l'épée dans les carrefours. Je ne veux pas enfin qu'on prête à rire aux gardes de M. le cardinal, qui sont de braves gens, tranquilles, adroits, qui ne se mettent jamais dans le cas d'être arrêtés, et qui d'ailleurs ne se laisseraient pas arrêter, eux!... j'en suis sûr... Ils aimeraient mieux mourir sur la place que de faire un pas en arrière... Se sauver, détaler, fuir, c'est bon pour les mousquetaires du roi, cela!

Porthos et Aramis frémissaient de rage. Ils auraient volontiers étranglé M. de Tréville, si au fond de tout cela ils n'avaient pas senti que c'était le grand amour qu'il leur portait qui le faisait leur parler ainsi. Ils frappaient le tapis du pied, se mordaient les lèvres jusqu'au sang et serraient de toute leur force la garde de leur épée. Au-dehors on avait entendu appeler, comme nous l'avons dit, Athos, Porthos et Aramis, et l'on avait deviné, à l'accent de la voix de M. de Tréville, qu'il était parfaitement en colère. Dix têtes curieuses étaient appuyées à la tapisserie et pâlissaient de fureur, car leurs oreilles collées à la porte ne perdaient pas une syllabe de ce qui se disait, tandis que leurs bouches répétaient au fur et à mesure les paroles insultantes du capitaine à toute la population de l'antichambre. En un instant, depuis la porte du cabinet jusqu'à la porte de la rue, tout l'hôtel fut en ébullition.

— Ah! les mousquetaires du roi se font arrêter par les gardes de M. le cardinal, continua M. de Tréville aussi furieux à l'intérieur que ses soldats, mais saccadant ses paroles et les plongeant une à une pour ainsi dire et comme autant de coups de stylet dans la poitrine de ses auditeurs. Ah! six gardes de Son Éminence arrêtent six mousquetaires de Sa Majesté! Morbleu! j'ai pris mon parti. Je vais de ce pas au Louvre ; je donne ma

démission de capitaine des mousquetaires du roi pour
demander une lieutenance dans les gardes du cardinal,
et s'il me refuse, morbleu! je me fais abbé.

A ces paroles, le murmure de l'extérieur devint une
explosion : partout on n'entendait que jurons et blas-
phèmes. Les *morbleu!* les *sangdieu!* les *morts de tous les
diables!* se croisaient dans l'air. D'Artagnan cherchait
une tapisserie derrière laquelle se cacher, et se sentait
une envie démesurée de se fourrer sous la table.

— Eh bien! mon capitaine, dit Porthos hors de
lui, la vérité est que nous étions six contre six, mais
nous avons été pris en traître, et avant que nous eus-
sions eu le temps de tirer nos épées, deux d'entre nous
étaient tombés morts, et Athos, blessé grièvement,
ne valait guère mieux. Car vous le connaissez, Athos ;
eh bien! capitaine, il a essayé de se relever deux fois,
et il est retombé deux fois. Cependant nous ne nous
sommes pas rendus, non! l'on nous a entraînés de force.
En chemin, nous nous sommes sauvés. Quant à Athos,
on l'avait cru mort, et on l'a laissé bien tranquillement
sur le champ de bataille, ne pensant pas qu'il valût la
peine d'être emporté. Voilà l'histoire. Que diable,
capitaine! on ne gagne pas toutes les batailles. Le grand
Pompée a perdu celle de Pharsale, et le roi François Ier,
qui, à ce que j'ai entendu dire, en valait bien un autre,
a perdu cependant celle de Pavie.

— Et j'ai l'honneur de vous assurer que j'en ai tué
un avec sa propre épée, dit Aramis, car la mienne
s'est brisée à la première parade... Tué ou poignardé,
Monsieur, comme il vous sera agréable.

— Je ne savais pas cela, reprit M. de Tréville d'un
ton un peu radouci. M. le cardinal avait exagéré, à ce
que je vois.

— Mais, de grâce, Monsieur, continua Aramis, qui,

voyant son capitaine s'apaiser, osait hasarder une
prière, de grâce, Monsieur, ne dites pas qu'Athos lui-
même est blessé, il serait au désespoir que cela parvînt
aux oreilles du roi, et comme la blessure est des plus
graves, attendu qu'après avoir traversé l'épaule elle
pénètre dans la poitrine, il serait à craindre...

Au même instant la portière se souleva, et une tête
noble et belle, mais affreusement pâle, parut sous la
frange.

— Athos! s'écrièrent les deux mousquetaires.

— Athos! répéta M. de Tréville lui même.

— Vous m'avez mandé, Monsieur, dit Athos à M. de
Tréville d'une voix affaiblie mais parfaitement calme,
vous m'avez demandé, à ce que m'ont dit nos camarades,
et je m'empresse de me rendre à vos ordres ; voilà,
Monsieur, que me voulez-vous ?

Et à ces mots le mousquetaire, en tenue irréprochable,
sanglé comme de coutume, entra d'un pas ferme dans
le cabinet. M. de Tréville, ému jusqu'au fond du cœur
de cette preuve de courage, se précipita vers lui.

— J'étais en train de dire à ces Messieurs, ajouta-
t-il, que je défends à mes mousquetaires d'exposer leurs
jours sans nécessité, car les braves gens sont bien chers
au roi, et le roi sait que ses mousquetaires sont les
plus braves gens de la terre. Votre main, Athos.

Et sans attendre que le nouveau venu répondît de
lui-même à cette preuve d'affection, M. de Tréville
saisissait sa main droite et la lui serrait de toutes ses
forces, sans s'apercevoir qu'Athos, quel que fût son
empire sur lui-même, laissait échapper un mouvement
de douleur et pâlissait encore, ce que l'on aurait pu
croire impossible.

La porte était restée entrouverte, tant l'arrivée
d'Athos, dont, malgré le secret gardé, la blessure

était connue de tous, avait produit de sensation. Un brouhaha de satisfaction accueillit les derniers mots du capitaine, et deux ou trois têtes, entraînées par l'enthousiasme, apparurent par les ouvertures de la tapisserie. Sans doute, M. de Tréville allait réprimer par de vives paroles cette infraction aux lois de l'étiquette, lorsqu'il sentit tout à coup la main d'Athos se crisper dans la sienne, et qu'en portant les yeux sur lui s'aperçut qu'il allait s'évanouir. Au même instant, Athos, qui avait rassemblé toutes ses forces pour lutter contre la douleur, vaincu enfin par elle, tomba sur le parquet comme s'il fût mort.

— Un chirurgien! cria M. de Tréville. Le mien, celui du roi, le meilleur! Un chirurgien! ou, sangdieu! mon brave Athos va trépasser.

Aux cris de M. de Tréville, tout le monde se précipita dans son cabinet sans qu'il songeât à en fermer la porte à personne, chacun s'empressant autour du blessé. Mais tout cet empressement eût été inutile, si le docteur demandé ne se fût trouvé dans l'hôtel même ; il fendit la foule, s'approcha d'Athos toujours évanoui, et, comme tout ce bruit et tout ce mouvement le gênait fort, il demanda comme première chose et comme la plus urgente que le mousquetaire fût emporté dans une chambre voisine. Aussitôt M. de Tréville ouvrit une porte et montra le chemin à Porthos et à Aramis, qui emportèrent leur camarade dans leurs bras. Derrière ce groupe marchait le chirurgien, et derrière le chirurgien la porte se referma.

Alors le cabinet de M. de Tréville, ce lieu ordinairement si respecté, devint momentanément une succursale de l'antichambre. Chacun discourait, pérorait, parlait haut, jurant, sacrant, donnant le cardinal et ses gardes à tous les diables.

Un instant après, Porthos et Aramis rentrèrent ; le chirurgien et M. de Tréville seuls étaient restés près du blessé.

Enfin M. de Tréville rentra à son tour. Le blessé avait repris connaissance ; le chirurgien déclarait que l'état du mousquetaire n'avait rien qui pût inquiéter ses amis, sa faiblesse ayant été purement et simplement occasionnée par la perte de son sang.

Puis M. de Tréville fit un signe de la main, et chacun se retira, excepté d'Artagnan, qui n'oubliait point qu'il avait audience et qui, avec sa ténacité de Gascon, était demeuré à la même place.

Lorsque tout le monde fut sorti et que la porte fut refermée, M. de Tréville se retourna et se trouva seul avec le jeune homme. L'événement qui venait d'arriver lui avait quelque peu fait perdre le fil de ses idées. Il s'informa de ce que lui voulait l'obstiné solliciteur. D'Artagnan alors se nomma, et M. de Tréville, se rappelant d'un seul coup tous ses souvenirs du présent et du passé, se trouva au courant de sa situation.

— Pardon, lui dit-il en souriant, pardon, mon cher compatriote, mais je vous avais parfaitement oublié. Que voulez-vous ! un capitaine n'est rien qu'un père de famille chargé d'une plus grande responsabilité qu'un père de famille ordinaire. Les soldats sont de grands enfants ; mais comme je tiens à ce que les ordres du roi, et surtout ceux de M. le cardinal, soient exécutés...

D'Artagnan ne put dissimuler un sourire. A ce sourire, M. de Tréville jugea qu'il n'avait point affaire à un sot, et venant droit au fait, tout en changeant de conversation :

— J'ai beaucoup aimé Monsieur votre père, dit-il. Que puis-je faire pour son fils ? Hâtez-vous, mon temps n'est pas à moi.

— Monsieur, dit d'Artagnan, en quittant Tarbes
et en venant ici, je me proposais de vous demander, en
souvenir de cette amitié dont vous n'avez pas perdu
mémoire, une casaque de mousquetaire ; mais, après
tout ce que je vois depuis deux heures, je comprends
qu'une telle faveur serait énorme, et je tremble de ne
point la mériter.

— C'est une faveur en effet, jeune homme, répondit M. de Tréville ; mais elle peut ne pas être si fort
au-dessus de vous que vous le croyez ou que vous avez
l'air de le croire. Toutefois une décision de Sa Majesté
a prévu ce cas, et je vous annonce avec regret qu'on ne
reçoit personne mousquetaire avant l'épreuve préalable
de quelques campagnes, de certaines actions d'éclat,
ou d'un service de deux ans dans quelque autre régiment moins favorisé que le nôtre.

D'Artagnan s'inclina sans rien répondre. Il se sentait
encore plus avide d'endosser l'uniforme de mousquetaire depuis qu'il y avait de si grandes difficultés à
l'obtenir.

— Mais, continua Tréville en fixant sur son compatriote un regard si perçant qu'on eût dit qu'il voulait
lire jusqu'au fond de son cœur, mais, en faveur de
votre père, mon ancien compagnon, comme je vous
l'ai dit, je veux faire quelque chose pour vous, jeune
homme. Nos cadets de Béarn ne sont ordinairement
pas riches, et je doute que les choses aient fort changé
de face depuis mon départ de la province. Vous ne
devez donc pas avoir de trop, pour vivre, de l'argent
que vous avez apporté avec vous.

D'Artagnan se redressa d'un air fier qui voulait dire
qu'il ne demandait l'aumône à personne.

— C'est bien, jeune homme, c'est bien, continua
Tréville, je connais ces airs-là ; je suis venu à Paris

avec quatre écus dans ma poche, et je me serais battu
avec quiconque m'aurait dit que je n'étais pas en état
d'acheter le Louvre.

D'Artagnan se redressa de plus en plus ; grâce à la
vente de son cheval, il commençait sa carrière avec
quatre écus de plus que M. de Tréville n'avait commencé la sienne.

— Vous devez donc, disais-je, avoir besoin de conserver ce que vous avez, si forte que soit cette somme ;
mais vous devez avoir besoin aussi de vous perfec-
tionner dans les exercices qui conviennent à un gentilhomme. J'écrirai dès aujourd'hui une lettre au directeur de l'Académie royale et dès demain il vous recevra
sans rétribution aucune. Ne refusez pas cette petite
douceur. Nos gentilshommes les mieux nés et les plus
riches la sollicitent quelquefois, sans pouvoir l'obtenir.
Vous apprendrez le manège du cheval, l'escrime et la
danse ; vous y ferez de bonnes connaissances, et de
temps en temps vous reviendrez me voir pour me dire
où vous en êtes et si je puis faire quelque chose pour
vous.

D'Artagnan, tout étranger qu'il fût encore aux façons de cour, s'aperçut de la froideur de cet accueil.

— Hélas, Monsieur, dit-il, je vois combien la lettre
de recommandation que mon père m'avait remise pour
vous me fait défaut aujourd'hui !

— En effet, répondit M. de Tréville, je m'étonne
que vous ayez entrepris un aussi long voyage sans ce
viatique obligé, notre seule ressource à nous autres
Béarnais.

— Je l'avais, Monsieur, et, Dieu merci, en bonne
forme, s'écria d'Artagnan ; mais on me l'a perfidement
dérobé.

Et il raconta toute la scène de Meung, dépeignit

le gent'lhomme inconnu dans ses moindres détails, le tout avec une chaleur, une vérité qui charmèrent M. de Tréville.

— Voilà qui est étrange, dit ce dernier en méditant ; vous aviez donc parlé de moi tout haut ?

— Oui, Monsieur, sans doute j'avais commis cette imprudence ; que voulez-vous, un nom comme le vôtre devait me servir de bouclier en route : jugez si je me suis mis souvent à couvert !

La flatterie était fort de mise alors, et M. de Tréville aimait l'encens comme un roi ou comme un cardinal. Il ne put donc s'empêcher de sourire avec une visible satisfaction, mais ce sourire s'effaça bientôt, et revenant de lui-même à l'aventure de Meung :

— Dites-moi, continua-t-il, ce gentilhomme n'avait-il pas une légère cicatrice à la tempe ?

— Oui, comme le ferait l'éraflure d'une balle.

— N'était-ce pas un homme de belle mine ?

— Oui.

— De haute taille ?

— Oui.

— Pâle de teint et brun de poil ?

— Oui, oui, c'est cela. Comment se fait-il, Monsieur, que vous connaissiez cet homme ? Ah ! si jamais je le retrouve, et je le retrouverai, je vous le jure, fût-ce en enfer...

— Il attendait une femme ? continua Tréville.

— Il est du moins parti après avoir causé un instant avec celle qu'il attendait.

— Vous ne savez pas quel était le sujet de leur conversation ?

— Il lui remettait une boîte, lui disait que cette boîte contenait ses instructions, et lui recommandait de ne l'ouvrir qu'à Londres.

— Cette femme était Anglaise?

— Il l'appelait Milady.

— C'est lui! murmura Tréville, c'est lui! Je le croyais encore à Bruxelles!

— Oh! Monsieur, vous savez quel est cet homme, s'écria d'Artagnan, indiquez-moi qui il est et d'où il est, puis je vous tiens quitte de tout, même de votre promesse de me faire entrer dans les mousquetaires; car avant toute chose je veux me venger.

— Gardez-vous-en bien, jeune homme, s'écria Tréville; si vous le voyez venir, au contraire, d'un côté de la rue, passez de l'autre! Ne vous heurtez pas à un pareil rocher : il vous briserait comme un verre.

— Cela n'empêche pas, dit d'Artagnan, que si jamais je le retrouve...

— En attendant, reprit Tréville, ne le cherchez pas, si j'ai un conseil à vous donner.

Tout à coup Tréville s'arrêta, frappé d'un soupçon subit. Cette grande haine que manifestait si hautement le jeune voyageur pour cet homme, qui, chose assez peu vraisemblable, lui avait dérobé la lettre de son père, cette haine ne cachait-elle pas quelque perfidie? Ce jeune homme n'était-il pas envoyé par Son Éminence? Ne venait-il pas pour lui tendre quelque piège? Ce prétendu d'Artagnan n'était-il pas un émissaire du cardinal qu'on cherchait à introduire dans sa maison, et qu'on avait placé près de lui pour surprendre sa confiance et pour le perdre plus tard, comme cela s'était mille fois pratiqué? Il regarda d'Artagnan plus fixement encore cette seconde fois que la première. Il fut médiocrement rassuré par l'aspect de cette physionomie pétillante d'esprit astucieux et d'humilité affectée.

— Je sais bien qu'il est Gascon, pensa-t-il; mais il

peut l'être aussi bien pour le cardinal que pour moi.
Voyons, éprouvons-le.

— Mon ami, lui dit-il lentement, je veux, comme
au fils de mon ancien ami, car je tiens pour vraie
l'histoire de cette lettre perdue, je veux, dis-je, pour
réparer la froideur que vous avez d'abord remarquée
dans mon accueil, vous découvrir les secrets de notre
politique. Le roi et le cardinal sont les meilleurs amis ;
leurs apparents démêlés ne sont que pour tromper
les sots. Je ne prétends pas qu'un compatriote, un joli
cavalier, un brave garçon, fait pour avancer, soit
la dupe de toutes ces feintises et donne comme un
niais dans le panneau, à la suite de tant d'autres qui s'y
sont perdus. Songez bien que je suis dévoué à ces deux
maîtres tout-puissants, et que jamais mes démarches
sérieuses n'auront d'autre but que le service du roi et
celui de M. le cardinal, un des plus illustres génies que
la France ait produits. Maintenant, jeune homme,
réglez-vous là-dessus, et si vous avez, soit de famille,
soit par relations, soit d'instinct même, quelqu'une
de ces inimitiés contre le cardinal telles que nous les
voyons éclater chez les gentilshommes, dites-moi adieu,
et quittons-nous. Je vous aiderai en mille circonstances,
mais sans vous attacher à ma personne. J'espère que
ma franchise, en tout cas, vous fera mon ami ; car vous
êtes jusqu'à présent le seul jeune homme à qui j'aie
parlé comme je le fais.

Tréville se disait à part lui :

— Si le cardinal m'a dépêché ce jeune renard, il
n'aura certes pas manqué, lui qui sait à quel point je
l'exècre, de dire à son espion que le meilleur moyen
de me faire la cour est de me dire pis que pendre de lui ;
aussi malgré mes protestations, le rusé compère va-t-il me
répondre bien certainement qu'il a l'Éminence en horreur.

Il en fut tout autrement que s'y attendait Tréville ;
d'Artagnan répondit avec la plus grande simplicité :

— Monsieur, j'arrive à Paris avec des intentions
toutes semblables. Mon père m'a recommandé de ne
souffrir rien que du roi, de M. le cardinal et de vous
qu'il tient pour les trois premiers de France.

D'Artagnan ajoutait M. de Tréville aux deux autres,
comme on peut s'en apercevoir ; mais il pensait que
cette adjonction ne devait rien gâter.

— J'ai donc la plus grande vénération pour M. le
cardinal, continua-t-il, et le plus profond respect pour
ses actes. Tant mieux pour moi, Monsieur, si vous me
parlez, comme vous le dites, avec franchise ; car alors
vous me ferez l'honneur d'estimer cette ressemblance
de goût ; mais si vous avez eu quelque défiance, bien
naturelle d'ailleurs, je sens que je me perds en disant
la vérité ; mais, tant pis, vous ne laisserez pas que de
m'estimer, et c'est à quoi je tiens plus qu'à toute chose
au monde.

M. de Tréville fut surpris au dernier point. Tant
de pénétration, tant de franchise enfin, lui causait de
l'admiration, mais ne levait pas entièrement ses doutes :
plus ce jeune homme était supérieur aux autres jeunes
gens, plus il était à redouter s'il se trompait. Néanmoins il serra la main à d'Artagnan, et lui dit :

— Vous êtes un honnête garçon, mais dans ce moment je ne puis faire que ce que je vous ai offert tout
à l'heure. Mon hôtel vous sera toujours ouvert. Plus
tard, pouvant me demander à toute heure et par conséquent saisir toutes les occasions, vous obtiendrez probablement ce que vous désirez obtenir.

— C'est-à-dire, Monsieur, reprit d'Artagnan, que
vous attendez que je m'en sois rendu digne. Eh bien,

soyez tranquille, ajouta-t-il avec la familiarité du Gascon, vous n'attendrez pas longtemps.

Et il salua pour se retirer, comme si désormais le
reste le regardait.

— Mais attendez donc, dit M. de Tréville en l'arrêtant,
je vous ai promis une lettre pour le directeur de l'Académie. Êtes-vous trop fier pour l'accepter, mon jeune
gentilhomme?

— Non, Monsieur, dit d'Artagnan; je vous réponds
qu'il n'en sera pas de celle-ci comme de l'autre. Je la
garderai si bien qu'elle arrivera, je vous le jure, à son
adresse, et malheur à celui qui tenterait de me l'enlever!

M. de Tréville sourit à cette fanfaronnade, et, laissant
son jeune compatriote dans l'embrasure de la fenêtre
où ils se trouvaient et où ils avaient causé ensemble,
il alla s'asseoir à une table et se mit à écrire la lettre
de recommandation promise. Pendant ce temps, d'Artagnan, qui n'avait rien de mieux à faire, se mit à battre
une marche contre les carreaux, regardant les mousquetaires qui s'en allaient les uns après les autres, et les
suivant du regard jusqu'à ce qu'ils eussent disparu au
tournant de la rue.

M. de Tréville, après avoir écrit la lettre, la cacheta
et, se levant, s'approcha du jeune homme pour la lui
donner; mais au moment même où d'Artagnan étendait
la main pour la recevoir, M. de Tréville fut bien étonné
de voir son protégé faire un soubresaut, rougir de colère
et s'élancer hors du cabinet en criant:

— Ah! sangdieu! il ne m'échappera pas, cette
fois.

— Et qui cela? demanda M. de Tréville.

— Lui, mon voleur! répondit d'Artagnan. Ah! traître!
Et il disparut.

— Diable de fou! murmura M. de Tréville. A moins

toutefois, ajouta-t-il, que ce ne soit une manière adroite de s'esquiver, en voyant qu'il a manqué son coup.

IV

L'ÉPAULE D'ATHOS, LE BAUDRIER DE PORTHOS ET LE MOUCHOIR D'ARAMIS

D'Artagnan, furieux, avait traversé l'antichambre en trois bonds et s'élançait sur l'escalier, dont il comptait descendre les degrés quatre à quatre, lorsque, emporté par sa course, il alla donner tête baissée dans un mousquetaire qui sortait de chez M. de Tréville par une porte de dégagement, et, le heurtant du front à l'épaule, lui fit pousser un cri ou plutôt un hurlement.

— Excusez-moi, dit d'Artagnan essayant de reprendre sa course, excusez-moi, mais je suis pressé.

A peine avait-il descendu le premier escalier qu'un poignet de fer le saisit par son écharpe et l'arrêta.

— Vous êtes pressé! s'écria le mousquetaire, pâle comme un linceul ; sous ce prétexte, vous me heurtez, vous dites : « Excusez-moi », et vous croyez que cela suffit ? Pas tout à fait, mon jeune homme. Croyez-vous, parce que vous avez entendu M. de Tréville nous parler un peu cavalièrement aujourd'hui, que l'on peut nous traiter comme il nous parle ? Détrompez-vous, compagnon ; vous n'êtes pas M. de Tréville, vous.

— Ma foi, répliqua d'Artagnan, qui reconnut Athos, lequel, après le pansement opéré par le docteur, regagnait son appartement, ma foi, je ne l'ai pas fait exprès, j'ai dit : « Excusez-moi ». Il me semble donc que c'est assez. Je vous répète cependant, et cette fois c'est trop peut-être, parole d'honneur! je suis pressé, très pressé. Lâchez-moi donc, je vous prie, et laissez-moi aller où j'ai affaire.

— Monsieur, dit Athos en le lâchant, vous n'êtes pas poli. On voit que vous venez de loin.

D'Artagnan avait déjà enjambé trois ou quatre degrés, mais à la remarque d'Athos il s'arrêta court.

— Morbleu, Monsieur! dit-il, de si loin que je vienne, ce n'est pas vous qui me donnerez une leçon de belles manières, je vous préviens.

— Peut-être, dit Athos.

— Ah! si je n'étais pas si pressé, s'écria d'Artagnan, et si je ne courais pas après quelqu'un...

— Monsieur l'homme pressé, vous me trouverez sans courir, moi, entendez-vous?

— Et où cela, s'il vous plaît?

— Près des Carmes-Deschaux.

— A quelle heure?

— Vers midi.

— Vers midi, c'est bien, j'y serai.

— Tâchez de ne pas me faire attendre, car à midi un quart je vous préviens que c'est moi qui courrai après vous et vous couperai les oreilles à la course.

— Bon! lui cria d'Artagnan; on y sera à midi moins dix minutes.

Et il se mit à courir comme si le diable l'emportait, espérant retrouver encore son inconnu, que son pas tranquille ne devait pas avoir conduit bien loin.

Mais, à la porte de la rue, causait Porthos avec un soldat aux gardes. Entre les deux causeurs, il y avait juste l'espace d'un homme. D'Artagnan crut que cet espace lui suffirait, et il s'élança pour passer comme une flèche entre eux deux. Mais d'Artagnan avait compté sans le vent. Comme il allait passer, le vent s'engouffra

dans le long manteau de Porthos, et d'Artagnan vint
donner droit dans le manteau. Sans doute, Porthos
avait des raisons de ne pas abandonner cette partie
essentielle de son vêtement, car, au lieu de laisser aller
le pan qu'il tenait, il tira à lui, de sorte que d'Artagnan
s'enroula dans le velours par un mouvement de rotation
qu'explique la résistance de l'obstiné Porthos.

D'Artagnan, entendant jurer le mousquetaire, voulut
sortir de dessous le manteau qui l'aveuglait, et chercha
son chemin dans le pli. Il redoutait surtout d'avoir
porté atteinte à la fraîcheur du magnifique baudrier
que nous connaissons ; mais, en ouvrant timidement
les yeux, il se trouva le nez collé entre les deux épaules
de Porthos, c'est-à-dire précisément sur le baudrier.

Hélas ! comme la plupart des choses de ce monde qui
n'ont pour elles que l'apparence, le baudrier était
d'or par-devant et de simple buffle par-derrière. Porthos, en vrai glorieux qu'il était, ne pouvant avoir un
baudrier d'or tout entier, en avait au moins la moitié ;
on comprenait dès lors la nécessité du rhume et l'ur-
gence du manteau.

— Vertubleu ! cria Porthos faisant tous ses efforts
pour se débarrasser de d'Artagnan qui lui grouillait
dans le dos, vous êtes donc enragé de vous jeter comme
cela sur les gens !

— Excusez-moi, dit d'Artagnan reparaissant sous
l'épaule du géant, mais je suis très pressé, je cours
après quelqu'un, et...

— Est-ce que vous oubliez vos yeux quand vous
courez, par hasard ? demanda Porthos.

— Non, répondit d'Artagnan piqué, non, et grâce
à mes yeux je vois même ce que ne voient pas les autres.

Porthos comprit ou ne comprit pas, toujours est-il
que, se laissant aller à sa colère :

— Monsieur, dit-il, vous vous ferez étriller, je vous en préviens, si vous vous frottez ainsi aux mousquetaires.

— Étriller, Monsieur! dit d'Artagnan, le mot est dur.

— C'est celui qui convient à un homme habitué à regarder en face ses ennemis.

— Ah! pardieu! je sais bien que vous ne tournez pas le dos aux vôtres, vous.

Et le jeune homme, enchanté de son espièglerie, s'éloigna en riant à gorge déployée.

Porthos écuma de rage et fit un mouvement pour se précipiter sur d'Artagnan.

— Plus tard, plus tard, lui cria celui-ci, quand vous n'aurez plus votre manteau.

— A une heure donc, derrière le Luxembourg.

— Très bien, à une heure, répondit d'Artagnan en tournant l'angle de la rue.

Mais ni dans la rue qu'il venait de parcourir, ni dans celle qu'il embrassait maintenant du regard, il ne vit personne. Si doucement qu'eût marché l'inconnu, il avait gagné du chemin; peut-être aussi était-il entré dans quelque maison. D'Artagnan s'informa de lui à tous ceux qu'il rencontra, descendit jusqu'au bac remonta par la rue de Seine et la Croix-Rouge; mais rien, absolument rien. Cependant cette course lui fut profitable en ce sens qu'à mesure que la sueur inondait son front, son cœur se refroidissait.

Il se mit alors à réfléchir sur les événements qui venaient de se passer; ils étaient nombreux et néfastes: il était onze heures du matin à peine, et déjà la matinée lui avait apporté la disgrâce de M. de Tréville, qui ne pouvait manquer de trouver un peu cavalière la façon dont d'Artagnan l'avait quitté.

En outre, il avait ramassé deux bons duels avec deux hommes capables de tuer chacun trois d'Artagnan, avec deux mousquetaires enfin, c'est-à-dire avec deux de ces êtres qu'il estimait si fort qu'il les mettait, dans sa pensée et dans son cœur, au-dessus de tous les autres hommes.

La conjoncture était triste. Sûr d'être tué par Athos, on comprend que le jeune homme ne s'inquiétait pas beaucoup de Porthos. Pourtant, comme l'espérance est la dernière chose qui s'éteint dans le cœur de l'homme, il en arriva à espérer qu'il pourrait survivre, avec des blessures terribles, bien entendu, à ces deux duels, et, en cas de survivance, il se fit pour l'avenir les réprimandes suivantes :

— Quel écervelé je fais, et quel butor je suis! Ce brave et malheureux Athos était blessé juste à l'épaule contre laquelle je m'en vais, moi, donner de la tête comme un bélier. La seule chose qui m'étonne, c'est qu'il ne m'ait pas tué roide ; il en avait le droit, et la douleur que je lui ai causée a dû être atroce. Quant à Porthos — oh! quant à Porthos, ma foi, c'est plus drôle.

Et malgré lui le jeune homme se mit à rire, tout en regardant néanmoins si ce rire isolé, et sans cause aux yeux de ceux qui le voyaient rire, n'allait pas blesser quelque passant.

— Quant à Porthos, c'est plus drôle ; mais je n'en suis pas moins un misérable étourdi. Se jette-t-on ainsi sur les gens sans dire gare! non! et va-t-on leur regarder sous le manteau pour y voir ce qui n'y est pas! Il m'eût pardonné bien certainement ; il m'eût pardonné si je n'eusse pas été lui parler de ce maudit baudrier, à mots couverts, c'est vrai ; oui, couverts joliment! Ah! maudit Gascon que je suis, je ferais de l'esprit

dans la poêle à frire. Allons, d'Artagnan mon ami,
continua-t-il, se parlant à lui-même avec toute l'amé-
nité qu'il croyait se devoir, si tu en réchappes, ce qui
n'est pas probable, il s'agit d'être à l'avenir d'une politesse parfaite. Désormais il faut qu'on t'admire, qu'on
te cite comme modèle. Être prévenant et poli, ce n'est
pas être lâche. Regardez plutôt Aramis : Aramis, c'est
la douceur, c'est la grâce en personne. Eh bien! personne s'est-il jamais avisé de dire qu'Aramis était un
lâche? Non, bien certainement, et désormais je veux
en tout point me modeler sur lui. Ah! justement le
voici.

D'Artagnan, tout en marchant et en monologuant,
était arrivé à quelques pas de l'hôtel d'Aiguillon et
devant cet hôtel il avait aperçu Aramis causant gaie-
ment avec trois gentilshommes des gardes du roi.
De son côté, Aramis aperçut d'Artagnan ; mais comme
il n'oubliait point que c'était devant ce jeune homme
que M. de Tréville s'était si fort emporté le matin, et
qu'un témoin des reproches que les mousquetaires
avaient reçus ne lui était d'aucune façon agréable, il
fit semblant de ne pas le voir. D'Artagnan, tout entier
au contraire à ses plans de conciliation et de courtoisie,
s'approcha des quatre jeunes gens en leur faisant un
grand salut accompagné du plus gracieux sourire.
Aramis inclina légèrement la tête, mais ne sourit point.
Tous quatre, au reste, interrompirent à l'instant même
leur conversation.

D'Artagnan n'était pas assez niais pour ne point
s'apercevoir qu'il était de trop ; mais il n'était pas
encore assez rompu aux façons du beau monde pour se
tirer galamment d'une situation fausse comme l'est,
en général, celle d'un homme qui est venu se mêler
à des gens qu'il connaît à peine et à une conversation

qui ne le regarde pas. Il cherchait donc en lui-même
un moyen de faire sa retraite le moins gauchement
possible, lorsqu'il remarqua qu'Aramis avait laissé
tomber son mouchoir et, par mégarde sans doute,
avait mis le pied dessus ; le moment lui parut arrivé
de réparer son inconvenance : il se baissa, et, de l'air
le plus gracieux qu'il pût trouver, il tira le mouchoir
de dessous le pied du mousquetaire, quelques efforts
que celui-ci fît pour le retenir, et lui dit en le lui remet-
tant :

— Je crois, Monsieur, que voici un mouchoir que
vous seriez fâché de perdre.

Le mouchoir était en effet richement brodé et portait une couronne et des armes à l'un de ses coins.
Aramis rougit excessivement et arracha plutôt qu'il
ne prit le mouchoir des mains du Gascon.

— Ah! Ah! s'écria un des gardes, diras-tu encore,
discret Aramis, que tu es mal avec Mme de Bois-Tracy,
quand cette gracieuse dame a l'obligeance de te prêter
ses mouchoirs ?

Aramis lança à d'Artagnan un de ces regards qui
font comprendre à un homme qu'il vient de s'acquérir
un ennemi mortel ; puis, reprenant son air doucereux :

— Vous vous trompez, Messieurs, dit-il, ce mouchoir
n'est pas à moi, et je ne sais pourquoi Monsieur a eu
la fantaisie de me le remettre plutôt qu'à l'un de vous,
et la preuve de ce que je dis, c'est que voici le mien
dans ma poche.

A ces mots, il tira son propre mouchoir, mouchoir
fort élégant aussi, et de fine batiste, quoique la batiste
fût chère à cette époque, mais mouchoir sans broderie,
sans armes et orné d'un seul chiffre, celui de son propriétaire.

Cette fois, d'Artagnan ne souffla pas mot, il avait

reconnu sa bévue ; mais les amis d'Aramis ne se laissèrent pas convaincre par ses dénégations, et l'un d'eux,
s'adressant au jeune mousquetaire avec un sérieux
affecté :

— Si cela était, dit-il, ainsi que tu le prétends, je
serais forcé, mon cher Aramis, de te le redemander ;
car, comme tu le sais, Bois-Tracy est de mes intimes,
et je ne veux pas qu'on fasse trophée des effets de sa
femme.

— Tu demandes cela mal, répondit Aramis ; et
tout en reconnaissant la justesse de ta réclamation
quant au fond, je refuserais à cause de la forme.

— Le fait est, hasarda timidement d'Artagnan,
que je n'ai pas vu sortir le mouchoir de la poche de
M. Aramis. Il avait le pied dessus, voilà tout, et j'ai
pensé que, puisqu'il avait le pied dessus, le mouchoir
était à lui.

— Et vous vous êtes trompé, mon cher Monsieur,
répondit froidement Aramis, peu sensible à la répara-
tion.

Puis, se retournant vers celui des gardes qui s'était
déclaré l'ami de Bois-Tracy :

— D'ailleurs, continua-t-il, je réfléchis, mon cher
intime de Bois-Tracy, que je suis son ami non moins
tendre que tu peux l'être toi-même ; de sorte qu'à la
rigueur ce mouchoir peut aussi bien être sorti de ta
poche que de la mienne.

— Non, sur mon honneur! s'écria le garde de Sa
Majesté.

— Tu vas jurer sur ton honneur et moi sur ma parole,
et alors il y aura évidemment un de nous deux qui
mentira. Tiens, faisons mieux, Montaran, prenons-en
chacun la moitié.

— Du mouchoir?

— Oui.

— Parfaitement, s'écrièrent les deux autres gardes, le jugement du roi Salomon. Décidément, Aramis, tu es plein de sagesse.

Les jeunes gens éclatèrent de rire, et comme on le pense bien, l'affaire n'eut pas d'autre suite. Au bout d'un instant, la conversation cessa, et les trois gardes et le mousquetaire, après s'être cordialement serré la main, tirèrent, les trois gardes de leur côté et Aramis du sien.

— Voilà le moment de faire ma paix avec ce galant homme, se dit à part lui d'Artagnan, qui s'était tenu un peu à l'écart pendant toute la dernière partie de cette conversation. Et, sur ce bon sentiment, se rapprochant d'Aramis, qui s'éloignait sans faire autrement attention à lui :

— Monsieur, lui dit-il, vous m'excuserez, je l'espère.

— Ah! Monsieur, interrompit Aramis, permettez-moi de vous faire observer que vous n'avez point agi en cette circonstance comme un galant homme le devait faire.

— Quoi, Monsieur! s'écria d'Artagnan, vous supposez...

— Je suppose, Monsieur, que vous n'êtes pas un sot, et que vous savez bien, quoique arrivant de Gascogne, qu'on ne marche pas sans cause sur les mouchoirs de poche. Que diable! Paris n'est point pavé en batiste.

— Monsieur, vous avez tort de chercher à m'humilier, dit d'Artagnan, chez qui le naturel querelleur commençait à parler plus haut que les résolutions pacifiques. Je suis de Gascogne, c'est vrai, et puisque vous le savez, je n'aurai pas besoin de vous dire que les Gascons sont peu endurants ; de sorte que lorsqu'ils se sont excusés une fois, fût-ce d'une sottise, ils sont convaincus qu'ils ont déjà fait moitié plus qu'ils ne devaient faire.

— Monsieur, ce que je vous en dis, répondit Aramis, n'est point pour vous chercher une querelle. Dieu merci! je ne suis pas un spadassin, et n'étant mousquetaire que par intérim, je ne me bats que lorsque j'y suis forcé, et toujours avec une grande répugnance; mais cette fois l'affaire est grave, car voici une dame compromise par vous.

— Par nous, c'est-à-dire, s'écria d'Artagnan.

— Pourquoi avez-vous eu la maladresse de me rendre le mouchoir?

— Pourquoi avez-vous eu celle de le laisser tomber?

— J'ai dit et je répète, Monsieur, que ce mouchoir n'est point sorti de ma poche.

— Eh bien! vous en avez menti deux fois, Monsieur, car je l'en ai vu sortir, moi!

— Ah! vous le prenez sur ce ton, Monsieur le Gascon! eh bien! je vous apprendrai à vivre.

— Et moi je vous renverrai à votre messe, Monsieur l'abbé! Dégainez, s'il vous plaît, et à l'instant même.

— Non pas, s'il vous plaît, mon bel ami; non, pas ici, du moins. Ne voyez-vous pas que nous sommes en face de l'hôtel d'Aiguillon, lequel est plein de créatures du cardinal? Qui me dit que ce n'est pas Son Éminence qui vous a chargé de lui procurer ma tête? Or j'y tiens ridiculement, à ma tête, attendu qu'elle me semble aller assez correctement à mes épaules. Je veux donc vous tuer, soyez tranquille, mais vous tuer tout doucement, dans un endroit clos et couvert, là où vous ne puissiez vous vanter de votre mort à personne.

— Je le veux bien, mais ne vous y fiez pas, et emportez votre mouchoir, qu'il vous appartienne ou non ; peut-être aurez-vous l'occasion de vous en servir.

— Monsieur est Gascon ? demanda Aramis.

— Oui. Monsieur ne remet pas un rendez-vous par prudence.

— La prudence, Monsieur, est une vertu assez inutile aux mousquetaires, je le sais, mais indispensable aux gens d'Église ; et comme je ne suis mousquetaire que provisoirement, je tiens à rester prudent. A deux heures, j'aurai l'honneur de vous attendre à l'hôtel de M. de Tréville. Là je vous indiquerai les bons endroits.

Les deux jeunes gens se saluèrent, puis Aramis s'éloigna en remontant la rue qui remontait au Luxembourg, tandis que d'Artagnan, voyant que l'heure s'avançait, prenait le chemin des Carmes-Deschaux, tout en disant à part soi :

— Décidément, je n'en puis pas revenir ; mais au moins, si je suis tué, je serai tué par un mousquetaire.

V

LES MOUSQUETAIRES DU ROI
ET LES GARDES DE M. LE CARDINAL

D'Artagnan ne connaissait personne à Paris. Il alla donc au rendez-vous d'Athos sans amener de second, résolu de se contenter de ceux qu'aurait choisis son adversaire. D'ailleurs son intention était formelle de faire au brave mousquetaire toutes les excuses convenables, mais sans faiblesse, craignant qu'il ne résultât de ce duel ce qui résulte toujours de fâcheux, dans une

affaire de ce genre, quand un homme jeune et vigoureux
se bat contre un adversaire blessé et affaibli : vaincu,
il double le triomphe de son antagoniste ; vainqueur,
il est accusé de forfaiture et de facile audace.

Au reste, ou nous avons mal exposé le caractère de
notre chercheur d'aventures, ou notre lecteur a déjà
dû remarquer que d'Artagnan n'était point un homme
ordinaire. Aussi, tout en se répétant à lui-même que
sa mort était inévitable, il ne se résigna point à mourir
tout doucettement, comme un autre moins courageux
et moins modéré que lui eût fait à sa place. Il réfléchit
aux différents caractères de ceux avec lesquels il allait
se battre, et commença à voir plus clair dans sa situation. Il espérait, grâce aux excuses loyales qu'il lui
réservait, se faire un ami d'Athos, dont l'air grand
seigneur et la mine austère lui agréaient fort. Il se
flattait de faire peur à Porthos avec l'aventure du baudrier, qu'il pouvait, s'il n'était pas tué sur le coup,
raconter à tout le monde, récit qui, poussé adroitement
à l'effet, devait couvrir Porthos de ridicule ; enfin,
quant au sournois Aramis, il n'en avait pas très grand-
peur, et en supposant qu'il arrivât jusqu'à lui, il se
chargeait de l'expédier bel et bien, ou du moins en le
frappant au visage, comme César avait recommandé
de faire aux soldats de Pompée, d'endommager à tout
jamais cette beauté dont il était si fier.

Ensuite il y avait chez d'Artagnan ce fonds inébranlable de résolution qu'avaient déposé dans son cœur les
conseils de son père, conseils dont la substance était :
« Ne rien souffrir de personne que du roi, du cardinal
et de M. de Tréville. » Il vola donc plutôt qu'il ne marcha vers le couvent des Carmes Déchaussés, ou plutôt
Deschaux, comme on disait à cette époque, sorte de
bâtiment sans fenêtres, bordé de prés arides, succur-

sale du Pré-aux-Clercs, et qui servait d'ordinaire aux rencontres des gens qui n'avaient pas de temps à perdre.

Lorsque d'Artagnan arriva en vue du petit terrain vague qui s'étendait au pied de ce monastère, Athos attendait depuis cinq minutes seulement, et midi sonnait. Il était donc ponctuel comme la Samaritaine, et le plus rigoureux casuiste à l'égard des duels n'avait rien à dire.

Athos, qui souffrait toujours cruellement de sa blessure, quoiqu'elle eût été pansée à neuf par le chirurgien de M. de Tréville, s'était assis sur une borne et attendait son adversaire avec cette contenance paisible et cet air digne qui ne l'abandonnaient jamais. A l'aspect de d'Artagnan, il se leva et fit poliment quelques pas au-devant de lui. Celui-ci, de son côté, n'aborda son adversaire que le chapeau à la main et sa plume traînant jusqu'à terre.

— Monsieur, dit Athos, j'ai fait prévenir deux de mes amis qui me serviront de seconds, mais ces deux amis ne sont point encore arrivés. Je m'étonne qu'ils tardent : ce n'est pas leur habitude.

— Je n'ai pas de seconds, moi, Monsieur, dit d'Artagnan, car, arrivé d'hier seulement à Paris, je n'y connais encore personne que M. de Tréville, auquel j'ai été recommandé par mon père qui a l'honneur d'être quelque peu de ses amis.

Athos réfléchit un instant.

— Vous ne connaissez que M. de Tréville ? demanda-t-il.

— Oui, Monsieur, je ne connais que lui.

— Ah çà, mais..., continua Athos parlant moitié à lui-même, moitié à d'Artagnan, ah çà, mais si je vous tue, j'aurai l'air d'un mangeur d'enfants, moi!

— Pas trop, Monsieur, répondit d'Artagnan avec
un salut qui ne manquait pas de dignité ; pas trop,
puisque vous me faites l'honneur de tirer l'épée contre
moi avec une blessure dont vous devez être fort incommodé.

— Très incommodé, sur ma parole, et vous m'avez
fait un mal du diable, je dois le dire ; mais je prendrai
la main gauche, c'est mon habitude en pareille circonstance. Ne croyez donc pas que je vous fasse une
grâce, je tire proprement des deux mains ; et il y aura
même désavantage pour vous : un gaucher est très
gênant pour les gens qui ne sont pas prévenus. Je
regrette de ne pas vous avoir fait part plus tôt de cette
circonstance.

— Vous êtes vraiment, Monsieur, dit d'Artagnan
en s'inclinant de nouveau, d'une courtoisie dont je
vous suis on ne peut plus reconnaissant.

— Vous me rendez confus, répondit Athos avec son
air de gentilhomme ; causons donc d'autre chose, je
vous prie, à moins que cela ne vous soit désagréable.
Ah ! sangbleu ! que vous m'avez fait mal ! L'épaule me
brûle.

— Si vous vouliez permettre..., dit d'Artagnan avec
timidité.

— Quoi, Monsieur ?

— J'ai un baume miraculeux pour les blessures,
un baume qui me vient de ma mère, et dont j'ai fait
l'épreuve sur moi-même.

— Eh bien ?

— Eh bien ! je suis sûr qu'en moins de trois jours
ce baume vous guérirait, et au bout de trois jours,
quand vous seriez guéri, eh bien ! Monsieur, ce me serait
toujours un grand honneur d'être votre homme.

D'Artagnan dit ces mots avec une simplicité qui

faisait honneur à sa courtoisie, sans porter aucunement atteinte à son courage.

— Pardieu, Monsieur, dit Athos, voici une proposition qui me plaît, non pas que je l'accepte, mais elle sent son gentilhomme d'une lieue. C'est ainsi que parlaient et faisaient ces preux du temps de Charlemagne, sur lesquels tout cavalier doit chercher à se modeler. Malheureusement, nous ne sommes plus au temps du grand empereur. Nous sommes au temps de M. le cardinal, et d'ici à trois jours on saurait, si bien gardé que soit le secret, on saurait, dis-je, que nous devons nous battre, et l'on s'opposerait à notre combat. Ah çà, mais! ces flâneurs ne viendront donc pas?

— Si vous êtes pressé, Monsieur, dit d'Artagnan à Athos avec la même simplicité qu'un instant auparavant il lui avait proposé de remettre le duel à trois jours, si vous êtes pressé et qu'il vous plaise de m'expédier tout de suite, ne vous gênez pas, je vous en prie.

— Voilà encore un mot qui me plaît, dit Athos en faisant un gracieux signe de tête à d'Artagnan, il n'est point d'un homme sans cervelle, et il est à coup sûr d'un homme de cœur. Monsieur, j'aime les hommes de votre trempe, et je vois que si nous ne nous tuons pas l'un l'autre, j'aurai plus tard un vrai plaisir dans votre conversation. Attendons ces messieurs, je vous prie, j'ai tout le temps, et cela sera plus correct. Ah! en voici un, je crois.

En effet, au bout de la rue de Vaugirard commençait à apparaître le gigantesque Porthos.

— Quoi! s'écria d'Artagnan, votre premier témoin est M. Porthos?

— Oui, cela vous contrarie-t-il?

— Non, aucunement.

— Et voici le second.

D'Artagnan se retourna du côté indiqué par Athos, et reconnut Aramis.

— Quoi! s'écria-t-il d'un accent plus étonné que la première fois, votre second témoin est M. Aramis?

— Sans doute, ne savez-vous pas qu'on ne nous voit jamais l'un sans l'autre, et qu'on nous appelle, dans les mousquetaires et dans les gardes, à la cour et à la ville, Athos, Porthos et Aramis ou les trois inséparables? Après cela, comme vous arrivez de Dax ou de Pau...

— De Tarbes, dit d'Artagnan.

— ... il vous est permis d'ignorer ce détail, dit Athos.

— Ma foi, dit d'Artagnan, vous êtes bien nommés, Messieurs, et mon aventure, si elle fait quelque bruit, prouvera du moins que votre union n'est point fondée sur les contrastes.

Pendant ce temps, Porthos s'était rapproché, avait salué de la main Athos ; puis, se retournant vers d'Artagnan, il était resté tout étonné.

Disons, en passant, qu'il avait changé de baudrier et quitté son manteau.

— Ah! ah! fit-il, qu'est-ce que cela?

— C'est avec Monsieur que je me bats, dit Athos en montrant de la main d'Artagnan, et en le saluant du même geste.

— C'est avec lui que je me bats aussi, dit Porthos.

— Mais à une heure seulement, répondit d'Artagnan.

— Et moi aussi, c'est avec Monsieur que je me bats, dit Aramis en arrivant à son tour sur le terrain.

— Mais à deux heures seulement, fit d'Artagnan avec le même calme.

— Mais à propos de quoi te bats-tu, toi, Athos? demanda Aramis.

— Ma foi, je ne sais pas trop, il m'a fait mal à l'épaule ; et toi, Porthos ?

— Ma foi, je me bats parce que je me bats, répondit Porthos en rougissant.

Athos, qui ne perdait rien, vit passer un fin sourire sur les lèvres du Gascon.

— Nous avons eu une discussion sur la toilette, dit le jeune homme.

— Et toi, Aramis ? demanda Athos.

— Moi, je me bats pour cause de théologie, répondit Aramis tout en faisant signe à d'Artagnan qu'il le priait de tenir secrète la cause de son duel.

Athos vit passer un second sourire sur les lèvres de d'Artagnan.

— Vraiment, dit Athos.

— Oui, un point de saint Augustin sur lequel nous ne sommes pas d'accord, dit le Gascon.

— Décidément c'est un homme d'esprit, murmura Athos.

— Et maintenant que vous êtes rassemblés, Messieurs, dit d'Artagnan, permettez-moi de vous faire mes excuses.

A ce mot d'*excuses*, un nuage passa sur le front d'Athos, un sourire hautain glissa sur les lèvres de Porthos, et un signe négatif fut la réponse d'Aramis.

— Vous ne me comprenez pas, Messieurs, dit d'Artagnan en relevant sa tête, sur laquelle jouait en ce moment un rayon de soleil qui en dorait les lignes fines et hardies : je vous demande excuse dans le cas où je ne pourrais vous payer ma dette à tous trois, car M. Athos a le droit de me tuer le premier, ce qui ôte beaucoup de sa valeur à votre créance, Monsieur Porthos, et ce qui rend la vôtre à peu près nulle, Monsieur Aramis. Et maintenant, Messieurs, je vous le répète, excusez-moi, mais de cela seulement, et en garde!

A ces mots, du geste le plus cavalier qui se puisse voir, d'Artagnan tira son épée.

Le sang était monté à la tête de d'Artagnan, et dans ce moment il eût tiré son épée contre tous les mousquetaires du royaume, comme il venait de faire contre Athos, Porthos et Aramis.

Il était midi et un quart. Le soleil était à son zénith, et l'emplacement choisi pour être le théâtre du duel se trouvait exposé à toute son ardeur.

— Il fait très chaud, dit Athos en tirant son épée à son tour, et cependant je ne saurais ôter mon pourpoint ; car, tout à l'heure encore, j'ai senti que ma blessure saignait, et je craindrais de gêner Monsieur en lui montrant du sang qu'il ne m'aurait pas tiré lui-même.

— C'est vrai, Monsieur, dit d'Artagnan, et tiré par un autre ou par moi, je vous assure que je verrai toujours avec bien du regret le sang d'un aussi brave gentilhomme ; je me battrai donc en pourpoint comme vous.

— Voyons, voyons, dit Porthos, assez de compliments comme cela, et songez que nous attendons notre tour.

— Parlez pour vous seul, Porthos, quand vous aurez à dire de pareilles incongruités, interrompit Aramis. Quant à moi, je trouve les choses que ces Messieurs se disent fort bien dites et tout à fait dignes de deux gentilshommes.

— Quand vous voudrez, Monsieur, dit Athos en se mettant en garde.

— J'attendais vos ordres, dit d'Artagnan en croisant le fer.

Mais les deux rapières avaient à peine résonné en

se touchant qu'une escouade des gardes de Son Éminence, commandée par M. de Jussac, se montra à
l'angle du couvent.

— Les gardes du cardinal! s'écrièrent à la fois Porthos et Aramis. L'épée au fourreau, Messieurs! l'épée
au fourreau!

Mais il était trop tard. Les deux combattants avaient
été vus dans une pose qui ne permettait pas de douter
de leurs intentions.

— Holà! cria Jussac en s'avançant vers eux et en
faisant signe à ses hommes d'en faire autant, holà!
mousquetaires, on se bat donc ici? Et les édits, qu'en
faisons-nous?

— Vous êtes bien généreux, Messieurs les gardes,
dit Athos plein de rancune, car Jussac était l'un des
agresseurs de l'avant-veille. Si nous vous voyions battre,
je vous réponds, moi, que nous nous garderions bien
de vous en empêcher. Laissez-nous donc faire, et vous
allez avoir du plaisir sans prendre aucune peine.

— Messieurs, dit Jussac, c'est avec grand regret
que je vous déclare que la chose est impossible. Notre
devoir avant tout. Rengainez donc, s'il vous plaît, et
nous suivez.

— Monsieur, dit Aramis parodiant Jussac, ce serait
avec un grand plaisir que nous obéirions à votre gracieuse invitation, si cela dépendait de nous; mais malheureusement la chose est impossible: M. de Tréville
nous l'a défendu. Passez donc votre chemin, c'est ce
que vous avez de mieux à faire.

Cette raillerie exaspéra Jussac.

— Nous vous chargerons donc, dit-il, si vous déso-
béissez.

— Ils sont cinq, dit Athos à demi-voix, et nous ne
sommes que trois; nous serons encore battus, et il

nous faudra mourir ici, car, je le déclare, je ne reparais pas vaincu devant le capitaine.

Alors Porthos et Aramis se rapprochèrent à l'instant les uns des autres, pendant que Jussac alignait ses soldats.

Ce seul moment suffit à d'Artagnan pour prendre son parti : c'était là un de ces événements qui décident de la vie d'un homme, c'était un choix à faire entre le roi et le cardinal ; ce choix fait, il fallait y persévérer. Se battre, c'est-à-dire désobéir à la loi, c'est-à-dire risquer sa tête, c'est-à-dire se faire d'un seul coup l'ennemi d'un ministre plus puissant que le roi lui-même : voilà ce qu'entrevit le jeune homme, et, disons-le à sa louange, il n'hésita point une seconde. Se tournant donc vers Athos et ses amis :

— Messieurs, dit-il, je reprendrai, s'il vous plaît, quelque chose à vos paroles. Vous avez dit que vous n'étiez que trois, mais il me semble, à moi, que nous sommes quatre.

— Mais vous n'êtes pas des nôtres, dit Porthos.

— C'est vrai, répondit d'Artagnan ; je n'ai pas l'habit, mais j'ai l'âme. Mon cœur est mousquetaire, je le sens bien, Monsieur, et cela m'entraîne.

— Écartez-vous, jeune homme, cria Jussac, qui sans doute à ses gestes et à l'expression de son visage avait deviné le dessein de d'Artagnan. Vous pouvez vous retirer, nous y consentons. Sauvez votre peau ; allez vite.

D'Artagnan ne bougea point.

— Décidément vous êtes un joli garçon, dit Athos en serrant la main du jeune homme.

— Allons ! allons ! prenons un parti, reprit Jussac.

— Voyons, dirent Porthos et Aramis, faisons quelque chose.

— Monsieur est plein de générosité, dit Athos.

Mais tous trois pensaient à la jeunesse de d'Artagnan et redoutaient son inexpérience.

— Nous ne serons que trois, dont un blessé, plus un enfant, reprit Athos, et l'on n'en dira pas moins que nous étions quatre hommes.

— Oui, mais reculer! dit Porthos.

— C'est difficile, reprit Athos.

D'Artagnan comprit leur irrésolution.

— Messieurs, essayez-moi toujours, dit-il, et je vous jure sur l'honneur que je ne veux pas m'en aller d'ici si nous sommes vaincus.

— Comment vous appelle-t-on, mon brave? dit Athos.

— D'Artagnan, Monsieur.

— Eh bien! Athos, Porthos, Aramis et d'Artagnan, en avant! cria Athos.

— Eh bien! voyons, Messieurs, vous décidez-vous à vous décider? cria pour la troisième fois Jussac.

— C'est fait, Messieurs, dit Athos.

— Et quel parti prenez-vous? demanda Jussac.

— Nous allons avoir l'honneur de vous charger, répondit Aramis en levant son chapeau d'une main et tirant son épée de l'autre.

— Ah! vous résistez! s'écria Jussac.

— Sangdieu! cela vous étonne?

Et les neuf combattants se précipitèrent les uns sur les autres avec une furie qui n'excluait pas une certaine méthode.

Athos prit un certain Cahusac, favori du cardinal; Porthos eut Biscarat et Aramis se vit en face de deux adversaires.

Quant à d'Artagnan, il se trouva lancé contre Jussac lui-même.

Le cœur du jeune Gascon battait à lui briser la poitrine, non pas de peur, Dieu merci! il n'en avait pas l'ombre, mais d'émulation; il se battait comme un tigre en fureur, tournant dix fois autour de son adversaire, changeant vingt fois ses gardes et son terrain. Jussac était, comme on le disait alors, friand de la lame, et avait fort pratiqué; cependant il avait toutes les peines du monde à se défendre contre un adversaire qui, agile et bondissant, s'écartait à tout moment des règles reçues, attaquant de tous côtés à la fois, et tout cela en parant en homme qui a le plus grand respect pour son épiderme.

Enfin cette lutte finit par faire perdre patience à Jussac. Furieux d'être tenu en échec par celui qu'il avait regardé comme un enfant, il s'échauffa et commença à faire des fautes. D'Artagnan, qui, à défaut de la pratique, avait une profonde théorie, redoubla d'agilité. Jussac, voulant en finir, porta un coup terrible à son adversaire en se fendant à fond; mais celui-ci para prime, et tandis que Jussac se relevait, se glissant comme un serpent sous son fer, il lui passa son épée au travers du corps. Jussac tomba comme une masse.

D'Artagnan jeta alors un coup d'œil inquiet et rapide sur le champ de bataille.

Aramis avait déjà tué un de ses adversaires; mais l'autre le pressait vivement. Cependant Aramis était en bonne situation et pouvait encore se défendre.

Biscarat et Porthos venaient de faire coup fourré; Porthos avait reçu un coup d'épée au travers du bras, et Biscarat au travers de la cuisse. Mais comme ni l'une ni l'autre des deux blessures n'était grave, ils ne s'en escrimaient qu'avec plus d'acharnement.

Athos, blessé de nouveau par Cahusac, pâlissait à vue d'œil, mais il ne reculait pas d'une semelle : il avait seulement changé son épée de main, et se battait de la main gauche.

D'Artagnan, selon les lois du duel de cette époque, pouvait secourir quelqu'un ; pendant qu'il cherchait du regard celui de ses compagnons qui avait besoin de son aide, il surprit un coup d'œil d'Athos. Ce coup d'œil était d'une éloquence sublime. Athos serait mort plutôt que d'appeler au secours ; mais il pouvait regarder, et du regard demander un appui. D'Artagnan le devina, fit un bond terrible, et tomba sur le flanc de Cahusac en criant :

— A moi, Monsieur le garde, je vous tue!

Cahusac se retourna ; il était temps. Athos, que son extrême courage soutenait seul, tomba sur un genou.

— Sangdieu! criait-il à d'Artagnan, ne le tuez pas, jeune homme, je vous en prie ; j'ai une vieille affaire à terminer avec lui, quand je serai guéri et bien portant. Désarmez-le seulement, liez-lui l'épée. C'est cela. Bien! très bien!

Cette exclamation était arrachée à Athos par l'épée de Cahusac qui sautait à vingt pas de lui. D'Artagnan et Cahusac s'élancèrent ensemble, l'un pour la ressaisir, l'autre pour s'en emparer ; mais d'Artagnan, plus leste, arriva le premier et mit le pied dessus.

Cahusac courut à celui des gardes qu'avait tué Aramis, s'empara de sa rapière, et voulut revenir à d'Artagnan ; mais sur son chemin il rencontra Athos, qui, pendant cette pause d'un instant que lui avait procurée d'Artagnan, avait repris haleine, et qui, de crainte que d'Artagnan ne lui tuât son ennemi, voulait recommencer le combat.

D'Artagnan comprit que ce serait désobliger Athos que de ne pas le laisser faire. En effet, quelques secondes après, Cahusac tomba la gorge traversée d'un coup d'épée.

Au même instant, Aramis appuyait son épée contre la poitrine de son adversaire renversé, et le forçait à demander merci.

Restaient Porthos et Biscarat, Porthos faisait mille fanfaronnades, demandant à Biscarat quelle heure il pouvait bien être, et lui faisait ses compliments sur la compagnie que venait d'obtenir son frère dans le régiment de Navarre ; mais, tout en raillant, il ne gagnait rien. Biscarat était un de ces hommes de fer qui ne tombent que morts.

Cependant il fallait en finir. Le guet pouvait arriver et prendre tous les combattants blessés ou non, royalistes ou cardinalistes. Athos, Aramis et d'Artagnan entourèrent Biscarat et le sommèrent de se rendre. Quoique seul contre tous, et avec un coup d'épée qui lui traversait la cuisse, Biscarat voulait tenir ; mais Jussac, qui s'était relevé sur son coude, lui cria de se rendre. Biscarat était un Gascon comme d'Artagnan ; il fit la sourde oreille et se contenta de rire, et entre deux parades, trouvant le temps de désigner, du bout de son épée, une place à terre :

— Ici, dit-il, parodiant un verset de la Bible, ici mourra Biscarat, seul de ceux qui sont avec lui.

— Mais ils sont quatre contre toi ; finis-en, je te l'ordonne.

— Ah ! si tu l'ordonnes, c'est autre chose, dit Biscarat ; comme tu es mon brigadier, je dois obéir.

Et, en faisant un bond en arrière, il cassa son épée sur son genou pour ne pas la rendre, en jeta les morceaux par-dessus le mur du couvent et se croisa les bras en sifflant un air cardinaliste.

La bravoure est toujours respectée, même dans un ennemi. Les mousquetaires saluèrent Biscarat de leurs épées et les remirent au fourreau. D'Artagnan en fit

autant, puis, aidé de Biscarat, le seul qui fût resté
debout, il porta sous le porche du couvent Jussac,
Cahusac et celui des adversaires d'Aramis qui n'était
que blessé. Le quatrième, comme nous l'avons dit,
était mort. Puis ils sonnèrent la cloche, et, emportant
quatre épées sur cinq, ils s'acheminèrent ivres de joie
vers l'hôtel de M. de Tréville.

On les voyait entrelacés, tenant toute la largeur de
la rue, et accostant chaque mousquetaire qu'ils rencontraient, si bien qu'à la fin ce fut une marche triom-
phale. Le cœur de d'Artagnan nageait dans l'ivresse,
il marchait entre Athos et Porthos en les étreignant
tendrement.

— Si je ne suis pas encore mousquetaire, dit-il à
ses nouveaux amis en franchissant la porte de l'hôtel
de M. de Tréville, au moins me voilà reçu apprenti,
n'est-ce pas?

VI

SA MAJESTÉ LE ROI LOUIS TREIZIÈME

L'affaire fit grand bruit. M. de Tréville gronda beaucoup tout haut contre ses mousquetaires, et les félicita
tout bas; mais comme il n'y avait pas de temps à
perdre pour prévenir le roi, M. de Tréville s'empressa
de se rendre au Louvre. Il était déjà trop tard, le roi
était enfermé avec le cardinal, et l'on dit à M. de Tréville que le roi travaillait et ne pouvait recevoir en
ce moment. Le soir, M. de Tréville vint au jeu du roi. Le
roi gagnait, et comme Sa Majesté était fort avare, elle

était d'excellente humeur ; aussi, du plus loin que le roi aperçut Tréville :

— Venez ici, Monsieur le capitaine, dit-il, venez que je vous gronde ; savez-vous que Son Éminence est venue me faire des plaintes sur vos mousquetaires, et cela avec une telle émotion que ce soir Son Éminence en est malade ? Ah çà ! mais ce sont des diables à quatre, des gens à pendre, que vos mousquetaires !

— Non, Sire, répondit Tréville, qui vit du premier coup d'œil comment la chose allait tourner ; non, tout au contraire, ce sont de bonnes créatures, douces comme des agneaux, et qui n'ont qu'un désir, je m'en ferais garant : c'est que leur épée ne sorte du fourreau que pour le service de Votre Majesté. Mais, que voulez-vous, les gardes de M. le cardinal sont sans cesse à leur chercher querelle, et, pour l'honneur même du corps, les pauvres jeunes gens sont obligés de se défendre.

— Écoutez M. de Tréville ! dit le roi, écoutez-le ! Ne dirait-on pas qu'il parle d'une communauté religieuse ! En vérité, mon cher capitaine, j'ai envie de vous ôter votre brevet et de le donner à Mlle de Chemerault, à laquelle j'ai promis une abbaye. Mais ne pensez pas que je vous croirai ainsi sur parole. On m'appelle Louis le Juste, Monsieur de Tréville, et tout à l'heure, tout à l'heure nous verrons.

— Ah ! c'est parce que je me fie à cette justice, Sire, que j'attendrai patiemment et tranquillement le bon plaisir de Votre Majesté.

— Attendez donc, Monsieur, attendez donc, dit le roi, je ne vous ferai pas longtemps attendre.

En effet, la chance tournait, et comme le roi commençait à perdre ce qu'il avait gagné, il n'était pas fâché de trouver un prétexte pour faire — qu'on nous passe cette expression de joueur, dont, nous l'avouons,

nous ne connaissons pas l'origine — pour faire charlemagne. Le roi se leva donc au bout d'un instant, et
mettant dans sa poche l'argent qui était devant lui et
dont la majeure partie venait de son gain :

— La Vieuville, dit-il, prenez ma place, il faut que
je parle à M. de Tréville pour affaire d'importance.
Ah!... j'avais quatre-vingts louis devant moi ; mettez
la même somme, afin que ceux qui ont perdu n'aient
point à se plaindre. La justice avant tout.

Puis, se retournant vers M. de Tréville et marchant
avec lui vers l'embrasure d'une fenêtre :

— Eh bien! Monsieur, continua-t-il, vous dites que
ce sont les gardes de l'Éminentissime qui ont été chercher querelle à vos mousquetaires ?

— Oui, Sire, comme toujours.

— Et comment la chose est-elle venue, voyons ?
car, vous le savez, mon cher capitaine, il faut qu'un
juge écoute les deux parties.

— Ah! mon Dieu! de la façon la plus simple et la
plus naturelle. Trois de mes meilleurs soldats, que
Votre Majesté connaît de nom et dont elle a plus d'une
fois apprécié le dévouement, et qui ont, je puis l'affirmer au roi, son service fort à cœur ; trois de mes meilleurs soldats, dis-je, MM. Athos, Porthos et Aramis,
avaient fait une partie de plaisir avec un jeune cadet
de Gascogne que je leur avais recommandé le matin
même. La partie allait avoir lieu à Saint-Germain je
crois, et ils s'étaient donné rendez-vous aux Carmes-
Deschaux, lorsqu'elle fut troublée par M. de Jussac
et MM. Cahusac, Biscarat, et deux autres gardes qui ne
venaient certes pas là en si nombreuse compagnie sans
mauvaise intention contre les édits.

— Ah! ah! vous m'y faites penser, dit le roi, sans
doute ils venaient pour se battre eux-mêmes.

— Je ne les accuse pas, Sire, mais je laisse Votre Majesté apprécier ce que peuvent aller faire cinq hommes armés dans un lieu aussi désert que le sont les environs du couvent des Carmes.

— Oui, vous avez raison, Tréville, vous avez raison.

— Alors, quand ils ont vu mes mousquetaires, ils ont changé d'idée et ils ont oublié leur haine particulière pour la haine de corps ; car Votre Majesté n'ignore pas que les mousquetaires, qui sont au roi et rien qu'au roi, sont les ennemis naturels des gardes, qui sont à M. le cardinal.

— Oui, Tréville, oui, dit le roi mélancoliquement, et c'est bien triste, croyez-moi, de voir ainsi deux partis en France, deux têtes à la royauté ; mais tout cela finira, Tréville, tout cela finira. Vous dites donc que les gardes ont cherché querelle aux mousquetaires ?

— Je dis qu'il est probable que les choses se sont passées ainsi, mais je n'en jure pas, Sire. Vous savez combien la vérité est difficile à connaître, et à moins d'être doué de cet instinct admirable qui a fait nommer Louis XIII le Juste...

— Et vous avez raison, Tréville, mais ils n'étaient pas seuls, vos mousquetaires, il y avait avec eux un enfant ?

— Oui, Sire, et un homme blessé, de sorte que trois mousquetaires du roi, dont un blessé, et un enfant non seulement ont tenu tête à cinq des plus terribles gardes de M. le cardinal, mais encore en ont porté quatre à terre.

— Mais c'est une victoire, cela ! s'écria le roi tout rayonnant ; une victoire complète !

— Oui, Sire, aussi complète que celle du pont de Cé.

— Quatre hommes, dont un blessé, et un enfant, dites-vous ?

— Un jeune homme à peine ; lequel s'est même si parfaitement conduit en cette occasion que je prendrai la liberté de le recommander à Votre Majesté.

— Comment s'appelle-t-il ?

— D'Artagnan, Sire. C'est le fils d'un de mes plus anciens amis ; le fils d'un homme qui a fait avec le roi votre père, de glorieuse mémoire, la guerre de partisan.

— Et vous dites qu'il s'est bien conduit, ce jeune homme ? Racontez-moi cela, Tréville ; vous savez que j'aime les récits de guerre et de combat.

Et le roi Louis XIII releva fièrement sa moustache en se posant sur la hanche.

— Sire, reprit Tréville, comme je vous l'ai dit, M. d'Artagnan est presque un enfant, et comme il n'a pas l'honneur d'être mousquetaire, il était en habit bourgeois ; les gardes de M. le cardinal, reconnaissant sa grande jeunesse et, de plus, qu'il était étranger au corps, l'invitèrent donc à se retirer avant qu'ils attaquassent.

— Alors, vous voyez bien, Tréville, interrompit le roi, que ce sont eux qui ont attaqué.

— C'est juste, Sire ; ainsi, plus de doute ; ils le sommèrent donc de se retirer ; mais il répondit qu'il était mousquetaire de cœur et tout à Sa Majesté, qu'ainsi donc il resterait avec Messieurs les mousquetaires.

— Brave jeune homme! murmura le roi.

— En effet, il demeura avec eux ; et Votre Majesté a là un si ferme champion, que ce fut lui qui donna à Jussac ce terrible coup d'épée qui met si fort en colère M. le cardinal.

— C'est lui qui a blessé Jussac? s'écria le roi ; lui, un enfant! Ceci, Tréville, c'est impossible.

— C'est comme j'ai l'honneur de le dire à Votre Majesté.

— Jussac, une des premières lames du royaume!

— Eh bien! Sire! il a trouvé son maître.

— Je veux voir ce jeune homme, Tréville, je veux le voir, et si l'on peut faire quelque chose, eh bien! nous nous en occuperons.

— Quand Votre Majesté daignera-t-elle le recevoir?

— Demain à midi, Tréville.

— L'amènerai-je seul?

— Non, amenez-les-moi tous les quatre ensemble. Je veux les remercier tous à la fois; les hommes dévoués sont rares, Tréville, et il faut récompenser le dévouement.

— A midi, Sire, nous serons au Louvre.

— Ah! par le petit escalier, Tréville, par le petit escalier. Il est inutile que le cardinal sache...

— Oui, Sire.

— Vous comprenez, Tréville, un édit est toujours un édit; il est défendu de se battre, au bout du compte.

— Mais cette rencontre, Sire, sort tout à fait des conditions ordinaires d'un duel : c'est une rixe, et la preuve, c'est qu'ils étaient cinq gardes du cardinal contre mes trois mousquetaires et M. d'Artagnan.

— C'est juste, dit le roi; mais n'importe, Tréville, venez toujours par le petit escalier.

Tréville sourit. Mais comme c'était déjà beaucoup pour lui d'avoir obtenu de cet enfant qu'il se révoltât contre son maître, il salua respectueusement le roi, et avec son agrément prit congé de lui.

Dès le soir même, les trois mousquetaires furent prévenus de l'honneur qui leur était accordé. Comme ils connaissaient depuis longtemps le roi, ils n'en furent pas trop échauffés : mais d'Artagnan, avec son imagination gasconne, y vit sa fortune à venir, et passa la

nuit à faire des rêves d'or. Aussi, dès huit heures du
matin, était-il chez Athos.

D'Artagnan trouva le mousquetaire tout habillé
et prêt à sortir. Comme on n'avait rendez-vous chez le
roi qu'à midi, il avait formé le projet, avec Porthos et
Aramis, d'aller faire une partie de paume dans un tripot
situé tout près des écuries du Luxembourg. Athos
invita d'Artagnan à les suivre, et malgré son ignorance
de ce jeu, auquel il n'avait jamais joué, celui-ci accepta,
ne sachant que faire de son temps, depuis neuf heures
du matin qu'il était à peine jusqu'à midi.

Les deux mousquetaires étaient déjà arrivés et pelo-
taient ensemble. Athos, qui était très fort à tous les
exercices du corps, passa avec d'Artagnan du côté
opposé, et leur fit défi. Mais au premier mouvement
qu'il essaya, quoiqu'il jouât de la main gauche, il
comprit que sa blessure était encore trop récente pour
lui permettre un pareil exercice. D'Artagnan resta donc
seul, et comme il déclara qu'il était trop maladroit
pour soutenir une partie en règle, on continua seulement
à s'envoyer des balles sans compter le jeu. Mais une de
ces balles, lancée par le poignet herculéen de Porthos,
passa si près du visage de d'Artagnan qu'il pensa que
si, au lieu de passer à côté, elle eût donné dedans, son
audience était probablement perdue, attendu qu'il
lui eût été de toute impossibilité de se présenter chez
le roi. Or, comme de cette audience, dans son imagination gasconne, dépendait tout son avenir, il salua poliment Porthos et Aramis, déclarant qu'il ne reprendrait
la partie que lorsqu'il serait en état de leur tenir tête,
et il s'en revint prendre place près de la corde et dans
la galerie.

Malheureusement pour d'Artagnan, parmi les spectateurs se trouvait un garde de Son Éminence, lequel,

tout échauffé encore de la défaite de ses compagnons,
arrivée la veille seulement, s'était promis de saisir la
première occasion de la venger. Il crut donc que cette
occasion était venue, et s'adressant à son voisin :

— Il n'est pas étonnant, dit-il, que ce jeune homme
ait eu peur d'une balle, c'est sans doute un apprenti
mousquetaire.

D'Artagnan se retourna comme si un serpent l'eût
mordu, et regarda fixement le garde qui venait de tenir
cet insolent propos.

— Pardieu! reprit celui-ci en frisant insolemment
sa moustache, regardez-moi tant que vous voudrez,
mon petit Monsieur, j'ai dit ce que j'ai dit.

— Et comme ce que vous avez dit est trop clair
pour que vos paroles aient besoin d'explication, répondit d'Artagnan à voix basse, je vous prierai de me suivre.

— Et quand cela? demanda le garde avec le même
air railleur.

— Tout de suite, s'il vous plaît.

— Et vous savez qui je suis, sans doute?

— Moi, je l'ignore complètement, et je ne m'en
inquiète guère.

— Et vous avez tort, car, si vous saviez mon nom,
peut-être seriez-vous moins pressé.

— Comment vous appelez-vous?

— Bernajoux, pour vous servir.

— Eh bien! Monsieur Bernajoux, dit tranquillement d'Artagnan, je vais vous attendre sur la porte.

— Allez, Monsieur, je vous suis.

— Ne vous pressez pas trop, Monsieur, qu'on ne
s'aperçoive pas que nous sortons ensemble ; vous
comprenez que, pour ce que nous allons faire, trop de
monde nous gênerait.

— C'est bien, répondit le garde, étonné que son

nom n'eût pas produit plus d'effet sur le jeune homme.

En effet, le nom de Bernajoux était connu de tout le monde, de d'Artagnan seul excepté, peut-être ; car c'était un de ceux qui figuraient le plus souvent dans les rixes journalières que tous les édits du roi et du cardinal n'avaient pu réprimer.

Porthos et Aramis étaient si occupés de leur partie, et Athos les regardait avec tant d'attention qu'ils ne virent pas même sortir leur jeune compagnon, lequel, ainsi qu'il l'avait dit au garde de Son Éminence, s'arrêta sur la porte ; un instant après, celui-ci descendit à son tour. Comme d'Artagnan n'avait pas de temps à perdre, vu l'audience du roi qui était fixée à midi, il jeta les yeux autour de lui, et voyant que la rue était déserte :

— Ma foi, dit-il à son adversaire, il est bien heureux pour vous, quoique vous vous appeliez Bernajoux, de n'avoir affaire qu'à un apprenti mousquetaire ; cependant, soyez tranquille, je ferai de mon mieux. En garde !

— Mais, dit celui que d'Artagnan provoquait ainsi, il me semble que le lieu est assez mal choisi, et que nous serions mieux derrière l'abbaye de Saint-Germain ou dans le Pré-aux-Clercs.

— Ce que vous dites est plein de sens, répondit d'Artagnan ; malheureusement j'ai peu de temps à moi, ayant un rendez-vous à midi juste. En garde donc, Monsieur, en garde !

Bernajoux n'était pas homme à se faire répéter deux fois un pareil compliment. Au même instant son épée brilla à sa main, et il fondit sur son adversaire que, grâce à sa grande jeunesse, il espérait intimider.

Mais d'Artagnan avait fait la veille son apprentissage, et tout frais émoulu de sa victoire, tout gonflé de sa future faveur, il était résolu à ne pas reculer d'un

pas ; aussi les deux fers se trouvèrent-ils engagés jusqu'à la garde, et comme d'Artagnan tenait ferme à sa
place, ce fut son adversaire qui fit un pas de retraite.
Mais d'Artagnan saisit le moment où, dans ce mouvement, le fer de Bernajoux déviait de la ligne, il dégagea,
se fendit et toucha son adversaire à l'épaule. Aussitôt
d'Artagnan, à son tour, fit un pas de retraite et releva
son épée ; mais Bernajoux lui cria que ce n'était rien,
et se fendant aveuglément sur lui, il s'enferra de lui-
même. Cependant, comme il ne tombait pas, comme il
ne se déclarait pas vaincu, mais que seulement il rom-
pait du côté de l'hôtel de M. de La Trémouille au service
duquel il avait un parent, d'Artagnan, ignorant lui-
même la gravité de la dernière blessure que son adversaire avait reçue, le pressait vivement, et sans doute
allait l'achever d'un troisième coup, lorsque la rumeur
qui s'élevait de la rue s'étant étendue jusqu'au jeu de
paume, deux des amis du garde, qui l'avaient entendu
échanger quelques paroles avec d'Artagnan et qui
l'avaient vu sortir à la suite de ces paroles, se précipitèrent l'épée à la main hors du tripot et tombèrent sur
le vainqueur. Mais aussitôt Athos, Porthos et Aramis
parurent à leur tour, et au moment où les deux gardes
attaquaient leur jeune camarade, les forcèrent à se
retourner. En ce moment, Bernajoux tomba ; et comme
les gardes étaient seulement deux contre quatre, ils se
mirent à crier : « A nous, l'hôtel de La Trémouille! »
A ces cris, tout ce qui était dans l'hôtel sortit, se ruant
sur les quatre compagnons, qui de leur côté se mirent
à crier : « A nous, mousquetaires! »

Ce cri était ordinairement entendu ; car on savait
les mousquetaires ennemis de Son Éminence, et on les
aimait pour la haine qu'ils portaient au cardinal.
Aussi les gardes des autres compagnies que celles appar-

tenant au duc Rouge, comme l'avait appelé Aramis,
prenaient-ils en général parti dans ces sortes de que-
relles pour les mousquetaires du roi. De trois gardes
de la compagnie de M. des Essarts qui passaient, deux
vinrent donc en aide aux quatre compagnons, tandis
que l'autre courait à l'hôtel de M. de Tréville, criant :
« A nous, mousquetaires, à nous! » Comme d'habitude,
l'hôtel de M. de Tréville était plein de soldats de cette
arme, qui accoururent au secours de leurs camarades ;
la mêlée devint générale, mais la force était aux mousquetaires : les gardes du cardinal et les gens de M. de
La Trémouille se retirèrent dans l'hôtel, dont ils fer-
mèrent les portes assez à temps pour empêcher que leurs
ennemis n'y fissent irruption en même temps qu'eux.
Quant au blessé, il y avait été tout d'abord transporté
et, comme nous l'avons dit, en fort mauvais état.

L'agitation était à son comble parmi les mousquetaires et leurs alliés, et l'on délibérait déjà si, pour punir
l'insolence qu'avaient eue les domestiques de M. de La
Trémouille de faire une sortie sur les mousquetaires du
roi, on ne mettrait pas le feu à son hôtel. La proposition
en avait été faite et accueillie avec enthousiasme, lorsque heureusement onze heures sonnèrent ; d'Artagnan
et ses compagnons se souvinrent de leur audience et
comme ils eussent regretté que l'on fît un si beau coup
sans eux, ils parvinrent à calmer les têtes. On se contenta
donc de jeter quelques pavés dans les portes, mais les
portes résistèrent : alors on se lassa ; d'ailleurs ceux
qui devaient être regardés comme les chefs de l'entreprise avaient depuis un instant quitté le groupe et
s'acheminaient vers l'hôtel de M. de Tréville, qui les
attendait, déjà au courant de cette algarade.

— Vite, au Louvre, dit-il, au Louvre sans perdre un
instant, et tâchons de voir le roi avant qu'il soit prévenu

par le cardinal ; nous lui raconterons la chose comme
une suite de l'affaire d'hier, et les deux passeront ensemble.

M. de Tréville, accompagné des quatre jeunes gens,
s'achemina donc vers le Louvre ; mais, au grand étonnement du capitaine des mousquetaires, on lui annonça
que le roi était allé courre le cerf dans la forêt de Saint-
Germain. M. de Tréville se fit répéter deux fois cette
nouvelle, et à chaque fois ses compagnons virent son
visage se rembrunir.

— Est-ce que Sa Majesté, demanda-t-il, avait dès
hier le projet de faire cette chasse ?

— Non, Votre Excellence, répondit le valet de
chambre, c'est le grand veneur qui est venu lui annoncer
ce matin qu'on avait détourné cette nuit un cerf à son
intention. Il a d'abord répondu qu'il n'irait pas, puis
il n'a pas su résister au plaisir que lui promettait cette
chasse, et après le dîner il est parti.

— Et le roi a-t-il vu le cardinal ? demanda M. de
Tréville.

— Selon toute probabilité, répondit le valet de
chambre, car j'ai vu ce matin les chevaux au carrosse
de Son Éminence, j'ai demandé où elle allait, et l'on
m'a répondu : « A Saint-Germain. »

— Nous sommes prévenus, dit M. de Tréville.
Messieurs, je verrai le roi ce soir ; mais quant à vous,
je ne vous conseille pas de vous y hasarder.

L'avis était trop raisonnable et surtout venait d'un
homme qui connaissait trop bien le roi, pour que les
quatre jeunes gens essayassent de le combattre. M. de
Tréville les invita donc à rentrer chacun chez eux et à
attendre de ses nouvelles.

En entrant à son hôtel, M. de Tréville songea qu'il
fallait prendre date en portant plainte le premier. Il

envoya un de ses domestiques chez M. de La Trémouille
avec une lettre dans laquelle il le priait de mettre hors
de chez lui le garde de M. le cardinal, et de réprimander
ses gens de l'audace qu'ils avaient eue de faire leur
sortie contre les mousquetaires. Mais M. de La Trémouille, déjà prévenu par son écuyer dont, comme on
le sait, Bernajoux était le parent, lui fit répondre que
ce n'était ni à M. de Tréville ni à ses mousquetaires de
se plaindre, mais bien au contraire à lui dont les mousquetaires avaient chargé les gens et avaient voulu
brûler l'hôtel. Or, comme le débat entre ces deux seigneurs eût pu durer longtemps, chacun devant naturellement s'entêter dans son opinion, M. de Tréville avisa
un expédient qui avait pour but de tout terminer :
c'était d'aller trouver lui-même M. de La Trémouille.

Il se rendit donc aussitôt à son hôtel, et se fit annoncer.

Les deux seigneurs se saluèrent poliment, car, s'il
n'y avait pas amitié entre eux, il y avait du moins
estime. Tous deux étaient gens de cœur et d'honneur ;
et comme M. de La Trémouille, protestant, et voyant
rarement le roi, n'était d'aucun parti, il n'apportait
en général dans ses relations sociales aucune prévention.
Cette fois, néanmoins, son accueil quoique poli fut plus
froid que d'habitude.

— Monsieur, dit M. de Tréville, nous croyons avoir
à nous plaindre chacun l'un de l'autre, et je suis venu
moi-même pour que nous tirions de compagnie cette
affaire au clair.

— Volontiers, répondit M. de La Trémouille ; mais
je vous préviens que je suis bien renseigné, et tout le
tort est à vos mousquetaires.

— Vous êtes un homme trop juste et trop raisonnable, Monsieur, dit M. de Tréville, pour ne pas accepter
la proposition que je vais faire.

— Faites, Monsieur, j'écoute.

— Comment se trouve M. Bernajoux, le parent de votre écuyer ?

— Mais, Monsieur, fort mal. Outre le coup d'épée qu'il a reçu dans le bras, et qui n'est pas autrement dangereux, il en a encore ramassé un autre qui lui a traversé le poumon, de sorte que le médecin en dit de pauvres choses.

— Mais le blessé a-t-il conservé sa connaissance ?

— Parfaitement.

— Parle-t-il ?

— Avec difficulté, mais il parle.

— Eh bien, Monsieur ! rendons-nous près de lui ; adjurons-le, au nom du Dieu devant lequel il va être appelé peut-être, de dire la vérité. Je le prends pour juge dans sa propre cause, Monsieur, et ce qu'il dira je le croirai.

M. de La Trémouille réfléchit un instant, puis, comme il était difficile de faire une proposition plus raisonnable, il accepta.

Tous deux descendirent dans la chambre où était le blessé. Celui-ci, en voyant entrer ces deux nobles seigneurs qui venaient lui faire visite, essaya de se relever sur son lit, mais il était trop faible, et, épuisé par l'effort qu'il avait fait, il retomba presque sans connaissance.

M. de La Trémouille s'approcha de lui et lui fit respirer des sels qui le rappelèrent à la vie. Alors M. de Tréville, ne voulant pas qu'on pût l'accuser d'avoir influencé le malade, invita M. de La Trémouille à l'interroger lui-même.

Ce qu'avait prévu M. de Tréville arriva. Placé entre la vie et la mort comme l'était Bernajoux, il n'eut pas même l'idée de taire un instant la vérité ; et il raconta aux deux seigneurs les choses exactement, telles qu'elles s'étaient passées.

C'était tout ce que voulait M. de Tréville ; il souhaita à Bernajoux une prompte convalescence, prit congé de M. de La Trémouille, rentra à son hôtel et fit aussitôt prévenir les quatre amis qu'il les attendait à dîner.

M. de Tréville recevait fort bonne compagnie, toute anticardinaliste d'ailleurs. On comprend donc que la conversation roula pendant tout le dîner sur les deux échecs que venaient d'éprouver les gardes de Son Éminence. Or, comme d'Artagnan avait été le héros de ces deux journées, ce fut sur lui que tombèrent toutes les félicitations, qu'Athos, Porthos et Aramis lui abandonnèrent non seulement en bons camarades, mais en hommes qui avaient eu assez souvent leur tour pour qu'ils lui laissassent le sien.

Vers six heures, M. de Tréville annonça qu'il était tenu d'aller au Louvre ; mais comme l'heure de l'audience accordée par Sa Majesté était passée, au lieu de réclamer l'entrée par le petit escalier, il se plaça avec les quatre jeunes gens dans l'antichambre. Le roi n'était pas encore revenu de la chasse. Nos jeunes gens attendaient depuis une demi-heure à peine, mêlés à la foule des courtisans, lorsque toutes les portes s'ouvrirent et qu'on annonça Sa Majesté.

A cette annonce, d'Artagnan se sentit frémir jusqu'à la moelle des os. L'instant qui allait suivre devait, selon toute probabilité, décider du reste de sa vie. Aussi ses yeux se fixèrent-ils avec angoisse sur la porte par laquelle devait entrer le roi.

Louis XIII parut, marchant le premier ; il était en costume de chasse, encore tout poudreux, ayant de grandes bottes et tenant un fouet à la main. Au premier

coup d'œil, d'Artagnan jugea que l'esprit du roi était
à l'orage.

Cette disposition, toute visible qu'elle était chez
Sa Majesté, n'empêcha pas les courtisans de se ranger
sur son passage : dans les antichambres royales, mieux
vaut encore être vu d'un œil irrité que de n'être pas
vu du tout. Les trois mousquetaires n'hésitèrent donc
pas, et firent un pas en avant, tandis que d'Artagnan
au contraire restait caché derrière eux ; mais quoique
le roi connût personnellement Athos, Porthos et Aramis,
il passa devant eux sans les regarder, sans leur parler et
comme s'il ne les avait jamais vus. Quant à M. de Tréville, lorsque les yeux du roi s'arrêtèrent un instant
sur lui, il soutint ce regard avec tant de fermeté que
ce fut le roi qui détourna la vue ; après quoi, tout
en grommelant, Sa Majesté rentra dans son appartement.

— Les affaires vont mal, dit Athos en souriant, et
nous ne serons pas encore faits chevaliers de l'ordre
cette fois-ci.

— Attendez ici dix minutes, dit M. de Tréville ;
et si au bout de dix minutes vous ne me voyez pas
sortir, retournez à mon hôtel, car il sera inutile que
vous m'attendiez plus longtemps.

Les quatre jeunes gens attendirent dix minutes, un
quart d'heure, vingt minutes ; et voyant que M. de
Tréville ne reparaissait point, ils sortirent fort inquiets
de ce qui allait arriver.

M. de Tréville était entré hardiment dans le cabinet
du roi, et avait trouvé Sa Majesté de très méchante
humeur, assise sur un fauteuil et battant ses bottes du
manche de son fouet, ce qui ne l'avait pas empêché
de lui demander avec le plus grand flegme des nouvelles
de sa santé.

— Mauvaise, Monsieur, mauvaise, répondit le roi, je m'ennuie.

C'était en effet la pire maladie de Louis XIII, qui souvent prenait un de ses courtisans, l'attirait à une fenêtre et lui disait : Monsieur un tel, ennuyons-nous ensemble.

— Comment! Votre Majesté s'ennuie! dit M. de Tréville. N'a-t-elle donc pas pris aujourd'hui le plaisir de la chasse?

— Beau plaisir, Monsieur! Tout dégénère, sur mon âme, et je ne sais si c'est le gibier qui n'a plus de voie ou les chiens qui n'ont plus de nez. Nous lançons un cerf dix-cors, nous le courons six heures, et quand il est prêt à tenir, quand Saint-Simon met déjà le cor à sa bouche pour sonner l'hallali, crac! toute la meute prend le change et s'emporte sur un daguet. Vous verrez que je serai obligé de renoncer à la chasse à courre comme j'ai renoncé à la chasse au vol. Ah! je suis un roi bien malheureux, Monsieur de Tréville! je n'avais plus qu'un gerfaut, et il est mort avant-hier.

— En effet, Sire; je comprends votre désespoir, et le malheur est grand; mais il vous reste encore, ce me semble, bon nombre de faucons, d'éperviers et de tiercelets.

— Et pas un homme pour les instruire; les fauconniers s'en vont, il n'y a plus que moi qui connaisse l'art de la vénerie. Après moi tout sera dit, et l'on chassera avec des traquenards, des pièges, des trappes. Si j'avais le temps encore de former des élèves! Mais oui, M. le cardinal est là qui ne me laisse pas un instant de repos, qui me parle de l'Espagne, qui me parle de l'Autriche, qui me parle de l'Angleterre! Ah! à propos de M. le cardinal, Monsieur de Tréville, je suis mécontent de vous.

M. de Tréville attendait le roi à cette chute. Il connais-

sait le roi de longue main ; il avait compris que toutes
ses plaintes n'étaient qu'une préface, une espèce d'exci-
tation pour s'encourager lui-même, et que c'était où
il était arrivé enfin qu'il en voulait venir.

— Et en quoi ai-je été assez malheureux pour déplaire
à Votre Majesté? demanda M. de Tréville en feignant
le plus profond étonnement.

— Est-ce ainsi que vous faites votre charge, Monsieur? continua le roi sans répondre directement à la
question de M. de Tréville ; est-ce pour cela que je
vous ai nommé capitaine de mes mousquetaires, que
ceux-ci assassinent un homme, émeuvent tout un
quartier et veulent brûler Paris sans que vous en disiez
un mot? Mais, au reste, continua le roi, sans doute que
je me hâte de vous accuser, sans doute que les perturbateurs sont en prison et que vous venez m'annoncer
que justice est faite.

— Sire, répondit tranquillement M. de Tréville, je
viens vous la demander au contraire.

— Et contre qui? s'écria le roi.

— Contre les calomniateurs, dit M. de Tréville.

— Ah! voilà qui est nouveau, reprit le roi. N'allez-
vous pas dire que vos trois mousquetaires damnés,
Athos, Porthos et Aramis, et votre cadet de Béarn ne
se sont pas jetés comme des furieux sur le pauvre
Bernajoux et ne l'ont pas maltraité de telle façon qu'il
est probable qu'il est en train de trépasser à cette heure!
N'allez-vous pas dire qu'ensuite ils n'ont pas fait le
siège de l'hôtel du duc de La Trémouille, et qu'ils
n'ont point voulu le brûler! Ce qui n'aurait peut-être
pas été un très grand malheur en temps de guerre, vu
que c'est un nid de huguenots, mais ce qui, en temps
de paix, est un fâcheux exemple. Dites, n'allez-vous pas
nier tout cela?

— Et qui vous a fait ce beau récit, Sire? demanda tranquillement M. de Tréville.

— Qui m'a fait ce beau récit, Monsieur! et qui voulez-vous que ce soit, si ce n'est celui qui veille quand je dors, qui travaille quand je m'amuse, qui mène tout au-dedans et au-dehors du royaume, en France comme en Europe?

— Sa Majesté veut parler de Dieu, sans doute, dit M. de Tréville, car je ne connais que Dieu qui soit si fort au-dessus de Sa Majesté.

— Non, Monsieur; je veux parler du soutien de l'État, de mon seul serviteur, de mon seul ami, de M. le cardinal.

— Son Éminence n'est pas Sa Sainteté, Sire.

— Qu'entendez-vous par là, Monsieur?

— Qu'il n'y a que le pape qui soit infaillible, et que cette infaillibilité ne s'étend pas aux cardinaux.

— Vous voulez dire qu'il me trompe, vous voulez dire qu'il me trahit. Vous l'accusez alors. Voyons, dites, avouez franchement que vous l'accusez.

— Non, Sire; mais je dis qu'il se trompe lui-même; je dis qu'il a été mal renseigné; je dis qu'il a eu hâte d'accuser les mousquetaires de Votre Majesté, pour lesquels il est injuste, et qu'il n'a pas été puiser ses renseignements aux bonnes sources.

— L'accusation vient de M. de La Trémouille, du duc lui-même. Que répondrez-vous à cela?

— Je pourrais répondre, Sire, qu'il est trop intéressé dans la question pour être un témoin bien impartial; mais loin de là, Sire, je connais le duc pour un loyal gentilhomme, et je m'en rapporterai à lui, mais à une condition, Sire.

— Laquelle?

— C'est que Votre Majesté le fera venir, l'interrogera,

mais elle-même, en tête à tête, sans témoins, et que je reverrai Votre Majesté aussitôt qu'elle aura reçu le duc.

— Oui-da! fit le roi, et vous vous en rapporterez à ce que dira M. de La Trémouille?

— Oui, Sire.

— Vous accepterez son jugement?

— Sans doute.

— Et vous vous soumettrez aux réparations qu'il exigera?

— Parfaitement.

— La Chesnaye! fit le roi. La Chesnaye!

Le valet de chambre de confiance de Louis XIII, qui se tenait toujours à la porte, entra.

— La Chesnaye, dit le roi, qu'on aille à l'instant même me quérir M. de La Trémouille; je veux lui parler ce soir.

— Votre Majesté me donne sa parole qu'elle ne verra personne entre M. de La Trémouille et moi?

— Personne, foi de gentilhomme.

— A demain, Sire, alors.

— A demain, Monsieur.

— A quelle heure, s'il plaît à Votre Majesté?

— A l'heure que vous voudrez.

— Mais, en venant par trop matin, je crains de réveiller Votre Majesté.

— Me réveiller? Est-ce que je dors? Je ne dors plus, Monsieur; je rêve quelquefois, voilà tout. Venez donc d'aussi bon matin que vous voudrez, à sept heures; mais gare à vous, si vos mousquetaires sont coupables!

— Si mes mousquetaires sont coupables, Sire, les coupables seront remis aux mains de Votre Majesté, qui ordonnera d'eux selon son bon plaisir. Votre Majesté exige-t-elle quelque chose de plus? Qu'elle parle, je suis prêt à lui obéir.

— Non, Monsieur, non, et ce n'est pas sans raison qu'on m'a appelé Louis le Juste. A demain donc, Monsieur, à demain.

— Dieu garde jusque-là Votre Majesté!

Si peu que dormit le roi, M. de Tréville dormit plus mal encore ; il avait fait prévenir dès le soir même ses trois mousquetaires et leur compagnon de se trouver chez lui à six heures et demie du matin. Il les emmena avec lui sans rien leur affirmer, sans leur rien promettre, et ne leur cachant pas que leur faveur et même la sienne tenaient à un coup de dés.

Arrivé au bas du petit escalier, il les fit attendre. Si le roi était toujours irrité contre eux, ils s'éloigneraient sans être vus ; si le roi consentait à les recevoir, on n'aurait qu'à les faire appeler.

En arrivant dans l'antichambre particulière du roi, M. de Tréville trouva La Chesnaye, qui lui apprit qu'on n'avait pas rencontré le duc de La Trémouille la veille au soir à son hôtel, qu'il était rentré trop tard pour se présenter au Louvre, qu'il venait seulement d'arriver, et qu'il était à cette heure chez le roi.

Cette circonstance plut beaucoup à M. de Tréville, qui, de cette façon, fut certain qu'aucune suggestion étrangère ne se glisserait entre la déposition de M. de La Trémouille et lui.

En effet, dix minutes s'étaient à peine écoulées que la porte du cabinet s'ouvrit et que M. de Tréville en vit sortir le duc de La Trémouille, lequel vint à lui et lui dit :

— Monsieur de Tréville, Sa Majesté vient de m'envoyer quérir pour savoir comment les choses s'étaient passées hier matin à mon hôtel. Je lui ai dit la vérité, c'est-à-dire que la faute était à mes gens, et que j'étais prêt à vous en faire mes excuses. Puisque je vous

rencontre, veuillez les recevoir, et me tenir toujours
pour un de vos amis.

— Monsieur le duc, dit M. de Tréville, j'étais si
plein de confiance dans votre loyauté que je n'avais pas
voulu près de Sa Majesté d'autre défenseur que vous-
même. Je vois que je ne m'étais pas abusé, et je vous
remercie de ce qu'il y a encore en France un homme de
qui on puisse dire sans se tromper ce que j'ai dit de
vous.

— C'est bien, c'est bien! dit le roi qui avait écouté
tous ces compliments entre les deux portes ; seulement,
dites-lui, Tréville, puisqu'il se prétend un de vos amis,
que moi aussi je voudrais être des siens, mais qu'il me
néglige ; qu'il y a tantôt trois ans que je ne l'ai vu, et
que je ne le vois que quand je l'envoie chercher. Dites-
lui tout cela de ma part, car ce sont de ces choses qu'un
roi ne peut dire lui-même.

— Merci, Sire, merci, dit le duc ; mais que Votre
Majesté croie bien que ce ne sont pas ceux, je ne dis
point cela pour M. de Tréville, que ce ne sont point
ceux qu'elle voit à toute heure du jour qui lui sont le
plus dévoués.

— Ah! vous avez entendu ce que j'ai dit ; tant mieux,
duc, tant mieux, dit le roi en s'avançant jusque sur la
porte. Ah! c'est vous, Tréville! où sont vos mousquetaires ? Je vous avais dit avant-hier de me les amener,
pourquoi ne l'avez-vous pas fait ?

— Ils sont en bas, Sire, et avec votre congé La
Chesnaye va leur dire de monter.

— Oui, oui, qu'ils viennent tout de suite ; il va
être huit heures, et à neuf heures j'attends une visite.
Allez, Monsieur le duc, et revenez surtout. Entrez,
Tréville.

Le duc salua et sortit. Au moment où il ouvrait la

porte, les trois mousquetaires et d'Artagnan, conduits par La Chesnaye, apparaissaient au haut de l'escalier.

— Venez, mes braves, dit le roi, venez ; j'ai à vous gronder.

Les mousquetaires s'approchèrent en s'inclinant ; d'Artagnan les suivait par-derrière.

— Comment diable! continua le roi ; à vous quatre, sept gardes de Son Éminence mis hors de combat en deux jours! C'est trop, Messieurs, c'est trop. A ce compte-là, Son Éminence serait forcée de renouveler sa compagnie dans trois semaines, et moi de faire appliquer les édits dans toute leur rigueur. Un par hasard, je ne dis pas ; mais sept en deux jours, je le répète, c'est trop, c'est beaucoup trop.

— Aussi, Sire, Votre Majesté voit qu'ils viennent tout contrits et tout repentants lui faire leurs excuses.

— Tout contrits et tout repentants! Hum! fit le roi, je ne me fie point à leurs faces hypocrites ; il y a surtout là-bas une figure de Gascon. Venez ici, Monsieur.

D'Artagnan, qui comprit que c'était à lui que le compliment s'adressait, s'approcha en prenant son air le plus désespéré.

— Eh bien! que me disiez-vous donc que c'était un jeune homme? C'est un enfant, Monsieur de Tréville, un véritable enfant! Et c'est celui-là qui a donné ce rude coup d'épée à Jussac?

— Et ces deux beaux coups d'épée à Bernajoux.

— Véritablement!

— Sans compter, dit Athos, que s'il ne m'avait pas tiré des mains de Biscarat, je n'aurais très certainement pas l'honneur de faire en ce moment-ci ma très humble révérence à Votre Majesté.

— Mais c'est donc un véritable démon que ce Béarnais, ventre-saint-gris! Monsieur de Tréville, comme

eût dit le roi mon père. A ce métier-là, on doit trouer
force pourpoints et briser force épées. Or les Gascons
sont toujours pauvres, n'est-ce pas?

— Sire, je dois dire qu'on n'a pas encore trouvé
des mines d'or dans leurs montagnes, quoique le
Seigneur leur dût bien ce miracle en récompense de la
manière dont ils ont soutenu les prétentions du roi
votre père.

— Ce qui veut dire que ce sont les Gascons qui
m'ont fait roi moi-même, n'est-ce pas, Tréville, puisque
je suis le fils de mon père? Eh bien! à la bonne heure,
je ne dis pas non. La Chesnaye, allez voir si, en fouillant
dans toutes mes poches, vous trouverez quarante pistoles ; et si vous les trouvez, apportez-les-moi. Et maintenant, voyons, jeune homme, la main sur la conscience,
comment cela s'est-il passé?

D'Artagnan raconta l'aventure de la veille dans
tous ses détails : comment, n'ayant pas pu dormir de
la joie qu'il éprouvait à voir Sa Majesté, il était arrivé
chez ses amis trois heures avant l'heure de l'audience;
comment ils étaient allés ensemble au tripot, et comment, sur la crainte qu'il avait manifestée de recevoir
une balle au visage, il avait été raillé par Bernajoux,
lequel avait failli payer cette raillerie de la perte de la
vie, et M. de La Trémouille, qui n'y était pour rien,
de la perte de son hôtel.

— C'est bien cela, murmurait le roi ; oui, c'est ainsi
que le duc m'a raconté la chose. Pauvre cardinal! sept
hommes en deux jours, et de ses plus chers ; mais c'est
assez comme cela, Messieurs, entendez-vous! c'est assez :
vous avez pris votre revanche de la rue Férou, et au-
delà ; vous devez être satisfaits.

— Si Votre Majesté l'est, dit Tréville, nous le sommes.

— Oui, je le suis, ajouta le roi en prenant une poignée

d'or de la main de La Chesnaye, et la mettant dans
celle de d'Artagnan. Voici, dit-il, une preuve de ma
satisfaction.

A cette époque, les idées de fierté qui sont de mise
de nos jours n'étaient point encore de mode. Un gentilhomme recevait de la main à la main de l'argent du roi,
et n'en était pas le moins du monde humilié. D'Artagnan
mit donc les quarante pistoles dans sa poche sans faire
aucune façon, et en remerciant tout au contraire grandement Sa Majesté.

— Là, dit le roi en regardant sa pendule, là, et
maintenant qu'il est huit heures et demie, retirez-vous ;
car, je vous l'ai dit, j'attends quelqu'un à neuf heures.
Merci de votre dévouement, Messieurs. J'y puis compter,
n'est-ce pas ?

— Oh ! Sire, s'écrièrent d'une même voix les quatre
compagnons, nous nous ferions couper en morceaux
pour Votre Majesté.

— Bien, bien ; mais restez entiers, cela vaut mieux,
et vous me serez plus utiles. Tréville, ajouta le roi à
demi-voix pendant que les autres se retiraient, comme
vous n'avez pas de place dans les mousquetaires et que
d'ailleurs pour entrer dans ce corps nous avons décidé
qu'il fallait faire un noviciat, placez ce jeune homme
dans la compagnie des gardes de M. des Essarts, votre
beau-frère. Ah, pardieu ! Tréville, je me réjouis de la
grimace que va faire le cardinal : il sera furieux, mais
cela m'est égal ; je suis dans mon droit.

Et le roi salua de la main Tréville, qui sortit et s'en
vint rejoindre ses mousquetaires, qu'il trouva partageant
avec d'Artagnan les quarante pistoles.

Et le cardinal, comme l'avait dit Sa Majesté, fut
effectivement furieux, si furieux que pendant huit jours
il abandonna le jeu du roi, ce qui n'empêchait pas le

roi de lui faire la plus charmante mine du monde,
et toutes les fois qu'il le rencontrait de lui demander
de sa voix la plus caressante :

— Eh bien, Monsieur le cardinal, comment vont ce
pauvre Bernajoux et ce pauvre Jussac, qui sont à vous ?

VII

L'INTÉRIEUR DES MOUSQUETAIRES

Lorsque d'Artagnan fut hors du Louvre, et qu'il
consulta ses amis sur l'emploi qu'il devait faire de sa
part des quarante pistoles, Athos lui conseilla de commander un bon repas à la *Pomme de Pin*, Porthos de
prendre un laquais, et Aramis de se faire une maîtresse
convenable.

Le repas fut exécuté le jour même, et le laquais y
servit à table. Le repas avait été commandé par Athos,
et le laquais fourni par Porthos. C'était un Picard que
le glorieux mousquetaire avait embauché le jour même
et à cette occasion sur le pont de la Tournelle, pendant
qu'il faisait des ronds en crachant dans l'eau.

Porthos avait prétendu que cette occupation était la
preuve d'une organisation réfléchie et contemplative,
et il l'avait emmené sans autre recommandation. La
grande mine de ce gentilhomme, pour le compte duquel il se crut engagé, avait séduit Planchet — c'était
le nom du Picard — il y eut chez lui un léger désappoin-
tement lorsqu'il vit que la place était déjà prise par un
confrère nommé Mousqueton, et lorsque Porthos lui
eut signifié que son état de maison, quoique grand,
ne comportait pas deux domestiques, et qu'il lui fallait

entrer au service de d'Artagnan. Cependant, lorsqu'il
assista au dîner que donnait son maître et qu'il vit celui-ci
tirer en payant une poignée d'or de sa poche, il crut
sa fortune faite et remercia le ciel d'être tombé en la
possession d'un pareil Crésus ; il persévéra dans cette
opinion jusqu'après le festin, des reliefs duquel il répara
de longues abstinences. Mais en faisant, le soir, le lit de
son maître, les chimères de Planchet s'évanouirent. Le
lit était le seul de l'appartement, qui se composait d'une
antichambre et d'une chambre à coucher. Planchet
coucha dans l'antichambre sur une couverture tirée
du lit de d'Artagnan, et dont d'Artagnan se passa
depuis.

Athos, de son côté, avait un valet qu'il avait dressé
à son service d'une façon toute particulière, et que l'on
appelait Grimaud. Il était fort silencieux, ce digne
seigneur. Nous parlons d'Athos, bien entendu. Depuis
cinq ou six ans qu'il vivait dans la plus profonde inti-
mité avec ses compagnons Porthos et Aramis, ceux-ci
se rappelaient l'avoir vu sourire souvent, mais jamais
ils ne l'avaient entendu rire. Ses paroles étaient brèves
et expressives, disant toujours ce qu'elles voulaient
dire, rien de plus : pas d'enjolivements, pas de broderies,
pas d'arabesques. Sa conversation était un fait sans
aucun épisode.

Quoique Athos eût à peine trente ans et fût d'une
grande beauté de corps et d'esprit, personne ne lui
connaissait de maîtresse. Jamais il ne parlait de femmes.
Seulement il n'empêchait pas qu'on en parlât devant
lui, quoiqu'il fût facile de voir que ce genre de conversation, auquel il ne se mêlait que par des mots amers et
des aperçus misanthropiques, lui était parfaitement
désagréable. Sa réserve, sa sauvagerie et son mutisme
en faisaient presque un vieillard ; il avait donc, pour ne

point déroger à ses habitudes, habitué Grimaud à lui obéir sur un simple geste ou sur un simple mouvement des lèvres. Il ne lui parlait que dans des circonstances suprêmes.

Quelquefois Grimaud, qui craignait son maître comme le feu, tout en ayant pour sa personne un grand attachement et pour son génie une grande vénération, croyait avoir parfaitement compris ce qu'il désirait, s'élançait pour exécuter l'ordre reçu, et faisait précisément le contraire. Alors Athos haussait les épaules et, sans se mettre en colère, rossait Grimaud. Ces jours-là, il parlait un peu.

Porthos, comme on a pu le voir, avait un caractère tout opposé à celui d'Athos : non seulement il parlait beaucoup, mais il parlait haut ; peu lui importait au reste, il faut lui rendre cette justice, qu'on l'écoutât ou non ; il parlait pour le plaisir de parler et pour le plaisir de s'entendre ; il parlait de toutes choses excepté de sciences, excipant à cet endroit de la haine invétérée que depuis son enfance il portait, disait-il, aux savants. Il avait moins grand air qu'Athos, et le sentiment de son infériorité à ce sujet l'avait, dans le commencement de leur liaison, rendu souvent injuste pour ce gentilhomme, qu'il s'était alors efforcé de dépasser par ses splendides toilettes. Mais, avec sa simple casaque de mousquetaire et rien que par la façon dont il rejetait la tête en arrière et avançait le pied, Athos prenait à l'instant même la place qui lui était due et reléguait le fastueux Porthos au second rang. Porthos s'en consolait en remplissant l'antichambre de M. de Tréville et les corps de garde du Louvre du bruit de ses bonnes fortunes, dont Athos ne parlait jamais ; et pour le moment, après avoir passé de la noblesse de robe à la noblesse d'épée, de la robine à la baronne, il n'était

question de rien moins pour Porthos que d'une princesse étrangère qui lui voulait un bien énorme.

Un vieux proverbe dit : « Tel maître, tel valet. »
Passons donc du valet d'Athos au valet de Porthos, de
Grimaud à Mousqueton.

Mousqueton était un Normand dont son maître
avait changé le nom pacifique de Boniface en celui
infiniment plus sonore et plus belliqueux de Mousqueton. Il était entré au service de Porthos à la condition qu'il serait habillé et logé seulement, mais d'une façon
magnifique ; il ne réclamait que deux heures par jour
pour les consacrer à une industrie qui devait suffire à
pourvoir à ses autres besoins. Porthos avait accepté le
marché ; la chose lui allait à merveille. Il faisait tailler
à Mousqueton des pourpoints dans ses vieux habits
et dans ses manteaux de rechange, et, grâce à un tailleur
fort intelligent qui lui remettait ses hardes à neuf en les
retournant, et dont la femme était soupçonnée de vouloir faire descendre Porthos de ses habitudes aristocratiques, Mousqueton faisait à la suite de son maître
fort bonne figure.

Quant à Aramis, dont nous croyons avoir suffisamment exposé le caractère, caractère du reste que, comme
celui de ses compagnons, nous pourrons suivre dans son
développement, son laquais s'appelait Bazin. Grâce
à l'espérance qu'avait son maître d'entrer un jour dans
les ordres, il était toujours vêtu de noir, comme doit
l'être le serviteur d'un homme d'Église. C'était un Berrichon de trente-cinq à quarante ans, doux, paisible,
grassouillet, occupant à lire de pieux ouvrages les loisirs
que lui laissait son maître, faisant à la rigueur pour
deux un dîner de peu de plats, mais excellent. Au
reste, muet, aveugle, sourd et d'une fidélité à toute
épreuve.

Maintenant que nous connaissons, superficiellement du moins, les maîtres et les valets, passons aux demeures occupées par chacun d'eux.

Athos habitait rue Férou, à deux pas du Luxembourg ; son appartement se composait de deux petites chambres, fort proprement meublées, dans une maison garnie dont l'hôtesse encore jeune et véritablement encore belle lui faisait inutilement les doux yeux. Quelques fragments d'une grande splendeur passée éclataient çà et là aux murailles de ce modeste logement : c'était une épée, par exemple, richement damasquinée, qui remontait pour la façon à l'époque de François Ier, et dont la poignée seule, incrustée de pierres précieuses, pouvait valoir deux cents pistoles, et que cependant, dans ses moments de plus grande détresse, Athos n'avait jamais consenti à engager ni à vendre. Cette épée avait longtemps fait l'ambition de Porthos. Porthos aurait donné dix années de sa vie pour posséder cette épée.

Un jour qu'il avait rendez-vous avec une duchesse, il essaya même de l'emprunter à Athos. Athos, sans rien dire, vida ses poches, ramassa tous ses bijoux : bourses, aiguillettes et chaînes d'or, il offrit tout à Porthos ; mais quant à l'épée, lui dit-il, elle était scellée à sa place et ne devait la quitter que lorsque son maître quitterait lui-même son logement. Outre son épée, il y avait encore un portrait représentant un seigneur du temps de Henri III, vêtu avec la plus grande élégance, et qui portait l'ordre du Saint-Esprit, et ce portrait avait avec Athos certaines ressemblances de lignes, certaines similitudes de famille, qui indiquaient que ce grand seigneur, chevalier des ordres du roi, était son ancêtre.

Enfin, un coffre de magnifique orfèvrerie, aux mêmes

armes que l'épée et le portrait, faisait un milieu de
cheminée qui jurait effroyablement avec le reste de la
garniture. Athos portait toujours la clef de ce coffre
sur lui. Mais un jour il l'avait ouvert devant Porthos,
et Porthos avait pu s'assurer que ce coffre ne contenait
que des lettres et des papiers : des lettres d'amour et
des papiers de famille, sans doute.

Porthos habitait un appartement très vaste et d'une
très somptueuse apparence, rue du Vieux-Colombier.
Chaque fois qu'il passait avec quelque ami devant ses
fenêtres, à l'une desquelles Mousqueton se tenait
toujours en grande livrée, Porthos levait la tête et la
main, et disait : *Voilà ma demeure !* Mais jamais on ne
le trouvait chez lui, jamais il n'invitait personne à y
monter, et nul ne pouvait se faire une idée de ce que cette
somptueuse apparence renfermait de richesses réelles.

Quant à Aramis, il habitait un petit logement composé d'un boudoir, d'une salle à manger et d'une
chambre à coucher, laquelle chambre, située comme
le reste de l'appartement au rez-de-chaussée, donnait
sur un petit jardin frais, vert, ombreux et impénétrable
aux yeux du voisinage.

Quant à d'Artagnan, nous savons comment il était
logé, et nous avons déjà fait connaissance avec son
laquais, maître Planchet.

D'Artagnan, qui était fort curieux de sa nature,
comme sont les gens, du reste, qui ont le génie de l'intrigue, fit tous ses efforts pour savoir ce qu'étaient
au juste Athos, Porthos et Aramis ; car, sous ces noms
de guerre, chacun des jeunes gens cachait son nom de
gentilhomme, Athos surtout, qui sentait son grand
seigneur d'une lieue. Il s'adressa donc à Porthos pour
avoir des renseignements sur Athos et Aramis, et à
Aramis pour connaître Porthos.

Malheureusement, Porthos lui-même ne savait de la vie de son silencieux camarade que ce qui en avait transpiré. On disait qu'il avait eu de grands malheurs dans ses affaires amoureuses, et qu'une affreuse trahison avait empoisonné à jamais la vie de ce galant homme. Quelle était cette trahison? Tout le monde l'ignorait.

Quant à Porthos, excepté son véritable nom, que M. de Tréville savait seul, ainsi que celui de ses deux camarades, sa vie était facile à connaître. Vaniteux et indiscret, on voyait à travers lui comme à travers un cristal. La seule chose qui eût pu égarer l'investigateur eût été que l'on eût cru tout le bien qu'il disait de lui.

Quant à Aramis, tout en ayant l'air de n'avoir aucun secret, c'était un garçon tout confit de mystères, répondant peu aux questions qu'on lui faisait sur les autres, et éludant celles que l'on faisait sur lui-même. Un jour, d'Artagnan, après l'avoir longtemps interrogé sur Porthos et en avoir appris ce bruit qui courait de la bonne fortune du mousquetaire avec une princesse, voulut savoir aussi à quoi s'en tenir sur les aventures amoureuses de son interlocuteur.

— Et vous, mon cher compagnon, lui dit-il, vous qui parlez des baronnes, des comtesses et des princesses des autres?

— Pardon, interrompit Aramis, j'ai parlé parce que Porthos en parle lui-même, parce qu'il a crié toutes ces belles choses devant moi. Mais croyez bien, mon cher Monsieur d'Artagnan, que si je les tenais d'une autre source ou qu'il me les eût confiées, il n'y aurait pas eu de confesseur plus discret que moi.

— Je n'en doute pas, reprit d'Artagnan ; mais enfin, il me semble que vous-même vous êtes assez familier avec les armoiries, témoin certain mouchoir brodé auquel je dois l'honneur de votre connaissance.

Aramis, cette fois, ne se fâcha point, mais il prit son air le plus modeste et répondit affectueusement :

— Mon cher, n'oubliez pas que je veux être d'Église, et que je fuis toutes les occasions mondaines. Ce mouchoir que vous avez vu ne m'avait point été confié, mais il avait été oublié chez moi par un de mes amis. J'ai dû le recueillir pour ne pas les compromettre, lui et la dame qu'il aime. Quant à moi, je n'ai point et ne veux point avoir de maîtresse, suivant en cela l'exemple très judicieux d'Athos, qui n'en a pas plus que moi.

— Mais, que diable! vous n'êtes pas abbé, puisque vous êtes mousquetaire.

— Mousquetaire par intérim, mon cher, comme dit le cardinal, mousquetaire contre mon gré, mais homme d'Église dans le cœur, croyez-moi. Athos et Porthos m'ont fourré là-dedans pour m'occuper : j'ai eu, au moment d'être ordonné, une petite difficulté avec... Mais cela ne vous intéresse guère, et je vous prends un temps précieux.

— Point du tout, cela m'intéresse fort, s'écria d'Artagnan, et je n'ai pour le moment absolument rien à faire.

— Oui, mais moi j'ai mon bréviaire à dire, répondit Aramis, puis quelques vers à composer que m'a demandés Mme d'Aiguillon ; ensuite je dois passer rue Saint-Honoré, afin d'acheter du rouge pour Mme de Chevreuse. Vous voyez, mon cher ami, que si rien ne vous presse, je suis très pressé, moi.

Et Aramis tendit affectueusement la main à son jeune compagnon, et prit congé de lui.

D'Artagnan ne put, quelque peine qu'il se donnât, en savoir davantage sur ses trois nouveaux amis. Il prit donc son parti de croire dans le présent tout ce qu'on disait de leur passé, espérant des révélations plus sûres et plus étendues de l'avenir. En attendant, il considéra Athos comme un Achille, Porthos comme un Ajax, et Aramis comme un Joseph.

Au reste, la vie des quatre jeunes gens était joyeuse. Athos jouait, et toujours malheureusement. Cependant il n'empruntait jamais un sou à ses amis, quoique sa bourse fût sans cesse à leur service ; et lorsqu'il avait joué sur parole, il faisait toujours réveiller son créancier à six heures du matin pour lui payer sa dette de la veille.

Porthos avait des fougues : ces jours-là, s'il gagnait, on le voyait insolent et splendide ; s'il perdait, il disparaissait complètement pendant quelques jours, après lesquels il reparaissait le visage blême et la mine allongée, mais avec de l'argent dans ses poches.

Quant à Aramis, il ne jouait jamais. C'était bien le plus mauvais mousquetaire et le plus méchant convive qui se pût voir. Il avait toujours besoin de travailler. Quelquefois, au milieu d'un dîner, quand chacun, dans l'entraînement du vin et dans la chaleur de la conversation, croyait que l'on en avait encore pour deux ou trois heures à rester à table, Aramis regardait sa montre, se levait avec un gracieux sourire et prenait congé de la société, pour aller, disait-il, consulter un casuiste avec lequel il avait rendez-vous. D'autres fois, il retournait à son logis pour écrire une thèse, et priait ses amis de ne pas le distraire.

Cependant Athos souriait de ce charmant sourire mélancolique, si bien séant à sa noble figure, et Porthos buvait en jurant qu'Aramis ne serait jamais qu'un curé de village.

Planchet, le valet de d'Artagnan, supporta noble-

ment la bonne fortune ; il recevait trente sous par jour,
et pendant un mois il revenait au logis gai comme un
pinson et affable envers son maître. Quand le vent de
l'adversité commença à souffler sur le ménage de la
rue des Fossoyeurs, c'est-à-dire quand les quarante
pistoles du roi Louis XIII furent mangées ou à peu
près, il commença des plaintes qu'Athos trouva nau-
séabondes, Porthos indécentes, et Aramis ridicules.
Athos conseilla donc à d'Artagnan de congédier le
drôle, Porthos voulait qu'on le bâtonnât auparavant,
et Aramis prétendit qu'un maître ne devait entendre
que les compliments qu'on fait de lui.

— Cela vous est bien aisé à dire, reprit d'Artagnan :
à vous, Athos, qui vivez muet avec Grimaud, qui lui
défendez de parler, et qui, par conséquent, n'avez
jamais de mauvaises paroles avec lui ; à vous, Porthos,
qui menez un train magnifique et qui êtes un dieu pour
votre valet Mousqueton ; à vous enfin, Aramis, qui,
toujours distrait par vos études théologiques, inspirez
un profond respect à votre serviteur Bazin, homme
doux et religieux ; mais moi qui suis sans consistance
et sans ressources, moi qui ne suis pas mousquetaire
ni même garde, moi, que ferai-je pour inspirer de l'affection, de la terreur ou du respect à Planchet ?

— La chose est grave, répondirent les trois amis ;
c'est une affaire d'intérieur ; il en est des valets comme
des femmes, il faut les mettre tout de suite sur le pied
où l'on désire qu'ils restent. Réfléchissez donc.

D'Artagnan réfléchit et se résolut à rouer Planchet
par provision, ce qui fut exécuté avec la conscience
que d'Artagnan mettait en toutes choses ; puis, après
l'avoir bien rossé, il lui défendit de quitter son service
sans sa permission. Car, ajouta-t-il, l'avenir ne peut me
faire faute ; j'attends inévitablement des temps meil-

leurs. Ta fortune est donc faite si tu restes près de moi,
et je suis trop bon maître pour te faire manquer ta
fortune en t'accordant le congé que tu me demandes.

Cette manière d'agir donna beaucoup de respect
aux mousquetaires pour la politique de d'Artagnan.
Planchet fut également saisi d'admiration et ne parla
plus de s'en aller.

La vie des quatre jeunes gens était devenue commune ; d'Artagnan, qui n'avait aucune habitude,
puisqu'il arrivait de sa province et tombait au milieu
d'un monde tout nouveau pour lui, prit aussitôt les
habitudes de ses amis.

On se levait vers huit heures en hiver, vers six heures
en été, et l'on allait prendre le mot d'ordre et l'air des
affaires chez M. de Tréville. D'Artagnan, bien qu'il ne
fût pas mousquetaire, en faisait le service avec une
ponctualité touchante : il était toujours de garde, parce
qu'il tenait toujours compagnie à celui de ses trois amis
qui montait la sienne. On le connaissait à l'hôtel des
mousquetaires et chacun le tenait pour un bon camarade ; M. de Tréville, qui l'avait apprécié du premier
coup d'œil, et qui lui portait une véritable affection,
ne cessait de le recommander au roi.

De leur côté, les trois mousquetaires aimaient fort
leur jeune camarade. L'amitié qui unissait ces quatre
hommes, et le besoin de se voir trois ou quatre fois
par jour, soit pour duel, soit pour affaires, soit pour
plaisir, les faisaient sans cesse courir l'un après l'autre
comme des ombres ; et l'on rencontrait toujours les
inséparables se cherchant du Luxembourg à la place
Saint-Sulpice, ou de la rue du Vieux-Colombier au
Luxembourg.

En attendant, les promesses de M. de Tréville allaient
leur train. Un beau jour, le roi commanda à M. le che-

valier des Essarts de prendre d'Artagnan comme cadet
dans sa compagnie des gardes. D'Artagnan endossa en
soupirant cet habit, qu'il eût voulu, au prix de dix
années de son existence, troquer contre la casaque de
mousquetaire. Mais M. de Tréville promit cette faveur
après un noviciat de deux ans, noviciat qui pouvait être
abrégé, au reste, si l'occasion se présentait pour d'Artagnan de rendre quelque service au roi ou de faire
quelque action d'éclat. D'Artagnan se retira sur cette
promesse et, dès le lendemain, commença son service.

Alors ce fut le tour d'Athos, de Porthos et d'Aramis
de monter la garde avec d'Artagnan quand il était de
garde. La compagnie de M. le chevalier des Essarts
prit ainsi quatre hommes au lieu d'un, le jour où elle
prit d'Artagnan.

VIII

UNE INTRIGUE DE COUR

Cependant les quarante pistoles du roi Louis XIII,
ainsi que toutes les choses de ce monde, après avoir
eu un commencement avaient eu une fin, et depuis
cette fin nos quatre compagnons étaient tombés dans
la gêne. D'abord Athos avait soutenu pendant quelque
temps l'association de ses propres deniers. Porthos lui
avait succédé, et, grâce à une de ces disparitions auxquelles on était habitué, il avait pendant près de quinze
jours encore subvenu aux besoins de tout le monde ;
enfin était arrivé le tour d'Aramis, qui s'était exécuté
de bonne grâce, et qui était parvenu, disait-il, en ven-

dant ses livres de théologie, à se procurer quelques pistoles.

On eut alors, comme d'habitude, recours à M. de Tréville, qui fit quelques avances sur la solde ; mais ces avances ne pouvaient conduire bien loin trois mousquetaires qui avaient déjà force comptes arriérés, et un garde qui n'en avait pas encore.

Enfin, quand on vit qu'on allait manquer tout à fait, on rassembla par un dernier effort huit ou dix pistoles que Porthos joua. Malheureusement, il était dans une mauvaise veine : il perdit tout, plus vingt-cinq pistoles sur parole.

Alors la gêne devint de la détresse ; on vit les affamés suivis de leurs laquais courir les quais et les corps de garde, ramassant chez leurs amis du dehors tous les dîners qu'ils purent trouver ; car, suivant l'avis d'Aramis, on devait dans la prospérité semer des repas à droite et à gauche pour en récolter quelques-uns dans la disgrâce.

Athos fut invité quatre fois et mena chaque fois ses amis avec leurs laquais. Porthos eut six occasions et en fit également jouir ses camarades ; Aramis en eut huit. C'était un homme, comme on a déjà pu s'en apercevoir, qui faisait peu de bruit et beaucoup de besogne.

Quant à d'Artagnan, qui ne connaissait encore personne dans la capitale, il ne trouva qu'un déjeuner de chocolat chez un prêtre de son pays, et un dîner chez un cornette des gardes. Il mena son armée chez le prêtre, auquel on dévora sa provision de deux mois, et chez le cornette, qui fit des merveilles ; mais, comme le disait Planchet, on ne mange toujours qu'une fois, même quand on mange beaucoup.

D'Artagnan se trouva donc assez humilié de n'avoir qu'un repas et demi, car le déjeuner chez le prêtre ne

pouvait compter que pour un demi-repas, à offrir à ses
compagnons en échange des festins que s'étaient pro-
curés Athos, Porthos et Aramis. Il se croyait à charge
à la société, oubliant dans sa bonne foi toute juvénile
qu'il avait nourri cette société pendant un mois, et son
esprit préoccupé se mit à travailler activement. Il
réfléchit que cette coalition de quatre hommes jeunes,
braves, entreprenants et actifs devait avoir un autre
but que des promenades déhanchées, des leçons d'escrime et des lazzi plus ou moins spirituels.

En effet, quatre hommes comme eux, quatre hommes
dévoués les uns aux autres depuis la bourse jusqu'à la
vie, quatre hommes se soutenant toujours, ne reculant
jamais, exécutant isolément ou ensemble les résolutions
prises en commun ; quatre bras menaçant les quatre
points cardinaux ou se tournant vers un seul point,
devaient inévitablement, soit souterrainement, soit au
jour, soit par la mine, soit par la tranchée, soit par la
ruse, soit par la force, s'ouvrir un chemin vers le but
qu'ils voulaient atteindre, si bien défendu ou si éloigné
qu'il fût. La seule chose qui étonnât d'Artagnan, c'est
que ses compagnons n'eussent point songé à cela.

Il y songeait, lui, et sérieusement même, se creusant
la cervelle pour trouver une direction à cette force
unique quatre fois multipliée avec laquelle il ne doutait
pas que, comme avec le levier que cherchait Archimède,
on ne parvînt à soulever le monde, lorsque l'on frappa
doucement à la porte. D'Artagnan réveilla Planchet et
lui ordonna d'aller ouvrir.

Que de cette phrase : d'Artagnan réveilla Planchet,
le lecteur n'aille pas augurer qu'il faisait nuit ou que le
jour n'était point encore venu. Non! quatre heures
venaient de sonner. Planchet, deux heures auparavant,
était venu demander à dîner à son maître, lequel lui

avait répondu par le proverbe : « Qui dort dîne. » Et
Planchet dînait en dormant.

Un homme fut introduit, de mine assez simple et
qui avait l'air d'un bourgeois.

Planchet, pour son dessert, eût bien voulu entendre
la conversation ; mais le bourgeois déclara à d'Artagnan que ce qu'il avait à lui dire étant important et
confidentiel, il désirait demeurer en tête à tête avec lui.

D'Artagnan congédia Planchet et fit asseoir son visi-
teur.

Il y eut un moment de silence pendant lequel les
deux hommes se regardèrent comme pour faire une
connaissance préalable, après quoi d'Artagnan s'inclina en signe qu'il écoutait.

— J'ai entendu parler de M. d'Artagnan comme d'un
jeune homme fort brave, dit le bourgeois, et cette
réputation dont il jouit à juste titre m'a décidé à lui
confier un secret.

— Parlez, Monsieur, parlez, dit d'Artagnan, qui
d'instinct flaira quelque chose d'avantageux.

Le bourgeois fit une nouvelle pause et continua :

— J'ai ma femme qui est lingère chez la reine,
Monsieur, et qui ne manque ni de sagesse ni de beauté.
On me l'a fait épouser voilà bientôt trois ans, quoi-
qu'elle n'eût qu'un petit avoir, parce que M. de La
Porte, le portemanteau de la reine, est son parrain et la
protège...

— Eh bien ! Monsieur ? demanda d'Artagnan.

— Eh bien ! reprit le bourgeois, eh bien ! Monsieur,
ma femme a été enlevée hier matin, comme elle sortait
de sa chambre de travail.

— Et par qui votre femme a-t-elle été enlevée ?

— Je n'en sais rien sûrement, Monsieur, mais je
soupçonne quelqu'un.

— Et quelle est cette personne que vous soupçonnez?

— Un homme qui la poursuivait depuis long-temps.

— Diable!

— Mais voulez-vous que je vous dise, Monsieur, continua le bourgeois, je suis convaincu, moi, qu'il y a moins d'amour que de politique dans tout cela.

— Moins d'amour que de politique, reprit d'Arta-gnan d'un air fort réfléchi, et que soupçonnez-vous?

— Je ne sais pas si je devrais vous dire ce que je soupçonne...

— Monsieur, je vous ferai observer que je ne vous demande absolument rien, moi. C'est vous qui êtes venu. C'est vous qui m'avez dit que vous aviez un secret à me confier. Faites donc à votre guise, il est encore temps de vous retirer.

— Non, Monsieur, non; vous m'avez l'air d'un hon-nête jeune homme, et j'aurai confiance en vous. Je crois donc que ce n'est pas à cause de ses amours que ma femme a été arrêtée, mais à cause de celles d'une plus grande dame qu'elle.

— Ah! ah! serait-ce à cause des amours de Mme de Bois-Tracy? fit d'Artagnan, qui voulut avoir l'air, vis-à-vis de son bourgeois, d'être au courant des affaires de la cour.

— Plus haut, Monsieur, plus haut.

— De Mme d'Aiguillon?

— Plus haut encore.

— De Mme de Chevreuse?

— Plus haut, beaucoup plus haut!

— De la... D'Artagnan s'arrêta.

— Oui, Monsieur, répondit si bas, qu'à peine si on put l'entendre, le bourgeois épouvanté.

— Et avec qui?

— Avec qui cela peut-il être, si ce n'est avec le duc de...

— Le duc de...

— Oui, Monsieur! répondit le bourgeois, en donnant à sa voix une intonation plus sourde encore.

— Mais comment savez-vous tout cela, vous?

— Ah! comment je le sais?

— Oui, comment le savez-vous? Pas de demi-confidence, ou... vous comprenez.

— Je le sais par ma femme, Monsieur, par ma femme elle-même.

— Qui le sait, elle... par qui?

— Par M. de La Porte. Ne vous ai-je pas dit qu'elle était la filleule de M. de La Porte, l'homme de confiance de la reine? Eh bien, M. de La Porte l'avait mise près de Sa Majesté pour que notre pauvre reine au moins eût quelqu'un à qui se fier, abandonnée comme elle l'est par le roi, espionnée comme elle l'est par le cardinal, trahie comme elle l'est par tous.

— Ah! ah! voilà qui se dessine, dit d'Artagnan.

— Or ma femme est venue il y a quatre jours, Monsieur; une de ses conditions était qu'elle devait me venir voir deux fois la semaine; car, ainsi que j'ai eu l'honneur de vous le dire, ma femme m'aime beaucoup; ma femme est donc venue, et m'a confié que la reine, en ce moment-ci, avait de grandes craintes.

— Vraiment?

— Oui. M. le cardinal, à ce qu'il paraît, la poursuit et la persécute plus que jamais. Il ne peut pas lui pardonner l'histoire de la sarabande. Vous savez l'histoire de la sarabande?

— Pardieu, si je la sais! répondit d'Artagnan, qui ne savait rien du tout, mais qui voulait avoir l'air d'être au courant.

— De sorte que, maintenant, ce n'est plus de la haine, c'est de la vengeance.

— Vraiment?

— Et la reine croit...

— Eh bien, que croit la reine?

— Elle croit qu'on a écrit à M. le duc de Buckingham en son nom.

— Au nom de la reine?

— Oui, pour le faire venir à Paris, et une fois venu à Paris, pour l'attirer dans quelque piège.

— Diable! mais votre femme, mon cher Monsieur, qu'a-t-elle à faire dans tout cela?

— On connaît son dévouement pour la reine, et l'on veut ou l'éloigner de sa maîtresse, ou l'intimider pour avoir les secrets de Sa Majesté, ou la séduire pour se servir d'elle comme d'un espion.

— C'est probable, dit d'Artagnan; mais l'homme qui l'a enlevée, le connaissez-vous?

— Je vous ai dit que je croyais le connaître.

— Son nom?

— Je ne le sais pas; ce que je sais seulement, c'est que c'est une créature du cardinal, son âme damnée.

— Mais vous l'avez vu?

— Oui, ma femme me l'a montré un jour.

— A-t-il un signalement auquel on puisse le reconnaître?

— Oh! certainement, c'est un seigneur de haute mine, poil noir, teint basané, œil perçant, dents blanches, et une cicatrice à la tempe.

— Une cicatrice à la tempe! s'écria d'Artagnan, et avec cela dents blanches, œil perçant, teint basané, poil noir, et haute mine; c'est mon homme de Meung!

— C'est votre homme, dites-vous?

— Oui, oui; mais cela ne fait rien à la chose. Non,

je me trompe, cela la simplifie beaucoup, au contraire :
si votre homme est le mien, je ferai d'un coup deux
vengeances, voilà tout ; mais où rejoindre cet
homme ?

— Je n'en sais rien.

— Vous n'avez aucun renseignement sur sa demeure ?

— Aucun ; un jour que je reconduisais ma femme
au Louvre, il en sortait comme elle allait y entrer, et
elle me l'a fait voir.

— Diable ! diable ! murmura d'Artagnan, tout ceci
est bien vague ; par qui avez-vous su l'enlèvement de
votre femme ?

— Par M. de La Porte.

— Vous a-t-il donné quelque détail ?

— Il n'en avait aucun.

— Et vous n'avez rien appris d'un autre côté ?

— Si fait, j'ai reçu...

— Quoi ?

— Mais je ne sais pas si je ne commets pas une grande
imprudence ?

— Vous revenez encore là-dessus ; cependant je vous
ferai observer que, cette fois, il est un peu tard pour
reculer.

— Aussi je ne recule pas, mordieu ! s'écria le bourgeois en jurant pour se monter la tête. D'ailleurs, foi
de Bonacieux...

— Vous vous appelez Bonacieux ? interrompit d'Artagnan.

— Oui, c'est mon nom.

— Vous disiez donc : foi de Bonacieux ! pardon si
je vous ai interrompu ; mais il me semblait que ce nom
ne m'était pas inconnu.

— C'est possible, Monsieur. Je suis votre propriétaire.

— Ah! ah! fit d'Artagnan en se soulevant à demi
et en saluant, vous êtes mon propriétaire?

— Oui, Monsieur, oui. Et comme depuis trois mois
que vous êtes chez moi, et que distrait sans doute par
vos grandes occupations vous avez oublié de me payer
mon loyer; comme, dis-je, je ne vous ai pas tourmenté
un seul instant, j'ai pensé que vous auriez égard à ma
délicatesse.

— Comment donc! mon cher Monsieur Bonacieux,
reprit d'Artagnan, croyez que je suis plein de reconnaissance pour un pareil procédé, et que, comme je vous
l'ai dit, si je puis vous être bon à quelque chose...

— Je vous crois, Monsieur, je vous crois, et comme
j'allais vous le dire, foi de Bonacieux, j'ai confiance en
vous.

— Achevez donc ce que vous avez commencé à
me dire.

Le bourgeois tira un papier de sa poche, et le présenta
à d'Artagnan.

— Une lettre! fit le jeune homme.

— Que j'ai reçue ce matin.

D'Artagnan l'ouvrit, et comme le jour commençait
à baisser, il s'approcha de la fenêtre. Le bourgeois le
suivit.

« Ne cherchez pas votre femme, lut d'Artagnan,
elle vous sera rendue quand on n'aura plus besoin d'elle.
Si vous faites une seule démarche pour la retrouver,
vous êtes perdu. »

— Voilà qui est positif, continua d'Artagnan; mais
après tout, ce n'est qu'une menace.

— Oui, mais cette menace m'épouvante; moi, Monsieur, je ne suis pas homme d'épée du tout, et j'ai peur
de la Bastille.

— Hum! fit d'Artagnan; mais c'est que je ne me

soucie pas plus de la Bastille que vous, moi. S'il ne
s'agissait que d'un coup d'épée, passe encore.

— Cependant, Monsieur, j'avais bien compté sur
vous dans cette occasion.

— Oui ?

— Vous voyant sans cesse entouré de mousquetaires
à l'air fort superbe, et reconnaissant que ces mousquetaires étaient ceux de M. de Tréville, et par conséquent
des ennemis du cardinal, j'avais pensé que vous et vos
amis, tout en rendant justice à notre pauvre reine, seriez
enchantés de jouer un mauvais tour à Son Éminence.

— Sans doute.

— Et puis j'avais pensé que, me devant trois mois
de loyer dont je ne vous ai jamais parlé...

— Oui, oui, vous m'avez déjà donné cette raison,
et je la trouve excellente.

— Comptant de plus, tant que vous me ferez l'honneur de rester chez moi, ne jamais vous parler de votre
loyer à venir...

— Très bien.

— Et ajoutez à cela, si besoin est, comptant vous
offrir une cinquantaine de pistoles si, contre toute
probabilité, vous vous trouviez gêné en ce moment.

— A merveille ; mais vous êtes donc riche, mon
cher Monsieur Bonacieux ?

— Je suis à mon aise, Monsieur, c'est le mot ; j'ai
amassé quelque chose comme deux ou trois mille
écus de rente dans le commerce de la mercerie, et surtout
en plaçant quelques fonds sur le dernier voyage du
célèbre navigateur Jean Mocquet ; de sorte que, vous
comprenez, Monsieur... Ah ! mais..., s'écria le bourgeois.

— Quoi ? demanda d'Artagnan.

— Que vois-je là ?

— Où ?

— Dans la rue, en face de vos fenêtres, dans l'embrasure de cette porte : un homme enveloppé dans un manteau.

— C'est lui! s'écrièrent à la fois d'Artagnan et le bourgeois, chacun d'eux en même temps ayant reconnu son homme.

— Ah! cette fois-ci, s'écria d'Artagnan en sautant sur son épée, cette fois-ci, il ne m'échappera pas.

Et, tirant son épée du fourreau, il se précipita hors de l'appartement.

Sur l'escalier, il rencontra Athos et Porthos qui le venaient voir. Ils s'écartèrent, d'Artagnan passa entre eux comme un trait.

— Ah çà! où cours-tu ainsi? lui crièrent à la fois les deux mousquetaires.

— L'homme de Meung! répondit d'Artagnan, et il disparut.

D'Artagnan avait plus d'une fois raconté à ses amis son aventure avec l'inconnu, ainsi que l'apparition de la belle voyageuse à laquelle cet homme avait paru confier une si importante missive.

L'avis d'Athos avait été que d'Artagnan avait perdu sa lettre dans la bagarre. Un gentilhomme, selon lui — et, au portrait que d'Artagnan avait fait de l'inconnu, ce ne pouvait être qu'un gentilhomme — un gentilhomme devait être incapable de cette bassesse, de voler une lettre.

Porthos n'avait vu dans tout cela qu'un rendez-vous amoureux donné par une dame à un cavalier ou par un cavalier à une dame, et qu'était venu troubler la présence de d'Artagnan et de son cheval jaune.

Aramis avait dit que ces sortes de choses étant mystérieuses, mieux valait ne les point approfondir.

Ils comprirent donc, sur les quelques mots échappés

à d'Artagnan, de quelle affaire il était question, et comme ils pensèrent qu'après avoir rejoint son homme ou l'avoir perdu de vue, d'Artagnan finirait toujours par remonter chez lui, ils continuèrent leur chemin.

Lorsqu'ils entrèrent dans la chambre de d'Artagnan, la chambre était vide : le propriétaire, craignant les suites de la rencontre qui allait sans doute avoir lieu entre le jeune homme et l'inconnu, avait, par suite de l'exposition qu'il avait faite lui-même de son caractère, jugé qu'il était prudent de décamper.

IX

D'ARTAGNAN SE DESSINE

Comme l'avaient prévu Athos et Porthos, au bout d'une demi-heure d'Artagnan rentra. Cette fois encore il avait manqué son homme, qui avait disparu comme par enchantement. D'Artagnan avait couru, l'épée à la main, toutes les rues environnantes, mais il n'avait rien trouvé qui ressemblât à celui qu'il cherchait puis enfin il en était revenu à la chose par laquelle il aurait dû commencer peut-être, et qui était de frapper à la porte contre laquelle l'inconnu était appuyé ; mais c'était inutilement qu'il avait dix ou douze fois de suite fait résonner le marteau, personne n'avait répondu, et des voisins qui, attirés par le bruit, étaient accourus sur le seuil de leur porte ou avaient mis le nez à leurs fenêtres, lui avaient assuré que cette maison, dont au reste toutes les ouvertures éta'ent closes, était depuis six mois complètement inhabitée.

Pendant que d'Artagnan courait les rues et frappait

aux portes, Aramis avait rejoint ses deux compagnons, de sorte qu'en revenant chez lui, d'Artagnan trouva la réunion au grand complet.

— Eh bien? dirent ensemble les trois mousquetaires en voyant entrer d'Artagnan, la sueur sur le front et la figure bouleversée par la colère.

— Eh bien! s'écria celui-ci en jetant son épée sur le lit, il faut que cet homme soit le diable en personne ; il a disparu comme un fantôme, comme une ombre, comme un spectre.

— Croyez-vous aux apparitions? demanda Athos à Porthos.

— Moi, je ne crois que ce que j'ai vu, et comme je n'ai jamais vu d'apparitions, je n'y crois pas.

— La Bible, dit Aramis, nous fait une loi d'y croire : l'ombre de Samuel apparut à Saül, et c'est un article de foi que je serais fâché de voir mettre en doute, Porthos.

— Dans tous les cas, homme ou diable, corps ou ombre, illusion ou réalité, cet homme est né pour ma damnation, car sa fuite nous fait manquer une affaire superbe, Messieurs, une affaire dans laquelle il y avait cent pistoles et peut-être plus à gagner.

— Comment cela? dirent à la fois Porthos et Aramis.

Quant à Athos, fidèle à son système de mutisme, il se contenta d'interroger d'Artagnan du regard.

— Planchet, dit d'Artagnan à son domestique, qui passait en ce moment la tête par la porte entrebâillée pour tâcher de surprendre quelques bribes de la conversation, descendez chez mon propriétaire, M. Bonacieux, et dites-lui de nous envoyer une demi-douzaine de bouteilles de vin de Beaugency : c'est celui que je préfère.

— Ah çà! mais vous avez donc crédit ouvert chez votre propriétaire? demanda Porthos.

— Oui, répondit d'Artagnan, à compter d'aujour-
d'hui et soyez tranquilles, si son vin est mauvais, nous
lui en enverrons quérir d'autre.

— Il faut user et non abuser, dit sentencieusement
Aramis.

— J'ai toujours dit que d'Artagnan était la forte
tête de nous quatre, fit Athos, qui, après avoir émis
cette opinion à laquelle d'Artagnan répondit par un
salut, retomba aussitôt dans son silence accoutumé.

— Mais enfin, voyons, qu'y a-t-il? demanda Porthos.

— Oui, dit Aramis, confiez-nous cela, mon cher
ami, à moins que l'honneur de quelque dame ne se
trouve intéressé à cette confidence, à ce quel cas vous
feriez mieux de la garder pour vous.

— Soyez tranquilles, répondit d'Artagnan, l'honneur
de personne n'aura à se plaindre de ce que j'ai à vous
dire.

Et alors il raconta mot à mot à ses amis ce qui
venait de se passer entre lui et son hôte, et comment
l'homme qui avait enlevé la femme du digne propriétaire était le même avec lequel il avait eu maille à partir
à l'hôtellerie du *Franc Meunier*.

— Votre affaire n'est pas mauvaise, dit Athos après
avoir goûté le vin en connaisseur et indiqué d'un signe
de tête qu'il le trouvait bon, et l'on pourra tirer de ce
brave homme cinquante à soixante pistoles. Maintenant, reste à savoir si cinquante à soixante pistoles
valent la peine de risquer quatre têtes.

— Mais faites attention, s'écria d'Artagnan, qu'il
y a une femme dans cette affaire, une femme enlevée,
une femme qu'on menace sans doute, qu'on torture
peut-être, et tout cela parce qu'elle est fidèle à sa maîtresse!

— Prenez garde, d'Artagnan, prenez garde, dit Aramis, vous vous échauffez un peu trop, à mon avis, sur le sort de Mme Bonacieux. La femme a été créée pour notre perte, et c'est d'elle que nous viennent toutes nos misères.

Athos, à cette sentence d'Aramis, fronça le sourcil et se mordit les lèvres.

— Ce n'est point de Mme Bonacieux que je m'inquiète, s'écria d'Artagnan, mais de la reine, que le roi abandonne, que le cardinal persécute, et qui voit tomber, les unes après les autres, les têtes de tous ses amis.

— Pourquoi aime-t-elle ce que nous détestons le plus au monde : les Espagnols et les Anglais ?

— L'Espagne est sa patrie, répondit d'Artagnan, et il est tout simple qu'elle aime les Espagnols, qui sont enfants de la même terre qu'elle. Quant au second reproche que vous lui faites, j'ai entendu dire qu'elle aimait non pas les Anglais, mais un Anglais.

— Eh ! ma foi, dit Athos, il faut avouer que cet Anglais était bien digne d'être aimé. Je n'ai jamais vu un plus grand air que le sien.

— Sans compter qu'il s'habille comme personne, dit Porthos. J'étais au Louvre le jour où il a semé ses perles, et pardieu ! j'en ai ramassé deux que j'ai bien vendues dix pistoles pièce. Et toi, Aramis, le connais-tu ?

— Aussi bien que vous, Messieurs, car j'étais de ceux qui l'ont arrêté dans le jardin d'Amiens, où m'avait introduit M. de Putange, l'écuyer de la reine. J'étais au séminaire à cette époque, et l'aventure me parut cruelle pour le roi.

— Ce qui ne m'empêcherait pas, dit d'Artagnan, si je savais où est le duc de Buckingham, de le prendre par la main et de le conduire près de la reine, ne fût-ce

que pour faire enrager M. le cardinal ; car notre véritable
notre seul, notre éternel ennemi, Messieurs, c'est le
cardinal, et si nous pouvions trouver moyen de lui
jouer quelque tour bien cruel, j'avoue que j'y engage-
rais volontiers ma tête.

— Et, reprit Athos, le mercier vous a dit, d'Artagnan,
que la reine pensait qu'on avait fait venir Buckingham
sur un faux avis?

— Elle en a peur.

— Attendez donc, dit Aramis.

— Quoi? demanda Porthos.

— Allez toujours, je cherche à me rappeler des
circonstances.

— Et maintenant je suis convaincu, dit d'Artagnan,
que l'enlèvement de cette femme de la reine se rattache
aux événements dont nous parlons, et peut-être à la
présence de M. de Buckingham à Paris.

— Le Gascon est plein d'idées, dit Porthos avec
admiration.

— J'aime beaucoup l'entendre parler, dit Athos,
son patois m'amuse.

— Messieurs, reprit Aramis, écoutez ceci.

— Écoutons Aramis, dirent les trois amis.

— Hier je me trouvais chez un savant docteur en
théologie que je consulte quelquefois pour mes études...

Athos sourit.

— Il habite un quartier désert, continua Aramis,
ses goûts, sa profession l'exigent. Or, au moment où
je sortais de chez lui...

Ici Aramis s'arrêta.

— Eh bien? demandèrent ses auditeurs, au moment
où vous sortiez de chez lui?

Aramis parut faire un effort sur lui-même, comme
un homme qui, en plein courant de mensonge, se voit

arrêter par quelque obstacle imprévu ; mais les yeux
de ses trois compagnons étaient fixés sur lui, leurs
oreilles attendaient béantes, il n'y avait pas moyen de
reculer.

— Ce docteur a une nièce, continua Aramis.

— Ah! il a une nièce! interrompit Porthos.

— Dame fort respectable, dit Aramis.

Les trois amis se mirent à rire.

— Ah! si vous riez ou si vous doutez, reprit Aramis,
vous ne saurez rien.

— Nous sommes croyants comme des mahométistes
et muets comme des catafalques, dit Athos.

— Je continue donc, reprit Aramis. Cette nièce vient
quelquefois voir son oncle ; or elle s'y trouvait hier en
même temps que moi, par hasard, et je dus m'offrir
pour la conduire à son carrosse.

— Ah! elle a un carrosse, la nièce du docteur ? interrompit Porthos, dont un des défauts était une grande
incontinence de langue ; belle connaissance, mon ami.

— Porthos, reprit Aramis, je vous ai déjà fait observer plus d'une fois que vous êtes fort indiscret, et
que cela vous nuit près des femmes.

— Messieurs, Messieurs, s'écria d'Artagnan, qui
entrevoyait le fond de l'aventure, la chose est sérieuse ;
tâchons donc de ne pas plaisanter si nous pouvons.
Allez, Aramis, allez.

— Tout à coup, un homme grand, brun, aux manières
de gentilhomme..., tenez, dans le genre du vôtre,
d'Artagnan.

— Le même peut-être, dit celui-ci.

— C'est possible, continua Aramis..., s'approcha
de moi, accompagné de cinq ou six hommes qui le
suivaient à dix pas en arrière, et du ton le plus poli :
« Monsieur le duc, me dit-il, et vous Madame », conti-

nua-t-il en s'adressant à la dame que j'avais sous le bras...

— A la nièce du docteur?

— Silence donc, Porthos! dit Athos, vous êtes insupportable.

— « Veuillez monter dans ce carrosse, et cela sans essayer la moindre résistance, sans faire le moindre bruit. »

— Il vous avait pris pour Buckingham! s'écria d'Artagnan.

— Je le crois, répondit Aramis.

— Mais cette dame? demanda Porthos.

— Il l'avait prise pour la reine! dit d'Artagnan.

— Justement, répondit Aramis.

— Le Gascon est le diable! s'écria Athos, rien ne lui échappe.

— Le fait est, dit Porthos, qu'Aramis est de la taille et a quelque chose de la tournure du beau duc ; mais cependant, il me semble que l'habit de mousquetaire...

— J'avais un manteau énorme, dit Aramis.

— Au mois de juillet, diable! fit Porthos, est-ce que le docteur craint que tu ne sois reconnu?

— Je comprends encore, dit Athos, que l'espion se soit laissé prendre par la tournure ; mais le visage...

— J'avais un grand chapeau, dit Aramis.

— Oh! mon Dieu, s'écria Porthos, que de précautions pour étudier la théologie!

— Messieurs, Messieurs, dit d'Artagnan, ne perdons pas notre temps à badiner ; éparpillons-nous et cherchons la femme du mercier, c'est la clef de l'intrigue.

— Une femme de condition si inférieure! vous croyez, d'Artagnan? fit Porthos en allongeant les lèvres avec mépris.

— C'est la filleule de La Porte, le valet de confiance

de la reine. Ne vous l'ai-je pas dit, Messieurs? Et
d'ailleurs, c'est peut-être un calcul de Sa Majesté d'avoir
été, cette fois, chercher ses appuis si bas. Les hautes
têtes se voient de loin, et le cardinal a bonne vue.

— Eh bien! dit Porthos, faites d'abord prix avec
le mercier, et bon prix.

— C'est inutile, dit d'Artagnan, car je crois que
s'il ne nous paye pas, nous serons assez payés d'un
autre côté.

En ce moment, un bruit précipité de pas retentit
dans l'escalier, la porte s'ouvrit avec fracas, et le malheureux mercier s'élança dans la chambre où se tenait
le conseil.

— Ah! Messieurs, s'écria-t-il, sauvez-moi, au nom
du ciel, sauvez-moi! Il y a quatre hommes qui viennent
pour m'arrêter; sauvez-moi, sauvez-moi!

Porthos et Aramis se levèrent.

— Un moment, s'écria d'Artagnan en leur faisant
signe de repousser au fourreau leurs épées à demi
tirées; un moment, ce n'est pas du courage qu'il faut
ici, c'est de la prudence.

— Cependant, s'écria Porthos, nous ne laisserons
pas...

— Vous laisserez faire d'Artagnan, dit Athos, c'est,
je le répète, la forte tête de nous tous, et moi, pour
mon compte, je déclare que je lui obéis. Fais ce que tu
voudras, d'Artagnan.

En ce moment, les quatre gardes apparurent à la
porte de l'antichambre, et voyant quatre mousquetaires debout et l'épée au côté, hésitèrent à aller plus
loin.

— Entrez, Messieurs, entrez, cria d'Artagnan, vous
êtes ici chez moi, et nous sommes tous de fidèles serviteurs du roi et de M. le cardinal.

— Alors, Messieurs, vous ne vous opposerez pas à ce que nous exécutions les ordres que nous avons reçus? demanda celui qui paraissait le chef de l'escouade.

— Au contraire, Messieurs, et nous vous prêterions main-forte, si besoin était.

— Mais que dit-il donc? marmotta Porthos.

— Tu es un niais, dit Athos, silence!

— Mais vous m'avez promis..., dit tout bas le pauvre mercier.

— Nous ne pouvons vous sauver qu'en restant libres, répondit rapidement et tout bas d'Artagnan, et si nous faisons mine de vous défendre, on nous arrête avec vous.

— Il me semble, cependant...

— Venez, Messieurs, venez, dit tout haut d'Artagnan, je n'ai aucun motif de défendre Monsieur. Je l'ai vu aujourd'hui pour la première fois, et encore à quelle occasion, il vous le dira lui-même, pour me venir réclamer le prix de mon loyer. Est-ce vrai, Monsieur Bonacieux? Répondez!

— C'est la vérité pure, s'écria le mercier, mais Monsieur ne vous dit pas...

— Silence sur moi, silence sur mes amis, silence sur la reine surtout, ou vous perdrez tout le monde sans vous sauver. Allez, allez, Messieurs, emmenez cet homme!

Et d'Artagnan poussa le mercier tout étourdi aux mains des gardes, en lui disant:

— Vous êtes un maraud, mon cher; vous venez me demander de l'argent, à moi! à un mousquetaire! En prison, Messieurs, encore une fois, emmenez-le en prison, et gardez-le sous clef le plus longtemps possible, cela me donnera du temps pour payer.

Les sbires se confondirent en remerciements et emmenèrent leur proie.

Au moment où ils descendaient, d'Artagnan frappa sur l'épaule du chef :

— Ne boirai-je pas à votre santé et vous à la mienne ? dit-il, en remplissant deux verres de vin de Beaugency qu'il tenait de la libéralité de M. Bonacieux.

— Ce sera bien de l'honneur pour moi, dit le chef des sbires, et j'accepte avec reconnaissance.

— Donc, à la vôtre, Monsieur... comment vous nommez-vous ?

— Boisrenard.

— Monsieur Boisrenard !

— A la vôtre, mon gentilhomme ; comment vous nommez-vous, à votre tour, s'il vous plaît ?

— D'Artagnan.

— A la vôtre, Monsieur d'Artagnan !

— Et par-dessus toutes celles-là, s'écria d'Artagnan comme emporté par son enthousiasme, à celle du roi et du cardinal.

Le chef des sbires eût peut-être douté de la sincérité de d'Artagnan si le vin eût été mauvais, mais le vin était bon, il fut convaincu.

— Mais quelle diable de vilenie avez-vous donc faite là ? dit Porthos lorsque l'alguazil en chef eut rejoint ses compagnons et que les quatre amis se retrouvèrent seuls. Fi donc ! quatre mousquetaires laisser arrêter au milieu d'eux un malheureux qui crie à l'aide ! Un gentilhomme trinquer avec un recors !

— Porthos, dit Aramis, Athos t'a déjà prévenu que tu étais un niais, et je me range de son avis. D'Artagnan, tu es un grand homme, et quand tu seras à la place de M. de Tréville, je te demande ta protection pour me faire avoir une abbaye.

— Ah çà ! je m'y perds, dit Porthos, vous approuvez ce que d'Artagnan vient de faire ?

— Je le crois parbleu bien, dit Athos ; non seulement j'approuve ce qu'il vient de faire, mais encore je
l'en félicite.

— Et maintenant, Messieurs, dit d'Artagnan sans
se donner la peine d'expliquer sa conduite à Porthos,
tous pour un, un pour tous, c'est notre devise, n'est-ce
pas ?

— Cependant, dit Porthos.

— Étends la main et jure! s'écrièrent à la fois Athos
et Aramis.

Vaincu par l'exemple, maugréant tout bas, Porthos
étendit la main, et les quatre amis répétèrent d'une
seule voix la formule dictée par d'Artagnan :

« Tous pour un, un pour tous. »

— C'est bien, que chacun se retire maintenant chez
soi, dit d'Artagnan comme s'il n'avait fait autre chose
que de commander toute sa vie, et attention, car, à
partir de ce moment, nous voilà aux prises avec le
cardinal.

X

UNE SOURICIÈRE AU XVIIᵉ SIÈCLE

L'invention de la souricière ne date pas de nos jours ;
dès que les sociétés, en se formant, eurent inventé une
police quelconque, cette police, à son tour, inventa les
souricières.

Comme peut-être nos lecteurs ne sont pas familia-
risés encore avec l'argot de la rue de Jérusalem, et que
c'est, depuis que nous écrivons — et il y a quelque
quinze ans de cela — la première fois que nous em-

ployons ce mot appliqué à cette chose, expliquons-
leur ce que c'est qu'une souricière.

Quand, dans une maison quelle qu'elle soit, on a
arrêté un individu soupçonné d'un crime quelconque,
on tient secrète l'arrestation ; on place quatre ou cinq
hommes en embuscade dans la première pièce, on ouvre
la porte à tous ceux qui frappent, on la referme sur
eux et on les arrête ; de cette façon, au bout de deux
ou trois jours, on tient à peu près tous les familiers de
l'établissement.

Voilà ce que c'est qu'une souricière.

On fit donc une souricière de l'appartement de maître
Bonacieux, et quiconque y apparut fut pris et interrogé
par les gens de M. le cardinal. Il va sans dire que, comme
une allée particulière conduisait au premier étage qu'habitait d'Artagnan, ceux qui venaient chez lui étaient
exemptés de toutes visites.

D'ailleurs les trois mousquetaires y venaient seuls ;
ils s'étaient mis en quête chacun de son côté, et n'avaient
rien trouvé, rien découvert. Athos avait été même
jusqu'à questionner M. de Tréville, chose qui, vu le
mutisme habituel du digne mousquetaire, avait fort
étonné son capitaine. Mais M. de Tréville ne savait
rien, sinon que, la dernière fois qu'il avait vu le cardinal,
le roi et la reine, le cardinal avait l'air fort soucieux,
que le roi était inquiet, et que les yeux rouges de la
reine indiquaient qu'elle avait veillé ou pleuré. Mais
cette dernière circonstance l'avait peu frappé, la reine,
depuis son mariage, veillant et pleurant beaucoup.

M. de Tréville recommanda en tout cas à Athos le
service du roi et surtout celui de la reine, le priant de
faire la même recommandation à ses camarades.

Quant à d'Artagnan, il ne bougeait pas de chez lui.
Il avait converti sa chambre en observatoire. Des

fenêtres il voyait arriver ceux qui venaient se faire prendre ; puis, comme il avait ôté les carreaux du plancher, qu'il avait creusé le parquet et qu'un simple plafond le séparait de la chambre au-dessous, où se faisaient les interrogatoires, il entendait tout ce qui se passait entre les inquisiteurs et les accusés.

Les interrogatoires, précédés d'une perquisition minutieuse opérée sur la personne arrêtée, étaient presque toujours ainsi conçus :

— Mme Bonacieux vous a-t-elle remis quelque chose pour son mari ou pour quelque autre personne ?

— M. Bonacieux vous a-t-il remis quelque chose pour sa femme ou pour quelque autre personne ?

— L'un et l'autre vous ont-il fait quelque confidence de vive voix ?

— S'ils savaient quelque chose, ils ne questionneraient pas ainsi, se dit à lui-même d'Artagnan. Maintenant, que cherchent-ils à savoir ? Si le duc de Buckingham ne se trouve point à Paris et s'il n'a pas eu ou s'il ne doit point avoir quelque entrevue avec la reine.

D'Artagnan s'arrêta à cette idée, qui, d'après tout ce qu'il avait entendu, ne manquait pas de probabilité.

En attendant, la souricière était en permanence, et la vigilance de d'Artagnan aussi.

Le soir du lendemain de l'arrestation du pauvre Bonacieux, comme Athos venait de quitter d'Artagnan pour se rendre chez M. de Tréville, comme neuf heures venaient de sonner, et comme Planchet, qui n'avait pas encore fait le lit, commençait sa besogne, on entendit frapper à la porte de la rue ; aussitôt cette porte s'ouvrit et se referma : quelqu'un venait de se prendre à la souricière.

D'Artagnan s'élança vers l'endroit décarrelé, se coucha ventre à terre et écouta.

Des cris retentirent bientôt, puis des gémissements qu'on cherchait à étouffer. D'interrogatoire, il n'en était pas question.

— Diable! se dit d'Artagnan, il me semble que c'est une femme : on la fouille, elle résiste — on la violente — les misérables!

Et d'Artagnan, malgré sa prudence, se tenait à quatre pour ne pas se mêler à la scène qui se passait au-dessous de lui.

— Mais je vous dis que je suis la maîtresse de la maison, Messieurs ; je vous dis que je suis Mme Bonacieux ; je vous dis que j'appartiens à la reine! s'écriait la malheureuse femme.

— Mme Bonacieux! murmura d'Artagnan ; serais-je assez heureux pour avoir trouvé ce que tout le monde cherche?

— C'est justement vous que nous attendions, reprirent les interrogateurs.

La voix devint de plus en plus étouffée : un mouvement tumultueux fit retentir les boiseries. La victime résistait autant qu'une femme peut résister à quatre hommes.

— Pardon, Messieurs, par..., murmura la voix, qui ne fit plus entendre que des sons inarticulés.

— Ils la bâillonnent, ils vont l'entraîner, s'écria d'Artagnan en se redressant comme par un ressort. Mon épée ; bon, elle est à mon côté. Planchet!

— Monsieur?

— Cours chercher Athos, Porthos et Aramis. L'un des trois sera sûrement chez lui, peut-être tous les trois seront-ils rentrés. Qu'ils prennent des armes, qu'ils viennent, qu'ils accourent. Ah! je me souviens, Athos est chez M. de Tréville.

— Mais où allez-vous, Monsieur, où allez-vous?

— Je descends par la fenêtre, s'écria d'Artagnan, afin d'être plus tôt arrivé ; toi, remets les carreaux, balaye le plancher, sors par la porte et cours où je te dis.

— Oh! Monsieur, Monsieur, vous allez vous tuer, s'écria Planchet.

— Tais-toi, imbécile, dit d'Artagnan. Et s'accrochant de la main au rebord de sa fenêtre, il se laissa tomber du premier étage, qui heureusement n'était pas élevé, sans se faire une écorchure.

Puis il alla aussitôt frapper à la porte en murmurant :

— Je vais me faire prendre à mon tour dans la souricière, et malheur aux chats qui se frotteront à pareille souris.

A peine le marteau eut-il résonné sous la main du jeune homme que le tumulte cessa, que des pas s'approchèrent, que la porte s'ouvrit, et que d'Artagnan, l'épée nue, s'élança dans l'appartement de Maître Bonacieux, dont la porte, sans doute mue par un ressort, se referma d'elle-même sur lui.

Alors ceux qui habitaient encore la malheureuse maison de Bonacieux et les voisins les plus proches entendirent de grands cris, des trépignements, un cliquetis d'épées et un bruit prolongé de meubles. Puis, un moment après, ceux qui, surpris par ce bruit, s'étaient mis aux fenêtres pour en connaître la cause, purent voir la porte se rouvrir et quatre hommes vêtus de noir non pas en sortir, mais s'envoler comme des corbeaux effarouchés, laissant par terre et aux angles des tables des plumes de leurs ailes, c'est-à-dire des loques de leurs habits et des bribes de leurs manteaux.

D'Artagnan était vainqueur sans beaucoup de peine, il faut le dire, car un seul des alguazils était armé, encore se défendit-il pour la forme. Il est vrai que les

trois autres avaient essayé d'assommer le jeune homme
avec les chaises, les tabourets et les poteries ; mais
deux ou trois égratignures faites par la flamberge du
Gascon les avaient épouvantés. Dix minutes avaient
suffi à leur défaite, et d'Artagnan était resté maître
du champ de bataille.

Les voisins, qui avaient ouvert leurs fenêtres avec le
sang-froid particulier aux habitants de Paris dans ces
temps d'émeutes et de rixes perpétuelles, les refermèrent
dès qu'ils eurent vu s'enfuir les quatre hommes noirs :
leur instinct leur disait que, pour le moment, tout était
fini.

D'ailleurs il se faisait tard, et alors comme aujour-
d'hui on se couchait de bonne heure dans le quartier
du Luxembourg.

D'Artagnan, resté seul avec Mme Bonacieux, se
retourna vers elle : la pauvre femme était renversée
sur un fauteuil et à demi évanouie. D'Artagnan l'exa-
mina d'un coup d'œil rapide.

C'était une charmante femme de vingt-cinq à vingt-
six ans, brune avec des yeux bleus, ayant un nez légèrement retroussé, des dents admirables, un teint marbré
de rose et d'opale. Là cependant s'arrêtaient les signes
qui pouvaient la faire confondre avec une grande dame.
Les mains étaient blanches, mais sans finesse : les
pieds n'annonçaient pas la femme de qualité. Heureusement, d'Artagnan n'en était pas encore à se préoccu-
per de ces détails.

Tandis que d'Artagnan examinait Mme Bonacieux,
et en était aux pieds, comme nous l'avons dit, il vit
à terre un fin mouchoir de batiste, qu'il ramassa selon
son habitude, et au coin duquel il reconnut le même
chiffre qu'il avait vu au mouchoir qui avait failli lui
faire couper la gorge avec Aramis.

Depuis ce temps, d'Artagnan se méfiait des mouchoirs armoriés ; il remit donc sans rien dire celui qu'il avait ramassé dans la poche de Mᵐᵉ Bonacieux.

En ce moment, Mᵐᵉ Bonacieux reprenait ses sens. Elle ouvrit les yeux, regarda avec terreur autour d'elle, vit que l'appartement était vide, et qu'elle était seule avec son libérateur. Elle lui tendit aussitôt les mains en souriant. Mᵐᵉ Bonacieux avait le plus charmant sourire du monde.

— Ah! Monsieur! dit-elle, c'est vous qui m'avez sauvée ; permettez-moi que je vous remercie.

— Madame, dit d'Artagnan, je n'ai fait que ce que tout gentilhomme eût fait à ma place, vous ne me devez donc aucun remerciement.

— Si fait, Monsieur, si fait, et j'espère vous prouver que vous n'avez pas rendu service à une ingrate. Mais que me voulaient donc ces hommes, que j'ai pris d'abord pour des voleurs, et pourquoi M. Bonacieux n'est-il point ici ?

— Madame, ces hommes étaient bien autrement dangereux que ne pourraient être des voleurs, car ce sont des agents de M. le cardinal, et quant à votre mari, M. Bonacieux, il n'est point ici parce qu'hier on est venu le prendre pour le conduire à la Bastille.

— Mon mari à la Bastille! s'écria Mᵐᵉ Bonacieux, oh! mon Dieu! qu'a-t-il donc fait ? Pauvre cher homme! lui, l'innocence même!

Et quelque chose comme un sourire perçait sur la figure encore tout effrayée de la jeune femme.

— Ce qu'il a fait, Madame ? dit d'Artagnan. Je crois que son seul crime est d'avoir à la fois le bonheur et le malheur d'être votre mari.

— Mais, Monsieur, vous savez donc...

— Je sais que vous avez été enlevée, Madame.

— Et par qui? Le savez-vous? Oh! si vous le savez, dites-le-moi?

— Par un homme de quarante à quarante-cinq ans, aux cheveux noirs, au teint basané, avec une cicatrice à la tempe gauche.

— C'est cela, c'est cela; mais son nom?

— Ah! son nom? c'est ce que j'ignore.

— Et mon mari savait-il que j'avais été enlevée?

— Il en avait été prévenu par une lettre que lui avait écrite le ravisseur lui-même.

— Et soupçonne-t-il, demanda Mme Bonacieux avec embarras, la cause de cet événement?

— Il l'attribuait, je crois, à une cause politique.

— J'en ai douté d'abord, et maintenant je le pense comme lui. Ainsi donc, ce cher M. Bonacieux ne m'a pas soupçonnée un seul instant...?

— Ah! loin de là, Madame, il était trop fier de votre sagesse et surtout de votre amour.

Un second sourire presque imperceptible effleura les lèvres rosées de la belle jeune femme.

— Mais, continua d'Artagnan, comment vous êtes-vous enfuie?

— J'ai profité d'un moment où l'on m'a laissée seule, et comme je savais depuis ce matin à quoi m'en tenir sur mon enlèvement, à l'aide de mes draps je suis descendue par la fenêtre; alors, comme je croyais mon mari ici, je suis accourue.

— Pour vous mettre sous sa protection?

— Oh! non, pauvre cher homme, je savais bien qu'il était incapable de me défendre; mais comme il pouvait nous servir à autre chose, je voulais le prévenir.

— De quoi?

— Oh! ceci n'est pas mon secret, je ne puis donc pas vous le dire.

— D'ailleurs, dit d'Artagnan (pardon, Madame, si, tout garde que je suis, je vous rappelle à la prudence), d'ailleurs je crois que nous ne sommes pas ici en lieu opportun pour faire des confidences. Les hommes que j'ai mis en fuite vont revenir avec main-forte ; s'ils nous retrouvent ici, nous sommes perdus. J'ai bien fait prévenir trois de mes amis, mais qui sait si on les aura trouvés chez eux !

— Oui, oui, vous avez raison, s'écria Mme Bonacieux effrayée ; fuyons, sauvons-nous.

A ces mots, elle passa son bras sous celui de d'Artagnan et l'entraîna vivement.

— Mais où fuir ? dit d'Artagnan, où nous sauver ?

— Éloignons-nous d'abord de cette maison, puis après nous verrons.

Et la jeune femme et le jeune homme, sans se donner la peine de refermer la porte, descendirent rapidement la rue des Fossoyeurs, s'engagèrent dans la rue des Fossés-Monsieur-le-Prince et ne s'arrêtèrent qu'à la place Saint-Sulpice.

— Et maintenant, qu'allons-nous faire, demanda d'Artagnan, et où voulez-vous que je vous conduise ?

— Je suis fort embarrassée de vous répondre, je vous l'avoue, dit Mme Bonacieux ; mon intention était de faire prévenir M. de La Porte par mon mari, afin que M. de La Porte pût nous dire précisément ce qui s'était passé au Louvre depuis trois jours, et s'il n'y avait pas danger pour moi de m'y présenter.

— Mais moi, dit d'Artagnan, je puis aller prévenir M. de La Porte.

— Sans doute ; seulement il n'y a qu'un malheur, c'est qu'on connaît M. Bonacieux au Louvre et qu'on le laisserait passer, lui, tandis qu'on ne vous connaît pas, vous, et que l'on vous fermera la porte.

— Ah bah! dit d'Artagnan, vous avez bien à quelque guichet du Louvre un concierge qui vous est dévoué, et qui grâce à un mot d'ordre...

Mme Bonacieux regarda fixement le jeune homme.

— Et si je vous donnais ce mot d'ordre, dit-elle, l'oublieriez-vous aussitôt que vous vous en seriez servi?

— Parole d'honneur, foi de gentilhomme! dit d'Artagnan avec un accent à la vérité duquel il n'y avait pas à se tromper.

— Tenez, je vous crois; vous avez l'air d'un brave jeune homme, d'ailleurs votre fortune est peut-être au bout de votre dévouement.

— Je ferai sans promesse et de conscience tout ce que je pourrai pour servir le roi et être agréable à la reine, dit d'Artagnan; disposez donc de moi comme d'un ami.

— Mais moi, où me mettrez-vous pendant ce temps-là?

— N'avez-vous pas une personne chez laquelle M. de La Porte puisse revenir vous prendre?

— Non, je ne veux me fier à personne.

— Attendez, dit d'Artagnan, nous sommes à la porte d'Athos. Oui, c'est cela.

— Qu'est-ce qu'Athos?

— Un de mes amis.

— Mais s'il est chez lui et qu'il me voie?

— Il n'y est pas, et j'emporterai la clef après vous avoir fait entrer dans son appartement.

— Mais s'il revient?

— Il ne reviendra pas; d'ailleurs on lui dirait que j'ai amené une femme, et que cette femme est chez lui.

— Mais cela me compromettra très fort, savez-vous!

— Que vous importe! on ne vous connaît pas ; d'ailleurs nous sommes dans une situation à passer par-dessus quelques convenances!

— Allons donc chez votre ami. Où demeure-t-il?

— Rue Férou, à deux pas d'ici.

— Allons.

Et tous deux reprirent leur course. Comme l'avait prévu d'Artagnan, Athos n'était pas chez lui ; il prit la clef, qu'on avait l'habitude de lui donner comme à un ami de la maison, monta l'escalier et introduisit Mᵐᵉ Bonacieux dans le petit appartement dont nous avons déjà fait la description.

— Vous êtes chez vous, dit-il ; attendez, fermez la porte en dedans et n'ouvrez à personne, à moins que vous n'entendiez frapper trois coups ainsi, tenez (et il frappa trois fois : deux coups rapprochés l'un de l'autre et assez forts, un coup plus distant et plus léger).

— C'est bien, dit Mᵐᵉ Bonacieux ; maintenant, à mon tour de vous donner mes instructions.

— J'écoute.

— Présentez-vous au guichet du Louvre, du côté de la rue de l'Échelle, et demandez Germain.

— C'est bien. Après?

— Il vous demandera ce que vous voulez, et alors vous lui répondrez par ces deux mots : Tours et Bruxelles. Aussitôt il se mettra à vos ordres.

— Et que lui ordonnerai-je?

— D'aller chercher M. de La Porte, le valet de chambre de la reine.

— Et quand il l'aura été chercher et que M. de La Porte sera venu?

— Vous me l'enverrez.

— C'est bien, mais où et comment vous reverrai-je?

— Y tenez-vous beaucoup à me revoir?

— Certainement.

— Eh bien! reposez-vous sur moi de ce soin, et soyez tranquille.

— Je compte sur votre parole.

— Comptez-y.

D'Artagnan salua Mme Bonacieux en lui lançant le coup d'œil le plus amoureux qu'il lui fût possible de concentrer sur sa charmante petite personne, et tandis qu'il descendait l'escalier, il entendit la porte se fermer derrière lui à double tour. En deux bonds il fut au Louvre; comme il entrait au guichet de l'Échelle, dix heures sonnaient. Tous les événements que nous venons de raconter s'étaient succédé en une demi-heure.

Tout s'exécuta comme l'avait annoncé Mme Bonacieux. Au mot d'ordre convenu, Germain s'inclina; dix minutes après, La Porte était dans la loge; en deux mots, d'Artagnan le mit au fait et lui indiqua où était Mme Bonacieux. La Porte s'assura par deux fois de l'exactitude de l'adresse, et partit en courant. Cependant, à peine eut-il fait dix pas qu'il revint.

— Jeune homme, dit-il à d'Artagnan, un conseil.

— Lequel?

— Vous pourriez être inquiété pour ce qui vient de se passer.

— Vous croyez?

— Oui.

— Avez-vous quelque ami dont la pendule retarde?

— Eh bien?

— Allez le voir pour qu'il puisse témoigner que vous étiez chez lui à neuf heures et demie. En justice, cela s'appelle un alibi.

D'Artagnan trouva le conseil prudent; il prit ses jambes à son cou, il arriva chez M. de Tréville; mais, au lieu de passer au salon avec tout le monde, il demanda à entrer dans son cabinet. Comme d'Artagnan était un des habitués de l'hôtel, on ne fit aucune difficulté d'accéder à sa demande ; et l'on alla prévenir M. de Tréville que son jeune compatriote, ayant quelque chose d'important à lui dire, sollicitait une audience particulière. Cinq minutes après, M. de Tréville demandait à d'Artagnan ce qu'il pouvait faire pour son service et ce qui lui valait sa visite à une heure si avancée.

— Pardon, Monsieur! dit d'Artagnan, qui avait profité du moment où il était resté seul pour retarder l'horloge de trois quarts d'heure, j'ai pensé que, comme il n'était que neuf heures vingt-cinq minutes, il était encore temps de me présenter chez vous.

— Neuf heures vingt-cinq minutes! s'écria M. de Tréville en regardant sa pendule, mais c'est impossible!

— Voyez plutôt, Monsieur, dit d'Artagnan, voilà qui fait foi.

— C'est juste, dit M. de Tréville, j'aurais cru qu'il était plus tard. Mais voyons, que me voulez-vous?

Alors d'Artagnan fit à M. de Tréville une longue histoire sur la reine. Il lui exposa les craintes qu'il avait conçues à l'égard de Sa Majesté ; il lui raconta ce qu'il avait entendu dire des projets du cardinal à l'endroit de Buckingham, et tout cela avec une tranquillité et un aplomb dont M. de Tréville fut d'autant mieux la dupe que lui-même, comme nous l'avons dit, avait remarqué quelque chose de nouveau entre le cardinal, le roi et la reine.

A dix heures sonnantes, d'Artagnan quitta M. de Tréville, qui le remercia de ses renseignements, lui recommanda d'avoir toujours à cœur le service du roi et de la reine, et qui rentra dans le salon. Mais, au bas

de l'escalier, d'Artagnan se souvint qu'il avait oublié
sa canne ; en conséquence, il remonta précipitamment,
rentra dans le cabinet, d'un tour de doigt remit la
pendule à son heure, pour qu'on ne pût pas s'apercevoir, le lendemain, qu'elle avait été dérangée, et sûr
désormais qu'il y avait un témoin pour prouver son
alibi, il descendit l'escalier et se trouva bientôt dans la
rue.

XI

L'INTRIGUE SE NOUE

Sa visite faite à M. de Tréville, d'Artagnan prit, tout
pensif, le plus long pour rentrer chez lui.

A quoi pensait d'Artagnan, qu'il s'écartait ainsi de sa
route, regardant les étoiles du ciel, et tantôt soupirant,
tantôt souriant ?

Il pensait à Mme Bonacieux. Pour un apprenti mousquetaire, la jeune femme était presque une idéalité
amoureuse. Jolie, mystérieuse, initiée à presque tous
les secrets de cour, qui reflétaient tant de charmante
gravité sur ses traits gracieux, elle était soupçonnée de
n'être pas insensible, ce qui est un attrait irrésistible
pour les amants novices ; de plus, d'Artagnan l'avait
délivrée des mains de ces démons qui voulaient la
fouiller et la maltraiter, et cet important service avait
établi entre elle et lui un de ces sentiments de reconnaissance qui prennent si facilement un plus tendre
caractère.

D'Artagnan se voyait déjà, tant les rêves marchent
vite sur les ailes de l'imagination, accosté par un mes-

sager de la jeune femme qui lui remettait quelque billet de rendez-vous, une chaîne d'or ou un diamant. Nous avons dit que les jeunes cavaliers recevaient sans honte de leur roi ; ajoutons qu'en ce temps de facile morale, ils n'avaient pas plus de vergogne à l'endroit de leurs maîtresses, et que celles-ci leur laissaient presque toujours de précieux et durables souvenirs, comme si elles eussent essayé de conquérir la fragilité de leurs sentiments par la solidité de leurs dons.

On faisait alors son chemin par les femmes, sans en rougir. Celles qui n'étaient que belles donnaient leur beauté, et de là vient sans doute le proverbe, que la plus belle fille du monde ne peut donner que ce qu'elle a. Celles qui étaient riches donnaient en outre une partie de leur argent, et l'on pourrait citer bon nombre de héros de cette galante époque qui n'eussent gagné ni leurs éperons d'abord, ni leurs batailles ensuite, sans la bourse plus ou moins garnie que leur maîtresse attachait à l'arçon de leur selle.

D'Artagnan ne possédait rien ; l'hésitation du provincial, vernis léger, fleur éphémère, duvet de la pêche, s'était évaporée au vent des conseils peu orthodoxes que les trois mousquetaires donnaient à leur ami. D'Artagnan, suivant l'étrange coutume du temps, se regardait à Paris comme en campagne, et cela ni plus ni moins que dans les Flandres : l'Espagnol là-bas, la femme ici. C'était partout un ennemi à combattre, des contributions à frapper.

Mais, disons-le, pour le moment d'Artagnan était mû d'un sentiment plus noble et plus désintéressé. Le mercier lui avait dit qu'il était riche ; le jeune homme avait pu deviner qu'avec un niais comme l'était M. Bonacieux, ce devait être la femme qui tenait la clef de la bourse. Mais tout cela n'avait influé en rien sur le sentiment produit par la vue de Mme Bonacieux, et l'intérêt était resté à peu près étranger à ce commencement d'amour qui en avait été la suite. Nous disons à peu près, car l'idée qu'une jeune femme, belle, gracieuse, spirituelle, est riche en même temps n'ôte rien à ce commencement d'amour, et tout au contraire le corrobore.

Il y a dans l'aisance une foule de soins et de caprices aristocratiques qui vont bien à la beauté. Un bas fin et blanc, une robe de soie, une guimpe de dentelle, un joli soulier au pied, un frais ruban sur la tête, ne font point jolie une femme laide, mais font belle une femme jolie, sans compter les mains qui gagnent à tout cela ; les mains, chez les femmes surtout, ont besoin de rester oisives pour rester belles.

Puis d'Artagnan, comme le sait très bien le lecteur, auquel nous n'avons pas caché l'état de sa fortune, d'Artagnan n'était pas un millionnaire ; il espérait bien le devenir un jour, mais le temps qu'il se fixait lui-même pour cet heureux changement était assez éloigné. En attendant, quel désespoir que de voir une femme qu'on aime désirer ces mille riens dont les femmes composent leur bonheur, et de ne pouvoir lui donner ces mille riens ! Au moins, quand la femme est riche et que l'amant ne l'est pas, ce qu'il ne peut lui offrir elle se l'offre elle-même ; et quoique ce soit ordinairement avec l'argent du mari qu'elle se passe cette jouissance, il est rare que ce soit à lui qu'en revienne la reconnaissance.

Puis d'Artagnan, disposé à être l'amant le plus tendre, était en attendant un ami très dévoué. Au milieu de ses projets amoureux sur la femme du mercier, il n'oubliait pas les siens. La jolie Mme Bonacieux était femme à promener dans la plaine Saint-Denis ou

dans la foire Saint-Germain en compagnie d'Athos, de
Porthos et d'Aramis, auxquels d'Artagnan serait fier
de montrer une telle conquête. Puis, quand on a marché
longtemps, la faim arrive ; d'Artagnan depuis quelque
temps avait remarqué cela. On ferait de ces petits
dîners charmants où l'on touche d'un côté la main d'un
ami, et de l'autre le pied d'une maîtresse. Enfin, dans
les moments pressants, dans les positions extrêmes,
d'Artagnan serait le sauveur de ses amis.

Et M. Bonacieux, que d'Artagnan avait poussé dans
les mains des sbires en le reniant bien haut et à qui il
avait promis tout bas de le sauver? Nous devons
avouer à nos lecteurs que d'Artagnan n'y songeait en
aucune façon, ou que, s'il y songeait, c'était pour se
dire qu'il était bien où il était, quelque part qu'il fût.
L'amour est la plus égoïste de toutes les passions.

Cependant, que nos lecteurs se rassurent : si d'Artagnan oublie son hôte ou fait semblant de l'oublier,
sous prétexte qu'il ne sait pas où on l'a conduit, nous
ne l'oublions pas, nous, et nous savons où il est. Mais,
pour le moment, faisons comme le Gascon amoureux.
Quant au digne mercier, nous reviendrons à lui plus
tard.

D'Artagnan, tout en réfléchissant à ses futures
amours, tout en parlant à la nuit, tout en souriant aux
étoiles, remontait la rue du Cherche-Midi ou Chasse-
Midi, ainsi qu'on l'appelait alors. Comme il se trouvait
dans le quartier d'Aramis, l'idée lui était venue d'aller
faire une visite à son ami, pour lui donner quelques
explications sur les motifs qui lui avaient fait envoyer
Planchet avec invitation de se rendre immédiatement
à la souricière. Or, si Aramis s'était trouvé chez lui
lorsque Planchet y était venu, il avait sans aucun doute
couru rue des Fossoyeurs, et n'y trouvant personne

que ses deux autres compagnons peut-être, ils n'avaient
dû savoir, ni les uns ni les autres, ce que cela voulait
dire. Ce dérangement méritait donc une explication,
voilà ce que disait tout haut d'Artagnan.

Puis, tout bas, il pensait que c'était pour lui une
occasion de parler de la jolie petite Mme Bonacieux,
dont son esprit, sinon son cœur, était déjà tout plein.
Ce n'est pas à propos d'un premier amour qu'il faut
demander de la discrétion. Ce premier amour est
accompagné d'une si grande joie qu'il faut que cette
joie déborde, sans cela elle vous étoufferait.

Paris depuis deux heures était sombre et commençait
à se faire désert. Onze heures sonnaient à toutes les
horloges du faubourg Saint-Germain, il faisait un temps
doux. D'Artagnan suivait une ruelle située sur l'emplacement où passe aujourd'hui la rue d'Assas, respi-
rant les émanations embaumées qui venaient avec le
vent de la rue de Vaugirard et qu'envoyaient les jardins rafraîchis par la rosée du soir et par la brise de la
nuit. Au loin résonnaient, assourdis cependant par de
bons volets, les chants des buveurs dans quelques
cabarets perdus dans la plaine. Arrivé au bout de la
ruelle, d'Artagnan tourna à gauche. La maison qu'habitait Aramis se trouvait située entre la rue Cassette
et la rue Servandoni.

D'Artagnan venait de dépasser la rue Cassette et
reconnaissait déjà la porte de la maison de son ami,
enfouie sous un massif de sycomores et de clématites
qui formaient un vaste bourrelet au-dessus d'elle,
lorsqu'il aperçut quelque chose comme une ombre qui
sortait de la rue Servandoni. Ce quelque chose était
enveloppé d'un manteau, et d'Artagnan crut d'abord
que c'était un homme ; mais, à la petitesse de la taille,
à l'incertitude de la démarche, à l'embarras du pas, il

reconnut bientôt une femme. De plus, cette femme,
comme si elle n'eût pas été bien sûre de la maison
qu'elle cherchait, levait les yeux pour se reconnaître,
s'arrêtait, retournait en arrière, puis revenait encore.
D'Artagnan fut intrigué.

— Si j'allais lui offrir mes services! pensa-t-il. A son
allure, on voit qu'elle est jeune ; peut-être est-elle jolie.
Oh! oui. Mais une femme qui court les rues à cette heure
ne sort guère que pour aller rejoindre son amant.
Peste! si j'allais troubler les rendez-vous, ce serait une
mauvaise porte pour entrer en relations.

Cependant, la jeune femme s'avançait toujours,
comptant les maisons et les fenêtres. Ce n'était, au
reste, chose ni longue ni difficile. Il n'y avait que trois
hôtels dans cette partie de la rue, et deux fenêtres
ayant vue sur cette rue ; l'une était celle d'un pavillon
parallèle à celui qu'occupait Aramis, l'autre était celle
d'Aramis lui-même.

— Pardieu! se dit d'Artagnan, auquel la nièce du
théologien revenait à l'esprit ; pardieu! il serait drôle
que cette colombe attardée cherchât la maison de notre
ami. Mais, sur mon âme, cela y ressemble fort. Ah!
mon cher Aramis, pour cette fois, j'en veux avoir le
cœur net.

Et d'Artagnan, se faisant le plus mince qu'il put,
s'abrita dans le côté le plus obscur de la rue, près d'un
banc de pierre situé au fond d'une niche.

La jeune femme continua de s'avancer, car outre
la légèreté de son allure, qui l'avait trahie, elle venait
de faire entendre une petite toux qui dénonçait une
voix des plus fraîches. D'Artagnan pensa que cette
toux était un signal.

Cependant, soit qu'on eût répondu à cette toux par
un signe équivalent qui avait fixé les irrésolutions de

la nocturne chercheuse, soit que sans secours étranger elle eût reconnu qu'elle était arrivée au bout de sa course, elle s'approcha résolument du volet d'Aramis et frappa à trois intervalles égaux avec son doigt recourbé.

— C'est bien chez Aramis, murmura d'Artagnan. Ah! Monsieur l'hypocrite! je vous y prends à faire de la théologie!

Les trois coups étaient à peine frappés que la croisée intérieure s'ouvrit et qu'une lumière parut à travers les vitres du volet.

— Ah! ah! fit l'écouteur non pas aux portes, mais aux fenêtres, ah! la visite était attendue. Allons, le volet va s'ouvrir et la dame entrera par escalade. Très bien!

Mais, au grand étonnement de d'Artagnan, le volet resta fermé. De plus, la lumière qui avait flamboyé un instant disparut, et tout rentra dans l'obscurité.

D'Artagnan pensa que cela ne pouvait durer ainsi, et continua de regarder de tous ses yeux et d'écouter de toutes ses oreilles.

Il avait raison : au bout de quelques secondes, deux coups secs retentirent dans l'intérieur.

La jeune femme de la rue répondit par un seul coup, et le volet s'entrouvrit.

On juge si d'Artagnan regardait et écoutait avec avidité.

Malheureusement, la lumière avait été transportée dans un autre appartement. Mais les yeux du jeune homme s'étaient habitués à la nuit. D'ailleurs les yeux des Gascons ont, à ce qu'on assure, comme ceux des chats, la propriété de voir pendant la nuit.

D'Artagnan vit donc que la jeune femme tirait de sa poche un objet blanc qu'elle déploya vivement et qui prit la forme d'un mouchoir. Cet objet déployé, elle en fit remarquer le coin à son interlocuteur.

Cela rappela à d'Artagnan ce mouchoir qu'il avait trouvé aux pieds de Mme Bonacieux, lequel lui avait rappelé celui qu'il avait trouvé aux pieds d'Aramis.

Que diable pouvait donc signifier ce mouchoir?

Placé où il était, d'Artagnan ne pouvait voir le visage d'Aramis, nous disons d'Aramis, parce que le jeune homme ne faisait aucun doute que ce fût son ami qui dialoguât de l'intérieur avec la dame de l'extérieur; la curiosité l'emporta donc sur la prudence, et, profitant de la préoccupation dans laquelle la vue du mouchoir paraissait plonger les deux personnages que nous avons mis en scène, il sortit de sa cachette, et prompt comme l'éclair, mais étouffant le bruit de ses pas, il alla se coller à un angle de la muraille, d'où son œil pouvait parfaitement plonger dans l'intérieur de l'appartement d'Aramis.

Arrivé là, d'Artagnan pensa jeter un cri de surprise: ce n'était pas Aramis qui causait avec la nocturne visiteuse, c'était une femme. Seulement, d'Artagnan y voyait assez pour reconnaître la forme de ses vêtements, mais pas assez pour distinguer ses traits.

Au même instant, la femme de l'appartement tira un second mouchoir de sa poche, et l'échangea avec celui qu'on venait de lui montrer. Puis, quelques mots furent prononcés entre les deux femmes. Enfin le volet se referma; la femme qui se trouvait à l'extérieur de la fenêtre se retourna, et vint passer à quatre pas de d'Artagnan en abaissant la coiffe de sa mante; mais la précaution avait été prise trop tard, d'Artagnan avait déjà reconnu Mme Bonacieux.

Mme Bonacieux! Le soupçon que c'était elle lui avait déjà traversé l'esprit quand elle avait tiré le mouchoir

de sa poche ; mais quelle probabilité que Mme Bonacieux, qui avait envoyé chercher M. de La Porte pour
se faire reconduire par lui au Louvre, courût les rues
de Paris seule à onze heures et demie du soir, au risque
de se faire enlever une seconde fois ?

Il fallait donc que ce fût pour une affaire bien importante ; et quelle est l'affaire importante d'une
femme de vingt-cinq ans ? L'amour.

Mais était-ce pour son compte ou pour le compte
d'une autre personne qu'elle s'exposait à de semblables
hasards ? Voilà ce que se demandait à lui-même le
jeune homme, que le démon de la jalousie mordait au
cœur ni plus ni moins qu'un amant en titre.

Il y avait, au reste, un moyen bien simple de s'assurer où allait Mme Bonacieux : c'était de la suivre. Ce
moyen était si simple que d'Artagnan l'employa tout
naturellement et d'instinct.

Mais, à la vue du jeune homme qui se détachait de
la muraille comme une statue de sa niche, et au bruit
des pas qu'elle entendit retentir derrière elle, Mme Bonacieux jeta un petit cri et s'enfuit.

D'Artagnan courut après elle. Ce n'était pas une chose
difficile pour lui que de rejoindre une femme embarrassée dans son manteau. Il la rejoignit donc au tiers de
la rue dans laquelle elle s'était engagée. La malheureuse
était épuisée, non pas de fatigue, mais de terreur, et
quand d'Artagnan lui posa la main sur l'épaule, elle
tomba sur un genou en criant d'une voix étranglée :

— Tuez-moi si vous voulez, mais vous ne saurez
rien.

D'Artagnan la releva en lui passant le bras autour
de la taille ; mais comme il sentit à son poids qu'elle
était sur le point de se trouver mal, il s'empressa de la
rassurer par des protestations de dévouement. Ces pro-

testations n'étaient rien pour Mme Bonacieux ; car de
pareilles protestations peuvent se faire avec les plus
mauvaises intentions du monde ; mais la voix était
tout. La jeune femme crut reconnaître le son de cette
voix ; elle rouvrit les yeux, jeta un regard sur l'homme
qui lui avait fait si grand-peur, et, reconnaissant d'Artagnan, elle poussa un cri de joie.

— Oh! c'est vous, c'est vous! dit-elle ; merci, mon
Dieu!

— Oui, c'est moi, dit d'Artagnan, moi que Dieu
a envoyé pour veiller sur vous.

— Était-ce dans cette intention que vous me sui-
viez? demanda avec un sourire plein de coquetterie la
jeune femme, dont le caractère un peu railleur reprenait le dessus, et chez laquelle toute crainte avait disparu du moment où elle avait reconnu un ami dans
celui qu'elle avait pris pour un ennemi.

— Non, dit d'Artagnan, non, je l'avoue, c'est le
hasard qui m'a mis sur votre route ; j'ai vu une femme
frapper à la fenêtre d'un de mes amis...

— D'un de vos amis? interrompit Mme Bonacieux.

— Sans doute ; Aramis est de mes meilleurs amis.

— Aramis! qu'est-ce que cela?

— Allons donc! allez-vous me dire que vous ne
connaissez pas Aramis?

— C'est la première fois que j'entends prononcer
ce nom.

— C'est donc la première fois que vous venez à
cette maison?

— Sans doute.

— Et vous ne saviez pas qu'elle fût habitée par un
jeune homme?

— Non.

— Par un mousquetaire?

— Nullement.

— Ce n'est donc pas lui que vous veniez chercher ?

— Pas le moins du monde. D'ailleurs, vous l'avez bien vu, la personne à qui j'ai parlé est une femme.

— C'est vrai ; mais cette femme est des amies d'Aramis.

— Je n'en sais rien.

— Puisqu'elle loge chez lui.

— Cela ne me regarde pas.

— Mais qui est-elle ?

— Oh! cela n'est point mon secret.

— Chère Madame Bonacieux, vous êtes charmante ; mais en même temps vous êtes la femme la plus mystérieuse...

— Est-ce que je perds à cela ?

— Non ; vous êtes, au contraire, adorable.

— Alors, donnez-moi le bras.

— Bien volontiers. Et maintenant ?

— Maintenant, conduisez-moi.

— Où cela ?

— Où je vais.

— Mais où allez-vous ?

— Vous le verrez, puisque vous me laisserez à la porte.

— Faudra-t-il vous attendre ?

— Ce sera inutile.

— Vous reviendrez donc seule ?

— Peut-être oui, peut-être non.

— Mais la personne qui vous accompagnera ensuite sera-t-elle un homme, sera-t-elle une femme ?

— Je n'en sais rien encore.

— Je le saurai bien, moi!

— Comment cela ?

— Je vous attendrai pour vous voir sortir.

— En ce cas, adieu!

— Comment cela?

— Je n'ai pas besoin de vous.

— Mais vous aviez réclamé...

— L'aide d'un gentilhomme, et non la surveillance d'un espion.

— Le mot est un peu dur!

— Comment appelle-t-on ceux qui suivent les gens malgré eux?

— Des indiscrets.

— Le mot est trop doux.

— Allons, Madame, je vois bien qu'il faut faire tout ce que vous voulez.

— Pourquoi vous être privé du mérite de le faire tout de suite?

— N'y en a-t-il donc aucun à se repentir?

— Et vous repentez-vous réellement?

— Je n'en sais rien moi-même. Mais ce que je sais, c'est que je vous promets de faire tout ce que vous voudrez si vous me laissez vous accompagner jusqu'où vous allez.

— Et vous me quitterez après?

— Oui.

— Sans m'épier à ma sortie?

— Non.

— Parole d'honneur?

— Foi de gentilhomme!

— Prenez mon bras et marchons alors.

D'Artagnan offrit son bras à Mme Bonacieux, qui s'y suspendit, moitié rieuse, moitié tremblante, et tous deux gagnèrent le haut de la rue de La Harpe. Arrivée là, la jeune femme parut hésiter, comme elle avait déjà fait dans la rue de Vaugirard. Cependant, à de certains signes, elle sembla reconnaître une porte; et s'approchant de cette porte:

— Et maintenant, Monsieur, dit-elle, c'est ici que j'ai affaire ; mille fois merci de votre honorable compagnie, qui m'a sauvée de tous les dangers auxquels, seule, j'eusse été exposée. Mais le moment est venu de tenir votre parole : je suis arrivée à ma destination.

— Et vous n'aurez plus rien à craindre en revenant ?

— Je n'aurai à craindre que les voleurs.

— N'est-ce donc rien ?

— Que pourraient-ils me prendre ? je n'ai pas un denier sur moi.

— Vous oubliez ce beau mouchoir brodé, armorié.

— Lequel ?

— Celui que j'ai trouvé à vos pieds et que j'ai remis dans votre poche.

— Taisez-vous, taisez-vous, malheureux! s'écria la jeune femme, voulez-vous me perdre ?

— Vous voyez bien qu'il y a encore du danger pour vous, puisqu'un seul mot vous fait trembler, et que vous avouez que, si on entendait ce mot, vous seriez perdue. Ah! tenez, Madame, s'écria d'Artagnan en lui saisissant la main et la couvrant d'un ardent regard, tenez! soyez plus généreuse, confiez-vous à moi ; n'avez-vous donc pas lu dans mes yeux qu'il n'y a que dévouement et sympathie dans mon cœur!

— Si fait, répondit Mme Bonacieux ; aussi demandez-moi mes secrets, et je vous les dirai ; mais ceux des autres, c'est autre chose.

— C'est bien, dit d'Artagnan, je les découvrirai ; puisque ces secrets peuvent avoir une influence sur votre vie, il faut que ces secrets deviennent les miens.

— Gardez-vous-en bien, s'écria la jeune femme avec un sérieux qui fit frissonner d'Artagnan malgré lui. Oh! ne vous mêlez en rien de ce qui me regarde, ne cherchez point à m'aider dans ce que j'accomplis ; et cela,

je vous le demande au nom de l'intérêt que je vous
inspire, au nom du service que vous m'avez rendu, et
que je n'oublierai de ma vie. Croyez bien plutôt à ce
que je vous dis. Ne vous occupez plus de moi, je
n'existe plus pour vous, que ce soit comme si vous ne
m'aviez jamais vue.

— Aramis doit-il en faire autant que moi, Madame?
dit d'Artagnan piqué.

— Voilà déjà deux ou trois fois que vous avez
prononcé ce nom, Monsieur, et cependant je vous ai
dit que je ne le connaissais pas.

— Vous ne connaissez pas l'homme au volet duquel vous avez été frapper. Allons donc, Madame!
vous me croyez par trop crédule, aussi!

— Avouez que c'est pour me faire parler que vous
inventez cette histoire, et que vous créez ce personnage.

— Je n'invente rien, Madame, je ne crée rien, je
dis l'exacte vérité.

— Et vous dites qu'un de vos amis demeure dans
cette maison?

— Je le dis et je le répète pour la troisième fois,
cette maison est celle qu'habite mon ami, et cet ami est
Aramis.

— Tout cela s'éclaircira plus tard, murmura la jeune
femme ; maintenant, Monsieur, taisez-vous.

— Si vous pouviez voir mon cœur tout à découvert, dit d'Artagnan, vous y liriez tant de curiosité,
que vous auriez pitié de moi, et tant d'amour, que
vous satisferiez à l'instant même ma curiosité. On n'a
rien à craindre de ceux qui vous aiment.

— Vous parlez bien vite d'amour, Monsieur! dit
la jeune femme en secouant la tête.

— C'est que l'amour m'est venu vite et pour la
première fois, et que je n'ai pas vingt ans.

La jeune femme le regarda à la dérobée.

— Écoutez, je suis déjà sur la trace, dit d'Artagnan. Il y a trois mois, j'ai manqué avoir un duel avec Aramis pour un mouchoir pareil à celui que vous avez montré à cette femme qui était chez lui, pour un mouchoir marqué de la même manière, j'en suis sûr.

— Monsieur, dit la jeune femme, vous me fatiguez fort, je vous le jure, avec ces questions.

— Mais vous, si prudente, Madame, songez-y, si vous étiez arrêtée avec ce mouchoir, et que ce mouchoir fût saisi, ne seriez-vous pas compromise ?

— Pourquoi cela, les initiales ne sont-elles pas les miennes : C. B., Constance Bonacieux ?

— Ou Camille de Bois-Tracy.

— Silence, Monsieur, encore une fois silence ! Ah ! puisque les dangers que je cours pour moi-même ne vous arrêtent pas, songez à ceux que vous pouvez courir, vous !

— Moi ?

— Oui, vous. Il y a danger de la prison, il y a danger de la vie à me connaître.

— Alors, je ne vous quitte plus.

— Monsieur, dit la jeune femme suppliant et joignant les mains, Monsieur, au nom du ciel, au nom de l'honneur d'un militaire, au nom de la courtoisie d'un gentilhomme, éloignez-vous ; tenez, voilà minuit qui sonne, c'est l'heure où l'on m'attend.

— Madame, dit le jeune homme en s'inclinant, je ne sais rien refuser à qui me demande ainsi ; soyez contente, je m'éloigne.

— Mais vous ne me suivrez pas, vous ne m'épierez pas ?

— Je rentre chez moi à l'instant.

— Ah ! je le savais bien que vous étiez un brave

jeune homme! s'écria Mme Bonacieux en lui tendant
une main et en posant l'autre sur le marteau d'une
petite porte presque perdue dans la muraille.

D'Artagnan saisit la main qu'on lui tendait et la
baisa ardemment.

— Ah! j'aimerais mieux ne vous avoir jamais vue,
s'écria d'Artagnan avec cette brutalité naïve que les
femmes préfèrent souvent aux afféteries de la politesse,
parce qu'elle découvre le fond de la pensée et qu'elle
prouve que le sentiment l'emporte sur la raison.

— Eh bien! reprit Mme Bonacieux d'une voix
presque caressante, et en serrant la main de d'Artagnan qui n'avait pas abandonné la sienne, eh bien!
je n'en dirai pas autant que vous : ce qui est perdu
pour aujourd'hui n'est pas perdu pour l'avenir. Qui
sait si, lorsque je serai déliée un jour, je ne satisferai
pas votre curiosité?

— Et faites-vous la même promesse à mon amour?
s'écria d'Artagnan au comble de la joie.

— Oh! de ce côté, je ne veux point m'engager,
cela dépendra des sentiments que vous saurez m'inspirer.

— Ainsi, aujourd'hui, Madame...

— Aujourd'hui, Monsieur, je n'en suis encore qu'à
la reconnaissance.

— Ah! vous êtes trop charmante, dit d'Artagnan
avec tristesse, et vous abusez de mon amour.

— Non, j'use de votre générosité, voilà tout. Mais,
croyez-le bien, avec certaines gens tout se retrouve.

— Oh! vous me rendez le plus heureux des hommes.
N'oubliez pas cette soirée, n'oubliez pas cette promesse.

— Soyez tranquille, en temps et lieu je me sou-
viendrai de tout. Eh bien! partez donc, partez, au

nom du ciel! On m'attendait à minuit juste, et je suis
en retard.

— De cinq minutes.

— Oui ; mais dans certaines circonstances, cinq
minutes sont cinq siècles.

— Quand on aime.

— Eh bien! qui vous dit que je n'ai pas affaire à un
amoureux?

— C'est un homme qui vous attend? s'écria d'Artagnan, un homme!

— Allons, voilà la discussion qui va recommencer,
fit Mme Bonacieux avec un demi-sourire qui n'était
pas exempt d'une certaine teinte d'impatience.

— Non, non, je m'en vais, je pars ; je crois en vous,
je veux avoir tout le mérite de mon dévouement, ce
dévouement dût-il être une stupidité. Adieu, Madame,
adieu!

Et comme s'il ne se fût senti la force de se détacher
de la main qu'il tenait que par une secousse, il s'éloigna tout courant, tandis que Mme Bonacieux frappait,
comme au volet, trois coups lents et réguliers ; puis,
arrivé à l'angle de la rue, il se retourna : la porte s'était
ouverte et refermée, la jolie mercière avait disparu.

D'Artagnan continua son chemin, il avait donné
sa parole de ne pas épier Mme Bonacieux, et sa vie
eût-elle dépendu de l'endroit où elle allait se rendre,
ou de la personne qui devait l'accompagner, d'Artagnan serait rentré chez lui, puisqu'il avait dit qu'il
y rentrait. Cinq minutes après, il était dans la rue des
Fossoyeurs.

— Pauvre Athos, disait-il, il ne saura pas ce que
cela veut dire. Il se sera endormi en m'attendant, ou
il sera retourné chez lui, et en rentrant il aura appris
qu'une femme y était venue. Une femme chez Athos!

Après tout, continua d'Artagnan, il y en avait bien
une chez Aramis. Tout cela est fort étrange, et je serais
bien curieux de savoir comment cela finira.

— Mal, Monsieur, mal, répondit une voix que le
jeune homme reconnut pour celle de Planchet ; car
tout en monologuant tout haut, à la manière des gens
très préoccupés, il s'était engagé dans l'allée au fond
de laquelle était l'escalier qui conduisait à sa chambre.

— Comment, mal ? Que veux-tu dire, imbécile ?
demanda d'Artagnan, qu'est-il donc arrivé ?

— Toutes sortes de malheurs.

— Lesquels ?

— D'abord M. Athos est arrêté.

— Arrêté ! Athos ! arrêté ! pourquoi ?

— On l'a trouvé chez vous ; on l'a pris pour vous.

— Et par qui a-t-il été arrêté ?

— Par la garde qu'ont été chercher les hommes noirs
que vous avez mis en fuite.

— Pourquoi ne s'est-il pas nommé ? Pourquoi n'a-
t-il pas dit qu'il était étranger à cette affaire ?

— Il s'en est bien gardé, Monsieur ; il s'est au contraire approché de moi et m'a dit : « C'est ton maître
qui a besoin de sa liberté en ce moment, et non pas
moi, puisqu'il sait tout et que je ne sais rien. On le
croira arrêté, et cela lui donnera du temps ; dans trois
jours je dirai qui je suis, et il faudra bien qu'on me
fasse sortir. »

— Bravo, Athos ! noble cœur, murmura d'Arta-
gnan, je le reconnais bien là ! Et qu'ont fait les sbires ?

— Quatre l'ont emmené je ne sais où, à la Bastille ou au Fort-l'Évêque ; deux sont restés avec les
hommes noirs, qui ont fouillé partout et qui ont pris
tous les papiers. Enfin les deux derniers, pendant cette
expédition, montaient la garde à la porte ; puis, quand

tout a été fini, ils sont partis, laissant la maison vide
et tout ouvert.

— Et Porthos et Aramis?

— Je ne les avais pas trouvés, ils ne sont pas venus.

— Mais ils peuvent venir d'un moment à l'autre,
car tu leur as fait dire que je les attendais?

— Oui, Monsieur.

— Eh bien! ne bouge pas d'ici; s'ils viennent,
préviens-les de ce qui m'est arrivé, qu'ils m'attendent
au cabaret de la *Pomme de Pin*; ici il y aurait danger,
la maison peut être espionnée. Je cours chez M. de
Tréville pour lui annoncer tout cela, et je les y rejoins.

— C'est bien, Monsieur, dit Planchet.

— Mais tu resteras, tu n'auras pas peur! dit d'Artagnan en revenant sur ses pas pour recommander le
courage à son laquais.

— Soyez tranquille, Monsieur, dit Planchet, vous
ne me connaissez pas encore; je suis brave quand je
m'y mets, allez; c'est le tout de m'y mettre; d'ailleurs
je suis Picard.

— Alors, c'est convenu, dit d'Artagnan, tu te fais
tuer plutôt que de quitter ton poste.

— Oui, Monsieur, et il n'y a rien que je ne fasse
pour prouver à Monsieur que je lui suis attaché.

— Bon, dit en lui-même d'Artagnan, il paraît que
la méthode que j'ai employée à l'égard de ce garçon
est décidément la bonne; j'en userai dans l'occasion.

Et de toute la vitesse de ses jambes, déjà quelque
peu fatiguées cependant par les courses de la journée,
d'Artagnan se dirigea vers la rue du Vieux-Colombier.

M. de Tréville n'était point à son hôtel; sa compagnie était de garde au Louvre; il était au Louvre avec
sa compagnie.

Il fallait arriver jusqu'à M. de Tréville ; il était important qu'il fût prévenu de ce qui se passait. D'Artagnan résolut d'essayer d'entrer au Louvre. Son costume de garde dans la compagnie de M. des Essarts lui devait être un passeport.

Il descendit donc la rue des Petits-Augustins, et remonta le quai pour prendre le Pont-Neuf. Il avait eu un instant l'idée de passer le bac ; mais en arrivant au bord de l'eau, il avait machinalement introduit sa main dans sa poche et s'était aperçu qu'il n'avait pas de quoi payer le passeur.

Comme il arrivait à la hauteur de la rue Guénégaud, il vit déboucher de la rue Dauphine un groupe composé de deux personnes et dont l'allure le frappa.

Les deux personnes qui composaient le groupe étaient : l'un, un homme ; l'autre, une femme.

La femme avait la tournure de Mme Bonacieux, et l'homme ressemblait à s'y méprendre à Aramis.

En outre, la femme avait cette mante noire que d'Artagnan voyait encore se dessiner sur le volet de la rue de Vaugirard et sur la porte de la rue de La Harpe.

De plus, l'homme portait l'uniforme des mousquetaires.

Le capuchon de la femme était rabattu, l'homme tenait son mouchoir sur son visage ; tous deux, cette double précaution l'indiquait, tous deux avaient donc intérêt à n'être point reconnus.

Ils prirent le pont ; c'était le chemin de d'Artagnan, puisque d'Artagnan se rendait au Louvre ; d'Artagnan les suivit.

D'Artagnan n'avait pas fait vingt pas qu'il fut convaincu que cette femme, c'était Mme Bonacieux, et que cet homme, c'était Aramis.

Il sentit à l'instant même tous les soupçons de la jalousie qui s'agitaient dans son cœur.

Il était doublement trahi et par son ami et par celle qu'il aimait déjà comme une maîtresse. Mme Bonacieux lui avait juré ses grands dieux qu'elle ne connaissait pas Aramis, et un quart d'heure après qu'elle lui avait fait ce serment, il la retrouvait au bras d'Aramis.

D'Artagnan ne réfléchit pas seulement qu'il connaissait la jolie mercière depuis trois heures seulement, qu'elle ne lui devait rien qu'un peu de reconnaissance pour l'avoir délivrée des hommes noirs qui voulaient l'enlever, et qu'elle ne lui avait rien promis. Il se regarda comme un amant outragé, trahi, bafoué ; le sang et la colère lui montèrent au visage, il résolut de tout éclaircir.

La jeune femme et le jeune homme s'étaient aperçus qu'ils étaient suivis, et ils avaient doublé le pas. D'Artagnan prit sa course, les dépassa, puis revint sur eux au moment où ils se retrouvaient devant la Samaritaine, éclairée par un réverbère qui projetait sa lueur sur toute cette partie du pont.

D'Artagnan s'arrêta devant eux, et ils s'arrêtèrent devant lui.

— Que voulez-vous, Monsieur ? demanda le mousquetaire, en reculant d'un pas et avec un accent étranger qui prouvait à d'Artagnan qu'il s'était trompé dans une partie de ses conjectures.

— Ce n'est pas Aramis ! s'écria-t-il.

— Non, Monsieur, ce n'est point Aramis, et à votre exclamation je vois que vous m'avez pris pour un autre, et je vous pardonne.

— Vous me pardonnez ! s'écria d'Artagnan.

— Oui, répondit l'inconnu. Laissez-moi donc passer, puisque ce n'est pas à moi que vous avez affaire.

— Vous avez raison, Monsieur, dit d'Artagnan, ce n'est pas à vous que j'ai affaire, c'est à Madame.

— A Madame! Vous ne la connaissez pas, dit l'étranger.

— Vous vous trompez, Monsieur, je la connais.

— Ah! fit Mme Bonacieux d'un ton de reproche, ah, Monsieur! j'avais votre parole de militaire et votre foi de gentilhomme ; j'espérais pouvoir compter dessus.

— Et moi, Madame, dit d'Artagnan embarrassé, vous m'aviez promis...

— Prenez mon bras, Madame, dit l'étranger, et continuons notre chemin.

Cependant d'Artagnan, étourdi, atterré, anéanti par tout ce qui lui arrivait, restait debout et les bras croisés devant le mousquetaire et Mme Bonacieux.

Le mousquetaire fit deux pas en avant et écarta d'Artagnan avec la main.

D'Artagnan fit un bond en arrière et tira son épée.

En même temps et avec la rapidité de l'éclair, l'inconnu tira la sienne.

— Au nom du ciel, Milord! s'écria Mme Bonacieux en se jetant entre les combattants et prenant les épées à pleines mains.

— Milord! s'écria d'Artagnan illuminé d'une idée subite, Milord! pardon, Monsieur ; mais est-ce que vous seriez...

— Milord duc de Buckingham, dit Mme Bonacieux à demi-voix ; et maintenant vous pouvez nous perdre tous.

— Milord, Madame, pardon, cent fois pardon ; mais je l'aimais Milord, et j'étais jaloux ; vous savez ce que c'est que d'aimer, Milord ; pardonnez-moi, et dites-moi comment je puis me faire tuer pour Votre Grâce.

— Vous êtes un brave jeune homme, dit Buckingham en tendant à d'Artagnan une main que celui-ci

serra respectueusement ; vous m'offrez vos services, je
les accepte ; suivez-nous à vingt pas jusqu'au Louvre ;
et si quelqu'un nous épie, tuez-le !

D'Artagnan mit son épée nue sous son bras, laissa
prendre à Mme Bonacieux et au duc vingt pas d'avance
et les suivit, prêt à exécuter à la lettre les instructions
du noble et élégant ministre de Charles Ier.

Mais heureusement le jeune séide n'eut aucune
occasion de donner au duc cette preuve de son dévouement ; et la jeune femme et le beau mousquetaire rentrèrent au Louvre par le guichet de l'Échelle sans avoir
été inquiétés.

Quant à d'Artagnan, il se rendit aussitôt au cabaret
de la *Pomme de Pin*, où il trouva Porthos et Aramis qui
l'attendaient.

Mais, sans leur donner d'autre explication sur le
dérangement qu'il leur avait causé, il leur dit qu'il
avait terminé seul l'affaire pour laquelle il avait cru un
instant avoir besoin de leur intervention.

Et maintenant, emportés que nous sommes par notre
récit, laissons nos trois amis rentrer chacun chez soi,
et suivons, dans les détours du Louvre, le duc de
Buckingham et son guide.

XII

GEORGES VILLIERS, DUC DE BUCKINGHAM

Mme Bonacieux et le duc entrèrent au Louvre sans
difficulté ; Mme Bonacieux était connue pour appar-
tenir à la reine ; le duc portait l'uniforme des mousque-

taires de M. de Tréville, qui, comme nous l'avons dit,
était de garde ce soir-là. D'ailleurs Germain était dans
les intérêts de la reine, et si quelque chose arrivait,
Mme Bonacieux serait accusée d'avoir introduit son
amant au Louvre, voilà tout ; elle prenait sur elle le
crime : sa réputation était perdue, il est vrai, mais de
quelle valeur était dans le monde la réputation d'une
petite mercière ?

Une fois entrés dans l'intérieur de la cour, le duc et
la jeune femme suivirent le pied de la muraille pendant
l'espace d'environ vingt-cinq pas ; cet espace parcouru,
Mme Bonacieux poussa une petite porte de service,
ouverte le jour, mais ordinairement fermée la nuit ; la
porte céda ; tous deux entrèrent et se trouvèrent dans
l'obscurité, mais Mme Bonacieux connaissait tous les
tours et détours de cette partie du Louvre, destinée
aux gens de la suite. Elle referma les portes derrière
elle, prit le duc par la main, fit quelques pas en tâton-
nant, saisit une rampe, toucha du pied un degré, et
commença de monter un escalier ; le duc compta deux
étages. Alors elle prit à droite, suivit un long corridor,
redescendit un étage, fit quelques pas encore, introduisit une clef dans une serrure, ouvrit une porte et poussa
le duc dans un appartement éclairé seulement par une
lampe de nuit, en disant : « Restez ici, Milord duc, on
va venir. » Puis elle sortit par la même porte, qu'elle
ferma à la clef, de sorte que le duc se trouva littéralement prisonnier.

Cependant tout isolé qu'il se trouvait, il faut le dire,
le duc de Buckingham n'éprouva pas un instant de
crainte ; un des côtés saillants de son caractère était la
recherche de l'aventure et l'amour du romanesque.
Brave, hardi, entreprenant, ce n'était pas la première
fois qu'il risquait sa vie dans de pareilles tentatives ; il

avait appris que ce prétendu message d'Anne d'Autriche, sur la foi duquel il était venu à Paris, était un
piège, et, au lieu de regagner l'Angleterre, il avait,
abusant de la position qu'on lui avait faite, déclaré à
la reine qu'il ne partirait pas sans l'avoir vue. La reine
avait positivement refusé d'abord, puis enfin elle avait
craint que le duc, exaspéré, ne fît quelque folie. Déjà
elle était décidée à le recevoir et à le supplier de partir
aussitôt, lorsque, le soir même de cette décision, Mme Bonacieux, qui était chargée d'aller chercher le duc et de
le conduire au Louvre, fut enlevée. Pendant deux jours
on ignora complètement ce qu'elle était devenue, et
tout resta en suspens. Mais une fois libre, une fois
remise en rapport avec La Porte, les choses avaient repris leur cours, et elle venait d'accomplir la périlleuse
entreprise que, sans son arrestation, elle eût exécutée
trois jours plus tôt.

Buckingham, resté seul, s'approcha d'une glace. Cet
habit de mousquetaire lui allait à merveille.

A trente-cinq ans qu'il avait alors, il passait à juste
titre pour le plus beau gentilhomme et pour le plus
élégant cavalier de France et d'Angleterre.

Favori de deux rois, riche à millions, tout-puissant
dans un royaume qu'il bouleversait à sa fantaisie et
calmait à son caprice, Georges Villiers, duc de Buckingham, avait entrepris une de ces existences fabu-
leuses qui restent dans le cours des siècles comme un
étonnement pour la postérité.

Aussi, sûr de lui-même, convaincu de sa puissance,
certain que les lois qui régissent les autres hommes ne
pouvaient l'atteindre, allait-il droit au but qu'il s'était
fixé, ce but fût-il si élevé et si éblouissant que c'eût été
folie pour un autre que de l'envisager seulement. C'est
ainsi qu'il était arrivé à s'approcher plusieurs fois de la

belle et fière Anne d'Autriche et à s'en faire aimer, à force d'éblouissement.

Georges Villiers se plaça donc devant une glace, comme nous l'avons dit, rendit à sa belle chevelure blonde les ondulations que le poids de son chapeau lui avait fait perdre, retroussa sa moustache, et le cœur tout gonflé de joie, heureux et fier de toucher au moment qu'il avait si longtemps désiré, se sourit à lui-même d'orgueil et d'espoir.

En ce moment, une porte cachée dans la tapisserie s'ouvrit, et une femme apparut. Buckingham vit cette apparition dans la glace ; il jeta un cri, c'était la reine !

Anne d'Autriche avait alors vingt-six ou vingt-sept ans, c'est-à-dire qu'elle se trouvait dans tout l'éclat de sa beauté.

Sa démarche était celle d'une reine ou d'une déesse ; ses yeux, qui jetaient des reflets d'émeraude, étaient parfaitement beaux, et tout à la fois pleins de douceur et de majesté.

Sa bouche était petite et vermeille, et quoique sa lèvre inférieure, comme celle des princes de la maison d'Autriche, avançât légèrement sur l'autre, elle était éminemment gracieuse dans le sourire, mais aussi profondément dédaigneuse dans le mépris.

Sa peau était citée pour sa douceur et son velouté, sa main et ses bras étaient d'une beauté surprenante, et tous les poètes du temps les chantaient comme incomparables.

Enfin ses cheveux, qui, de blonds qu'ils étaient dans sa jeunesse, étaient devenus châtains, et qu'elle portait frisés, très clairs et avec beaucoup de poudre, enca-draient admirablement son visage, auquel le censeur le plus rigide n'eût pu souhaiter qu'un peu moins de rouge, et le statuaire le plus exigeant qu'un peu plus de finesse dans le nez.

Buckingham resta un instant ébloui ; jamais Anne d'Autriche ne lui était apparue aussi belle, au milieu des bals, des fêtes, des carrousels, qu'elle lui apparut en ce moment, vêtue d'une simple robe de satin blanc et accompagnée de doña Estefania, la seule de ses femmes espagnoles qui n'eût pas été chassée par la jalousie du roi et par les persécutions de Richelieu.

Anne d'Autriche fit deux pas en avant ; Buckingham se précipita à ses genoux, et avant que la reine eût pu l'en empêcher, il baisa le bas de sa robe.

— Duc, vous savez déjà que ce n'est pas moi qui vous ai fait écrire.

— Oh ! oui, Madame, oui, Votre Majesté, s'écria le duc, je sais que j'ai été un fou, un insensé de croire que la neige s'animerait, que le marbre s'échaufferait ; mais, que voulez-vous, quand on aime, on croit facilement à l'amour ; d'ailleurs je n'ai pas tout perdu à ce voyage, puisque je vous vois.

— Oui, répondit Anne, mais vous savez pourquoi et comment je vous vois, Milord. Je vous vois par pitié pour vous-même ; je vous vois parce qu'insensible à toutes mes peines, vous vous êtes obstiné à rester dans une ville où, en restant, vous courez risque de la vie et me faites courir risque de mon honneur ; je vous vois pour vous dire que tout nous sépare, les profondeurs de la mer, l'inimitié des royaumes, la sainteté des serments. Il est sacrilège de lutter contre tant de choses, Milord. Je vous vois enfin pour vous dire qu'il ne faut plus nous voir.

— Parlez, Madame ; parlez, reine, dit Buckingham ; la douceur de votre voix couvre la dureté de vos paroles. Vous parlez de sacrilège ! mais le sacrilège est dans la séparation des cœurs que Dieu avait formés l'un pour l'autre.

— Milord, s'écria la reine, vous oubliez que je ne vous ai jamais dit que je vous aimais.

— Mais vous ne m'avez jamais dit non plus que vous ne m'aimiez point ; et vraiment, me dire de semblables paroles, ce serait de la part de Votre Majesté une trop grande ingratitude. Car, dites-moi, où trouvez-vous un amour pareil au mien, un amour que ni le temps, ni l'absence, ni le désespoir ne peuvent éteindre ; un amour qui se contente d'un ruban égaré, d'un regard perdu, d'une parole échappée ?

« Il y a trois ans, Madame, que je vous ai vue pour la première fois, et depuis trois ans je vous aime ainsi.

« Voulez-vous que je vous dise comment vous étiez vêtue la première fois que je vous vis ? Voulez-vous que je détaille chacun des ornements de votre toilette ? Tenez, je vous vois encore : vous étiez assise sur des carreaux, à la mode d'Espagne ; vous aviez une robe de satin vert avec des broderies d'or et d'argent ; des manches pendantes et renouées sur vos beaux bras, sur ces bras admirables, avec de gros diamants ; vous aviez une fraise fermée, un petit bonnet sur votre tête, de la couleur de votre robe, et sur ce bonnet une plume de héron.

« Oh! tenez, tenez, je ferme les yeux, et je vous vois telle que vous étiez alors ; je les rouvre, et je vous vois telle que vous êtes maintenant, c'est-à-dire cent fois plus belle encore! »

— Quelle folie! murmura Anne d'Autriche, qui n'avait pas le courage d'en vouloir au duc d'avoir si bien conservé son portrait dans son cœur ; quelle folie de nourrir une passion inutile avec de pareils souvenirs!

— Et avec quoi voulez-vous donc que je vive? Je

n'ai que des souvenirs, moi. C'est mon bonheur, mon
trésor, mon espérance. Chaque fois que je vous vois,
c'est un diamant de plus que je renferme dans l'écrin
de mon cœur. Celui-ci est le quatrième que vous laissez
tomber et que je ramasse ; car en trois ans, Madame,
je ne vous ai vue que quatre fois : cette première que je
viens de vous dire, la seconde chez Mme de Chevreuse,
la troisième dans les jardins d'Amiens.

— Duc, dit la reine en rougissant, ne parlez pas de
cette soirée.

— Oh! parlons-en, au contraire, Madame, parlons-en :
c'est la soirée heureuse et rayonnante de ma vie. Vous
rappelez-vous la belle nuit qu'il faisait? Comme l'air
était doux et parfumé, comme le ciel était bleu et tout
émaillé d'étoiles! Ah! cette fois, Madame, j'avais pu
être un instant seul avec vous ; cette fois, vous étiez
prête à tout me dire : l'isolement de votre vie, les chagrins de votre cœur. Vous étiez appuyée à mon bras,
tenez, à celui-ci. Je sentais, en inclinant ma tête à votre
côté, vos beaux cheveux effleurer mon visage, et chaque
fois qu'ils l'effleuraient je frissonnais de la tête aux
pieds. Oh! reine, reine! oh! vous ne savez pas tout ce
qu'il y a de félicités du ciel, de joies du paradis enfer-
mées dans un moment pareil. Tenez, mes biens, ma
fortune, ma gloire, tout ce qu'il me reste de jours à
vivre, pour un pareil instant et pour une semblable
nuit! Car cette nuit-là, Madame, cette nuit-là vous
m'aimiez, je vous le jure.

— Milord, il est possible, oui, que l'influence du lieu,
que le charme de cette belle soirée, que la fascination
de votre regard, que ces mille circonstances enfin qui
se réunissent parfois pour perdre une femme se soient
groupées autour de moi dans cette fatale soirée ; mais
vous l'avez vu, Milord, la reine est venue au secours

de la femme qui faiblissait : au premier mot que vous
avez osé dire, à la première hardiesse à laquelle j'ai eu
à répondre, j'ai appelé.

— Oh! oui, oui, cela est vrai, et un autre amour que
le mien aurait succombé à cette épreuve ; mais mon
amour, à moi, en est sorti plus ardent et plus éternel.
Vous avez cru me fuir en revenant à Paris, vous avez
cru que je n'oserais quitter le trésor sur lequel mon
maître m'avait chargé de veiller. Ah! que m'importe
à moi tous les trésors du monde et tous les rois de la
terre! Huit jours après, j'étais de retour, Madame. Cette
fois, vous n'avez rien eu à me dire ; j'avais risqué ma
faveur, ma vie, pour vous voir une seconde, je n'ai pas
même touché votre main, et vous m'avez pardonné en
me voyant si soumis et si repentant.

— Oui, mais la calomnie s'est emparée de toutes ces
folies dans lesquelles je n'étais pour rien, vous le savez
bien, Milord. Le roi, excité par M. le cardinal, a fait
un éclat terrible : Mme de Vernet a été chassée, Putange
exilé, Mme de Chevreuse est tombée en défaveur, et
lorsque vous avez voulu revenir comme ambassadeur
en France, le roi lui-même, souvenez-vous-en, Milord,
le roi lui-même s'y est opposé.

— Oui, et la France va payer d'une guerre le refus
de son roi. Je ne puis plus vous voir, Madame ; eh
bien! je veux chaque jour que vous entendiez parler de
moi.

« Quel but pensez-vous qu'aient eu cette expédition
de Ré et cette ligue avec les protestants de la Rochelle que je projette? Le plaisir de vous voir!

« Je n'ai pas l'espoir de pénétrer à main armée jusqu'à Paris, je le sais bien ; mais cette guerre pourra
amener une paix, cette paix nécessitera un négociateur, ce négociateur ce sera moi. On n'osera plus me

refuser alors, et je reviendrai à Paris, et je vous reverrai, et je serai heureux un instant. Des milliers
d'hommes, il est vrai, auront payé mon bonheur de
leur vie ; mais que m'importera, à moi, pourvu que je
vous revoie ! Tout cela est peut-être bien fou, peut-
être bien insensé ; mais, dites-moi, quelle femme a un
amant plus amoureux ? Quelle reine a eu un serviteur
plus ardent ? »

— Milord, Milord, vous invoquez pour votre défense
des choses qui vous accusent encore ; Milord, toutes ces
preuves d'amour que vous voulez me donner sont
presque des crimes.

— Parce que vous ne m'aimez pas, Madame ; si vous
m'aimiez, vous verriez tout cela autrement ; si vous
m'aimiez, oh ! mais si vous m'aimiez, ce serait trop de
bonheur et je deviendrais fou. Ah ! Mme de Chevreuse,
dont vous parliez tout à l'heure, Mme de Chevreuse a
été moins cruelle que vous ; Holland l'a aimée, et elle
a répondu à son amour.

— Mme de Chevreuse n'était pas reine, murmura
Anne d'Autriche, vaincue malgré elle par l'expression
d'un amour si profond.

— Vous m'aimeriez donc si vous ne l'étiez pas, vous,
Madame, dites, vous m'aimeriez donc ? Je puis donc
croire que c'est la dignité seule de votre rang qui vous
fait cruelle pour moi ; je puis donc croire que si vous
eussiez été Mme de Chevreuse, le pauvre Buckingham
aurait pu espérer ? Merci de ces douces paroles, ô ma
belle Majesté, cent fois merci.

— Ah ! Milord, vous avez mal entendu, mal inter-
prété ; je n'ai pas voulu dire...

— Silence ! silence ! dit le duc ; si je suis heureux
d'une erreur, n'ayez pas la cruauté de me l'enlever.
Vous l'avez dit vous-même, on m'a attiré dans un

piège, j'y laisserai ma vie peut-être, car, tenez, c'est
étrange, depuis quelque temps j'ai des pressentiments
que je vais mourir. Et le duc sourit d'un sourire triste
et charmant à la fois.

— Oh! mon Dieu! s'écria Anne d'Autriche avec un
accent d'effroi qui prouvait quel intérêt plus grand
qu'elle ne le voulait dire elle prenait au duc.

— Je ne vous dis point cela pour vous effrayer,
Madame, non ; c'est même ridicule ce que je vous dis,
et croyez que je ne me préoccupe point de pareils
rêves. Mais ce mot que vous venez de dire, cette espérance que vous m'avez presque donnée, aura tout payé,
fût-ce même ma vie.

— Eh bien! dit Anne d'Autriche, moi aussi, duc,
moi, j'ai des pressentiments, moi aussi j'ai des rêves.
J'ai songé que je vous voyais couché sanglant, frappé
d'une blessure.

— Au côté gauche, n'est-ce pas, avec un couteau?
interrompit Buckingham.

— Oui, c'est cela, Milord, c'est cela, au côté gauche,
avec un couteau. Qui a pu vous dire que j'avais fait ce
rêve? Je ne l'ai confié qu'à Dieu, et encore dans mes
prières.

— Je n'en veux pas davantage, et vous m'aimez,
Madame, c'est bien.

— Je vous aime, moi?

— Oui, vous. Dieu vous enverrait-il les mêmes rêves
qu'à moi, si vous ne m'aimiez pas? Aurions-nous les
mêmes pressentiments, si nos deux existences ne se
touchaient pas par le cœur? Vous m'aimez, ô reine, et
vous me pleurerez?

— Oh! mon Dieu! mon Dieu! s'écria Anne d'Autriche, c'est plus que je n'en puis supporter. Tenez,
duc, au nom du ciel, partez, retirez-vous ; je ne sais si

je vous aime, ou si je ne vous aime pas ; mais ce que
je sais, c'est que je ne serai point parjure. Prenez donc
pitié de moi, et partez. Oh! si vous êtes frappé en
France, si vous mourez en France, si je pouvais supposer que votre amour pour moi fût cause de votre mort,
je ne me consolerais jamais, j'en deviendrais folle. Partez donc, partez, je vous en supplie.

— Oh! que vous êtes belle ainsi! Oh! que je vous
aime! dit Buckingham.

— Partez! partez! je vous en supplie, et revenez
plus tard ; revenez comme ambassadeur, revenez comme
ministre, revenez entouré de gardes qui vous défendront,
de serviteurs qui veilleront sur vous, et alors je ne crain-
drai plus pour vos jours, et j'aurai du bonheur à vous
revoir.

— Oh! est-ce bien vrai ce que vous me dites?

— Oui...

— Eh bien! un gage de votre indulgence, un objet
qui vienne de vous et qui me rappelle que je n'ai point
fait un rêve ; quelque chose que vous ayez porté et que
je puisse porter à mon tour, une bague, un collier, une
chaîne.

— Et partirez-vous, partirez-vous, si je vous donne
ce que vous me demandez?

— Oui.

— A l'instant même?

— Oui.

— Vous quitterez la France, vous retournerez en
Angleterre?

— Oui, je vous le jure!

— Attendez, alors, attendez.

Et Anne d'Autriche rentra dans son appartement et
en sortit presque aussitôt, tenant à la main un petit
coffret en bois de rose à son chiffre, tout incrusté d'or.

— Tenez, Milord duc, tenez, dit-elle, gardez cela en mémoire de moi.

Buckingham prit le coffret et tomba une seconde fois à genoux.

— Vous m'avez promis de partir, dit la reine.

— Et je tiens ma parole. Votre main, votre main, Madame, et je pars.

Anne d'Autriche tendit sa main en fermant les yeux et en s'appuyant de l'autre sur Estefania, car elle sentait que les forces allaient lui manquer.

Buckingham appuya avec passion ses lèvres sur cette belle main, puis se relevant :

— Avant six mois, dit-il, si je ne suis pas mort, je vous aurai revue, Madame, dussé-je bouleverser le monde pour cela.

Et fidèle à la promesse qu'il avait faite, il s'élança hors de l'appartement.

Dans le corridor, il rencontra Mᵐᵉ Bonacieux qui l'attendait, et qui, avec les mêmes précautions et le même bonheur, le reconduisit hors du Louvre.

XIII

MONSIEUR BONACIEUX

Il y avait dans tout cela, comme on a pu le remarquer, un personnage dont, malgré sa position précaire, on n'avait paru s'inquiéter que fort médiocrement ; ce personnage était M. Bonacieux, respectable martyr des intrigues politiques et amoureuses qui s'enchevêtraient si bien les unes aux autres, dans cette époque à la fois si chevaleresque et si galante.

Heureusement — le lecteur se le rappelle ou ne se le rappelle pas — heureusement que nous avons promis de ne pas le perdre de vue.

Les estafiers qui l'avaient arrêté le conduisirent droit à la Bastille, où on le fit passer tout tremblant devant un peloton de soldats qui chargeaient leurs mousquets.

De là, introduit dans une galerie demi-souterraine, il fut, de la part de ceux qui l'avaient amené, l'objet des plus grossières injures et des plus farouches traitements. Les sbires voyaient qu'ils n'avaient pas affaire à un gentilhomme, et ils le traitaient en véritable croquant.

Au bout d'une demi-heure à peu près, un greffier vint mettre fin à ses tortures, mais non pas à ses inquiétudes, en donnant l'ordre de conduire M. Bonacieux dans la chambre des interrogatoires. Ordinairement on interrogeait les prisonniers chez eux, mais avec M. Bonacieux on n'y faisait pas tant de façons.

Deux gardes s'emparèrent du mercier, lui firent traverser une cour, le firent entrer dans un corridor où il y avait trois sentinelles, ouvrirent une porte et le poussèrent dans une chambre basse, où il n'y avait pour tous meubles qu'une table, une chaise et un commissaire. Le commissaire était assis sur la chaise et occupé à écrire sur la table.

Les deux gardes conduisirent le prisonnier devant la table et, sur un signe du commissaire, s'éloignèrent hors de la portée de la voix.

Le commissaire, qui jusque-là avait tenu sa tête baissée sur ses papiers, la releva pour voir à qui il avait affaire. Ce commissaire était un homme à la mine rébarbative, au nez pointu, aux pommettes jaunes et saillantes, aux yeux petits mais investigateurs et vifs, à la physionomie tenant à la fois de la fouine et du renard. Sa tête, supportée par un cou long et mobile, sortait

de sa large robe noire en se balançant avec un mouvement à peu près pareil à celui de la tortue tirant sa
tête hors de sa carapace.

Il commença par demander à M. Bonacieux ses nom
et prénoms, son âge, son état et son domicile.

L'accusé répondit qu'il s'appelait Jacques-Michel Bonacieux, qu'il était âgé de 51 ans, mercier retiré, et
qu'il demeurait rue des Fossoyeurs, n° 11.

Le commissaire alors, au lieu de continuer à l'interroger, lui fit un grand discours sur le danger qu'il y a
pour un bourgeois obscur à se mêler des choses publiques.

Il compliqua cet exorde d'une exposition dans laquelle
il raconta la puissance et les actes de M. le cardinal, ce
ministre incomparable, ce vainqueur des ministres
passés, cet exemple des ministres à venir : actes et puissance que nul ne contrecarrait impunément.

Après cette deuxième partie de son discours, fixant
son regard d'épervier sur le pauvre Bonacieux, il l'invita
à réfléchir à la gravité de sa situation.

Les réflexions du mercier étaient toutes faites ; il
donnait au diable l'instant où M. de La Porte avait eu
l'idée de le marier avec sa filleule, et l'instant surtout
où cette filleule avait été reçue dame de la lingerie chez
la reine.

Le fond du caractère de maître Bonacieux était un
profond égoïsme mêlé à une avarice sordide, le tout
assaisonné d'une poltronnerie extrême. L'amour que
lui avait inspiré sa jeune femme, étant un sentiment
tout secondaire, ne pouvait lutter avec les sentiments
primitifs que nous venons d'énumérer.

Bonacieux réfléchit, en effet, sur ce qu'on venait de
lui dire.

— Mais, Monsieur le commissaire, dit-il timidement,

croyez bien que je connais et que j'apprécie plus que
personne le mérite de l'incomparable Éminence par laquelle nous avons l'honneur d'être gouvernés.

— Vraiment? demanda le commissaire d'un air de
doute ; mais s'il en était véritablement ainsi, comment
seriez-vous à la Bastille?

— Comment j'y suis, ou plutôt pourquoi j'y suis,
répliqua M. Bonacieux, voilà ce qu'il m'est parfaitement impossible de vous dire, vu que je l'ignore moi-
même ; mais, à coup sûr, ce n'est pas pour avoir déso-
bligé, sciemment du moins, M. le cardinal.

— Il faut cependant que vous ayez commis un crime,
puisque vous êtes ici accusé de haute trahison.

— De haute trahison! s'écria Bonacieux épouvanté,
de haute trahison! Et comment voulez-vous qu'un
pauvre mercier qui déteste les huguenots et qui abhorre
les Espagnols soit accusé de haute trahison? Réfléchissez, Monsieur, la chose est matériellement impossible.

— Monsieur Bonacieux, dit le commissaire en regardant l'accusé comme si ses petits yeux avaient la faculté
de lire jusqu'au plus profond des cœurs, Monsieur Bonacieux, vous avez une femme?

— Oui, Monsieur, répondit le mercier tout tremblant, sentant que c'était là où les affaires allaient s'em-
brouiller ; c'est-à-dire, j'en avais une.

— Comment? vous en aviez une! Qu'en avez-vous
fait, si vous ne l'avez plus?

— On me l'a enlevée, Monsieur.

— On vous l'a enlevée? dit le commissaire. Ah!

Bonacieux sentit à ce « ah! » que l'affaire s'embrouil-
lait de plus en plus.

— On vous l'a enlevée! reprit le commissaire, et
savez-vous quel est l'homme qui a commis ce rapt?

— Je crois le connaître.

— Quel est-il ?

— Songez que je n'affirme rien, Monsieur le commissaire, et que je soupçonne seulement.

— Qui soupçonnez-vous ? Voyons, répondez franchement.

M. Bonacieux était dans la plus grande perplexité : devait-il tout nier ou tout dire ? En niant tout, on pouvait croire qu'il en savait trop long pour avouer ; en disant tout, il faisait preuve de bonne volonté. Il se décida donc à tout dire.

— Je soupçonne, dit-il, un grand brun, de haute mine, lequel a tout à fait l'air d'un grand seigneur ; il nous a suivis plusieurs fois, à ce qu'il m'a semblé, quand j'attendais ma femme devant le guichet du Louvre pour la ramener chez moi.

Le commissaire parut éprouver quelque inquiétude.

— Et son nom ? dit-il.

— Oh ! quant à son nom, je n'en sais rien, mais si je le rencontre jamais, je le reconnaîtrai à l'instant même, je vous en réponds, fût-il entre mille personnes.

Le front du commissaire se rembrunit.

— Vous le reconnaîtriez entre mille, dites-vous ? continua-t-il...

— C'est-à-dire, reprit Bonacieux, qui vit qu'il avait fait fausse route, c'est-à-dire...

— Vous avez répondu que vous le reconnaîtriez, dit le commissaire ; c'est bien, en voici assez pour aujourd'hui ; il faut, avant que nous allions plus loin, que quelqu'un soit prévenu que vous connaissez le ravisseur de votre femme.

— Mais je ne vous ai pas dit que je le connaissais ! s'écria Bonacieux au désespoir. Je vous ai dit au contraire...

— Emmenez le prisonnier, dit le commissaire aux deux gardes.

— Et où faut-il le conduire? demanda le greffier.

— Dans un cachot.

— Dans lequel?

— Oh! mon Dieu, dans le premier venu, pourvu qu'il ferme bien, répondit le commissaire avec une indifférence qui pénétra d'horreur le pauvre Bonacieux.

— Hélas! hélas! se dit-il, le malheur est sur ma tête; ma femme aura commis quelque crime effroyable; on me croit son complice, et l'on me punira avec elle; elle en aura parlé, elle aura avoué qu'elle m'avait tout dit; une femme, c'est si faible! Un cachot, le premier venu! c'est cela! une nuit est bientôt passée; et demain, à la roue, à la potence! Oh! mon Dieu! mon Dieu! ayez pitié de moi!

Sans écouter le moins du monde les lamentations de maître Bonacieux, lamentations auxquelles d'ailleurs ils devaient être habitués, les deux gardes prirent le prisonnier par un bras, et l'emmenèrent, tandis que le commissaire écrivait en hâte une lettre que son greffier attendait.

Bonacieux ne ferma pas l'œil, non pas que son cachot fût par trop désagréable, mais parce que ses inquiétudes étaient trop grandes. Il resta toute la nuit sur son escabeau, tressaillant au moindre bruit; et quand les premiers rayons du jour se glissèrent dans sa chambre, l'aurore lui parut avoir pris des teintes funèbres.

Tout à coup, il entendit tirer les verrous, et fit un soubresaut terrible. Il croyait qu'on venait le chercher pour le conduire à l'échafaud; aussi, lorsqu'il vit purement et simplement paraître, au lieu de l'exécuteur qu'il attendait, son commissaire et son greffier de la veille, il fut tout près de leur sauter au cou.

— Votre affaire s'est fort compliquée depuis hier au soir, mon brave homme, lui dit le commissaire, et je vous conseille de dire toute la vérité ; car votre repentir peut seul conjurer la colère du cardinal.

— Mais je suis prêt à tout dire, s'écria Bonacieux, du moins tout ce que je sais. Interrogez, je vous prie.

— Où est votre femme, d'abord ?

— Mais puisque je vous ai dit qu'on me l'avait enlevée.

— Oui, mais depuis hier cinq heures de l'après-midi, grâce à vous, elle s'est échappée.

— Ma femme s'est échappée ! s'écria Bonacieux. Oh ! la malheureuse ! Monsieur, si elle s'est échappée, ce n'est pas ma faute, je vous le jure.

— Qu'alliez-vous donc alors faire chez M. d'Artagnan, votre voisin, avec lequel vous avez eu une longue conférence dans la journée ?

— Ah ! oui, Monsieur le commissaire, oui, cela est vrai, et j'avoue que j'ai eu tort. J'ai été chez M. d'Artagnan.

— Quel était le but de cette visite ?

— De le prier de m'aider à retrouver ma femme. Je croyais que j'avais le droit de la réclamer ; je me trompais, à ce qu'il paraît, et je vous en demande bien pardon.

— Et qu'a répondu M. d'Artagnan ?

— M. d'Artagnan m'a promis son aide ; mais je me suis bientôt aperçu qu'il me trahissait.

— Vous en imposez à la justice ! M. d'Artagnan a fait un pacte avec vous, et en vertu de ce pacte il a mis en fuite les hommes de police qui avaient arrêté votre femme, et l'a soustraite à toutes les recherches.

— M. d'Artagnan a enlevé ma femme ! Ah çà ! mais que me dites-vous là ?

— Heureusement M. d'Artagnan est entre nos mains, et vous allez lui être confronté.

— Ah! ma foi, je ne demande pas mieux, s'écria Bonacieux ; je ne serais pas fâché de voir une figure de connaissance.

— Faites entrer M. d'Artagnan, dit le commissaire aux deux gardes.

Les deux gardes firent entrer Athos.

— Monsieur d'Artagnan, dit le commissaire en s'adressant à Athos, déclarez ce qui s'est passé entre vous et Monsieur.

— Mais! s'écria Bonacieux, ce n'est pas M. d'Artagnan que vous me montrez là!

— Comment! ce n'est pas M. d'Artagnan? s'écria le commissaire.

— Pas le moins du monde, répondit Bonacieux.

— Comment se nomme Monsieur? demanda le commissaire.

— Je ne puis vous le dire, je ne le connais pas.

— Comment! vous ne le connaissez pas?

— Non.

— Vous ne l'avez jamais vu?

— Si fait ; mais je ne sais comment il s'appelle.

— Votre nom? demanda le commissaire.

— Athos, répondit le mousquetaire.

— Mais ce n'est pas un nom d'homme, ça, c'est un nom de montagne! s'écria le pauvre interrogateur qui commençait à perdre la tête.

— C'est mon nom, dit tranquillement Athos.

— Mais vous avez dit que vous vous nommiez d'Artagnan.

— Moi?

— Oui, vous.

— C'est-à-dire que c'est à moi qu'on a dit : « Vous

êtes M. d'Artagnan ? » J'ai répondu : « Vous croyez ? »
Mes gardes se sont écriés qu'ils en étaient sûrs. Je n'ai
pas voulu les contrarier. D'ailleurs je pouvais me
tromper.

— Monsieur, vous insultez à la majesté de la justice.

— Aucunement, fit tranquillement Athos.

— Vous êtes M. d'Artagnan.

— Vous voyez bien que vous me le dites encore.

— Mais, s'écria à son tour M. Bonacieux, je vous dis,
Monsieur le commissaire, qu'il n'y a pas un instant de
doute à avoir. M. d'Artagnan est mon hôte, et par
conséquent, quoiqu'il ne me paye pas mes loyers, et
justement même à cause de cela, je dois le connaître.
M. d'Artagnan est un jeune homme de dix-neuf à vingt
ans à peine, et Monsieur en a trente au moins. M. d'Artagnan est dans les gardes de M. des Essarts, et Monsieur
est dans la compagnie des mousquetaires de M. de Tréville : regardez l'uniforme, Monsieur le commissaire,
regardez l'uniforme.

— C'est vrai, murmura le commissaire ; c'est pardieu
vrai.

En ce moment la porte s'ouvrit vivement, et un messager, introduit par un des guichetiers de la Bastille,
remit une lettre au commissaire.

— Oh! la malheureuse! s'écria le commissaire.

— Comment ? Que dites-vous ? De qui parlez-vous ?
Ce n'est pas de ma femme, j'espère !

— Au contraire, c'est d'elle. Votre affaire est bonne,
allez.

— Ah çà! s'écria le mercier exaspéré, faites-moi le
plaisir de me dire, Monsieur, comment mon affaire
à moi peut s'empirer de ce que fait ma femme pendant
que je suis en prison!

— Parce que ce qu'elle fait est la suite d'un plan arrêté entre vous, plan infernal!

— Je vous jure, Monsieur le commissaire, que vous êtes dans la plus profonde erreur, que je ne sais rien au monde de ce que devait faire ma femme, que je suis entièrement étranger à ce qu'elle a fait, et que, si elle a fait des sottises, je la renie, je la démens, je la maudis.

— Ah çà! dit Athos au commissaire, si vous n'avez plus besoin de moi ici, renvoyez-moi quelque part, il est très ennuyeux, votre Monsieur Bonacieux.

— Reconduisez les prisonniers dans leurs cachots, dit le commissaire en désignant d'un même geste Athos et Bonacieux, et qu'ils soient gardés plus sévèrement que jamais.

— Cependant, ·dit Athos avec son calme habituel, si c'est à M. d'Artagnan que vous avez affaire, je ne vois pas trop en quoi je puis le remplacer.

— Faites ce que j'ai dit! s'écria le commissaire, et le secret le plus absolu! Vous entendez!

Athos suivit ses gardes en levant les épaules, et M. Bonacieux en poussant des lamentations à fendre le cœur d'un tigre.

On ramena le mercier dans le même cachot où il avait passé la nuit, et l'on l'y laissa toute la journée. Toute la journée Bonacieux pleura comme un véritable mercier, n'étant pas du tout homme d'épée, il nous l'a dit lui-même.

Le soir, vers les neuf heures, au moment où il allait se décider à se mettre au lit, il entendit des pas dans son corridor. Ces pas se rapprochèrent de son cachot, sa porte s'ouvrit, des gardes parurent.

— Suivez-mòi, dit un exempt qui venait à la suite des gardes.

— Vous suivre! s'écria Bonacieux ; vous suivre à cette heure-ci! Et où cela, mon Dieu?

— Où nous avons l'ordre de vous conduire.

— Mais ce n'est pas une réponse, cela.

— C'est cependant la seule que nous puissions vous faire.

— Ah! mon Dieu, mon Dieu, murmura le pauvre mercier, pour cette fois je suis perdu!

Et il suivit machinalement et sans résistance les gardes qui venaient le quérir.

Il prit le même corridor qu'il avait déjà pris, traversa une première cour, puis un second corps de logis ; enfin, à la porte de la cour d'entrée, il trouva une voiture entourée de quatre gardes à cheval. On le fit monter dans cette voiture, l'exempt se plaça près de lui, on ferma la portière à clef, et tous deux se trouvèrent dans une prison roulante.

La voiture se mit en mouvement, lente comme un char funèbre. A travers la grille cadenassée, le prisonnier apercevait les maisons et le pavé, voilà tout ; mais, en véritable Parisien qu'il était, Bonacieux reconnaissait chaque rue aux bornes, aux enseignes, aux réverbères. Au moment d'arriver à Saint-Paul, lieu où l'on exécutait les condamnés de la Bastille, il faillit s'évanouir et se signa deux fois. Il avait cru que la voiture devait s'arrêter là. La voiture passa cependant.

Plus loin une grande terreur le prit encore, ce fut en côtoyant le cimetière Saint-Jean où on enterrait les criminels d'État. Une seule chose le rassura un peu, c'est qu'avant de les enterrer on leur coupait généralement la tête, et que sa tête à lui était encore sur ses épaules. Mais lorsqu'il vit que la voiture prenait la route de la Grève, qu'il aperçut les toits aigus de l'hôtel de ville, que la voiture s'engagea sous l'arcade, il crut que tout était fini pour lui, voulut se confesser à l'exempt, et, sur son refus, poussa des cris si pitoyables que l'exempt annonça que, s'il continuait à l'assourdir ainsi, il lui mettrait un bâillon.

Cette menace rassura quelque peu Bonacieux : si l'on eût dû l'exécuter en Grève, ce n'était pas la peine de le bâillonner, puisqu'on était presque arrivé au lieu de l'exécution. En effet, la voiture traversa la place fatale sans s'arrêter. Il ne restait plus à craindre que la Croix-du-Trahoir : la voiture en prit justement le chemin.

Cette fois, il n'y avait plus de doute, c'était à la Croix-du-Trahoir qu'on exécutait les criminels subalternes. Bonacieux s'était flatté en se croyant digne de Saint-Paul ou de la place de Grève : c'était à la Croix-du-Trahoir qu'allaient finir son voyage et sa destinée! Il ne pouvait voir encore cette malheureuse croix, mais il la sentait en quelque sorte venir au-devant de lui. Lorsqu'il n'en fut plus qu'à une vingtaine de pas, il entendit une rumeur, et la voiture s'arrêta. C'était plus que n'en pouvait supporter le pauvre Bonacieux, déjà écrasé par les émotions successives qu'il avait éprouvées ; il poussa un faible gémissement, qu'on eût pu prendre pour le dernier soupir d'un moribond, et il s'évanouit.

XIV

L'HOMME DE MEUNG

Ce rassemblement était produit non point par l'attente d'un homme qu'on devait pendre, mais par la contemplation d'un pendu.

La voiture, arrêtée un instant, reprit donc sa marche, traversa la foule, continua son chemin, enfila la rue Saint-Honoré, tourna la rue des Bons-Enfants et s'arrêta devant une porte basse.

La porte s'ouvrit, deux gardes reçurent dans leurs bras Bonacieux, soutenu par l'exempt ; on le poussa dans une allée, on lui fit monter un escalier, et on le déposa dans une antichambre.

Tous ces mouvements s'étaient opérés pour lui d'une façon machinale.

Il avait marché comme on marche en rêve ; il avait entrevu les objets à travers un brouillard ; ses oreilles avaient perçu des sons sans les comprendre ; on eût pu l'exécuter dans ce moment qu'il n'eût pas fait un geste pour entreprendre sa défense, qu'il n'eût pas poussé un cri pour implorer la pitié.

Il resta donc ainsi sur la banquette, le dos appuyé au mur et les bras pendants, à l'endroit même où les gardes l'avaient déposé.

Cependant comme, en regardant autour de lui, il ne voyait aucun objet menaçant, comme rien n'indiquait qu'il courût un danger réel, comme la banquette était convenablement rembourrée, comme la muraille était recouverte d'un beau cuir de Cordoue, comme de grands rideaux de damas rouge flottaient devant la fenêtre, retenus par des embrasses d'or, il comprit peu à peu que sa frayeur était exagérée, et il commença de remuer la tête à droite et à gauche et de bas en haut.

A ce mouvement, auquel personne ne s'opposa, il reprit un peu de courage et se risqua à ramener une jambe, puis l'autre ; enfin, en s'aidant de ses deux mains, il se souleva sur sa banquette et se trouva sur ses pieds.

En ce moment, un officier de bonne mine ouvrit une portière, continua d'échanger encore quelques paroles avec une personne qui se trouvait dans la pièce voisine, et se retournant vers le prisonnier :

— C'est vous qui vous nommez Bonacieux ? dit-il.

— Oui, Monsieur l'officier, balbutia le mercier, plus mort que vif, pour vous servir.

— Entrez, dit l'officier.

Et il s'effaça pour que le mercier pût passer. Celui-ci obéit sans réplique, et entra dans la chambre où il paraissait être attendu.

C'était un grand cabinet, aux murailles garnies d'armes offensives et défensives, clos et étouffé, et dans lequel il y avait déjà du feu, quoique l'on fût à peine à la fin du mois de septembre. Une table carrée, couverte de livres et de papiers sur lesquels était déroulé un plan immense de la ville de La Rochelle, tenait le milieu de l'appartement.

Debout devant la cheminée était un homme de moyenne taille, à la mine haute et fière, aux yeux perçants, au front large, à la figure amaigrie qu'allongeait encore une royale surmontée d'une paire de moustaches. Quoique cet homme eût trente-six à trente-sept ans à peine, cheveux, moustache et royale s'en allaient grisonnant. Cet homme, moins l'épée, avait toute la mine d'un homme de guerre, et ses bottes de buffle encore légèrement couvertes de poussière indiquaient qu'il avait monté à cheval dans la journée.

Cet homme, c'était Armand-Jean Duplessis, cardinal de Richelieu, non point tel qu'on nous le représente, cassé comme un vieillard, souffrant comme un martyr, le corps brisé, la voix éteinte, enterré dans un grand fauteuil comme dans une tombe anticipée, ne vivant plus que par la force de son génie, et ne soutenant plus la lutte avec l'Europe que par l'éternelle application de sa pensée ; mais tel qu'il était réellement à cette

époque, c'est-à-dire adroit et galant cavalier, faible de
corps déjà, mais soutenu par cette puissance morale
qui a fait de lui un des hommes les plus extraordinaires
qui aient existé ; se préparant enfin, après avoir soutenu
le duc de Nevers dans son duché de Mantoue, après
avoir pris Nîmes, Castres et Uzès, à chasser les Anglais
de l'île de Ré et à faire le siège de La Rochelle.

A la première vue, rien ne dénotait donc le cardinal,
et il était impossible à ceux-là qui ne connaissaient
point son visage de deviner devant qui ils se trouvaient.

Le pauvre mercier demeura debout à la porte, tandis
que les yeux du personnage que nous venons de décrire
se fixaient sur lui et semblaient vouloir pénétrer jusqu'au
fond du passé.

— C'est là ce Bonacieux ? demanda-t-il après un
moment de silence.

— Oui, Monseigneur, reprit l'officier.

— C'est bien, donnez-moi ces papiers et laissez-nous.

L'officier prit sur la table les papiers désignés, les
remit à celui qui les demandait, s'inclina jusqu'à terre,
et sortit.

Bonacieux reconnut dans ces papiers ses interrogatoires de la Bastille. De temps en temps, l'homme de la
cheminée levait les yeux de dessus les écritures, et les
plongeait comme deux poignards jusqu'au fond du cœur
du pauvre mercier.

Au bout de dix minutes de lecture et dix secondes
d'examen, le cardinal était fixé.

« Cette tête-là n'a jamais conspiré, murmura-t-il ;
mais n'importe, voyons toujours. »

— Vous êtes accusé de haute trahison, dit lentement
le cardinal.

— C'est ce qu'on m'a déjà appris, Monseigneur,
s'écria Bonacieux, donnant à son interrogateur le titre

qu'il avait entendu l'officier lui donner ; mais je vous jure que je n'en savais rien.

Le cardinal réprima un sourire.

— Vous avez conspiré avec votre femme, avec Mme de Chevreuse et avec Milord duc de Buckingham.

— En effet, Monseigneur, répondit le mercier, je l'ai entendue prononcer tous ces noms-là.

— Et à quelle occasion ?

— Elle disait que le cardinal de Richelieu avait attiré le duc de Buckingham à Paris pour le perdre et pour perdre la reine avec lui.

— Elle disait cela ? s'écria le cardinal avec violence.

— Oui, Monseigneur ; mais moi je lui ai dit qu'elle avait tort de tenir de pareils propos, et que Son Éminence était incapable...

— Taisez-vous, vous êtes un imbécile, reprit le cardinal.

— C'est justement ce que ma femme m'a répondu, Monseigneur.

— Savez-vous qui a enlevé votre femme ?

— Non, Monseigneur.

— Vous avez des soupçons, cependant ?

— Oui, Monseigneur ; mais ces soupçons ont paru contrarier M. le commissaire, et je ne les ai plus.

— Votre femme s'est échappée, le saviez-vous ?

— Non, Monseigneur, je l'ai appris depuis que je suis en prison, et toujours par l'entremise de M. le commissaire, un homme bien aimable !

Le cardinal réprima un second sourire.

— Alors vous ignorez ce que votre femme est devenue depuis sa fuite ?

— Absolument, Monseigneur ; mais elle a dû rentrer au Louvre.

— A une heure du matin elle n'y était pas rentrée encore.

— Ah! mon Dieu! mais qu'est-elle devenue alors?

— On le saura, soyez tranquille ; on ne cache rien au cardinal ; le cardinal sait tout.

— En ce cas, Monseigneur, est-ce que vous croyez que le cardinal consentira à me dire ce qu'est devenue ma femme?

— Peut-être ; mais il faut d'abord que vous avouiez tout ce que vous savez relativement aux relations de votre femme avec Mme de Chevreuse.

— Mais, Monseigneur, je n'en sais rien ; je ne l'ai jamais vue.

— Quand vous alliez chercher votre femme au Louvre, revenait-elle directement chez vous?

— Presque jamais : elle avait affaire à des marchands de toile, chez lesquels je la conduisais.

— Et combien y en avait-il de marchands de toile?

— Deux, Monseigneur.

— Où demeurent-ils?

— Un, rue de Vaugirard ; l'autre, rue de La Harpe.

— Entriez-vous chez eux avec elle?

— Jamais, Monseigneur ; je l'attendais à la porte.

— Et quel prétexte vous donnait-elle pour entrer ainsi toute seule?

— Elle ne m'en donnait pas ; elle me disait d'attendre, et j'attendais.

— Vous êtes un mari complaisant, mon cher Monsieur Bonacieux! dit le cardinal.

— Il m'appelle son cher Monsieur! dit en lui-même le mercier. Peste! les affaires vont bien!

— Reconnaîtriez-vous ces portes?

— Oui.

— Savez-vous les numéros?

— Oui.

— Quels sont-ils?

— N° 25, dans la rue de Vaugirard; n° 75, dans la rue de La Harpe.

— C'est bien, dit le cardinal.

A ces mots, il prit une sonnette d'argent, et sonna; l'officier rentra.

— Allez, dit-il à demi-voix, me chercher Rochefort; et qu'il vienne, à l'instant même, s'il est rentré.

— Le comte est là, dit l'officier, il demande instamment à parler à Votre Éminence!

— A Votre Éminence! murmura Bonacieux, qui savait que tel était le titre qu'on donnait d'ordinaire à M. le cardinal, ... à Votre Éminence!

— Qu'il vienne alors, qu'il vienne! dit vivement Richelieu.

L'officier s'élança hors de l'appartement, avec cette rapidité que mettaient d'ordinaire tous les serviteurs du cardinal à lui obéir.

— A Votre Éminence! murmurait Bonacieux en roulant des yeux égarés.

Cinq secondes ne s'étaient pas écoulées depuis la disparition de l'officier, que la porte s'ouvrit et qu'un nouveau personnage entra.

— C'est lui! s'écria Bonacieux.

— Qui lui? demanda le cardinal.

— Celui qui m'a enlevé ma femme.

Le cardinal sonna une seconde fois. L'officier reparut.

— Remettez cet homme aux mains de ses deux gardes, et qu'il attende que je le rappelle devant moi.

— Non, Monseigneur! non, ce n'est pas lui! s'écria Bonacieux; non, je m'étais trompé, c'est un autre qui ne lui ressemble pas du tout! Monsieur est un honnête homme.

— Emmenez cet imbécile! dit le cardinal.

L'officier prit Bonacieux sous le bras, et le reconduisit dans l'antichambre où il trouva ses deux gardes.

Le nouveau personnage qu'on venait d'introduire suivit des yeux avec impatience Bonacieux jusqu'à ce qu'il fût sorti, et dès que la porte se fut refermée sur lui :

— Ils se sont vus, dit-il en s'approchant vivement du cardinal.

— Qui? demanda Son Éminence.

— Elle et lui.

— La reine et le duc? s'écria Richelieu.

— Oui.

— Et où cela?

— Au Louvre.

— Vous en êtes sûr?

— Parfaitement sûr.

— Qui vous l'a dit?

— Mme de Lannoy, qui est toute à Votre Éminence, comme vous le savez.

— Pourquoi ne l'a-t-elle pas dit plus tôt?

— Soit hasard, soit défiance, la reine a fait coucher Mme de Surgis dans sa chambre, et l'a gardée toute la journée.

— C'est bien, nous sommes battus. Tâchons de prendre notre revanche.

— Je vous y aiderai de toute mon âme, Monseigneur, soyez tranquille.

— Comment cela s'est-il passé?

— A minuit et demie, la reine était avec ses femmes...

— Où cela?

— Dans sa chambre à coucher...

— Bien.

— Lorsqu'on est venu lui remettre un mouchoir de la part de sa dame de lingerie...

— Après?

— Aussitôt la reine a manifesté une grande émotion, et, malgré le rouge dont elle avait le visage couvert, elle a pâli.

— Après! après!

— Cependant, elle s'est levée, et d'une voix altérée : « Mesdames, a-t-elle dit, attendez-moi dix minutes, puis je reviens. » Et elle a ouvert la porte de son alcôve, puis elle est sortie.

— Pourquoi Mme de Lannoy n'est-elle pas venue vous prévenir à l'instant même?

— Rien n'était bien certain encore; d'ailleurs, la reine avait dit : « Mesdames, attendez-moi »; et elle n'osait désobéir à la reine.

— Et combien de temps la reine est-elle restée hors de la chambre?

— Trois quarts d'heure.

— Aucune de ses femmes ne l'accompagnait?

— Doña Estefania seulement.

— Et elle est rentrée ensuite?

— Oui, mais pour prendre un petit coffret de bois rose à son chiffre, et sortir aussitôt.

— Et quand elle est rentrée, plus tard, a-t-elle rapporté le coffret?

— Non.

— Mme de Lannoy savait-elle ce qu'il y avait dans ce coffret?

— Oui : les ferrets en diamants que Sa Majesté a donnés à la reine.

— Et elle est rentrée sans ce coffret?

— Oui.

— L'opinion de Mme de Lannoy est qu'elle les a remis alors à Buckingham?

— Elle en est sûre.

— Comment cela?

— Pendant la journée, Mme de Lannoy, en sa qualité de dame d'atours de la reine, a cherché ce coffret, a paru inquiète de ne pas le trouver et a fini par en demander des nouvelles à la reine.

— Et alors, la reine...?

— La reine est devenue fort rouge et a répondu qu'ayant brisé la veille un de ses ferrets, elle l'avait envoyé raccommoder chez son orfèvre.

— Il faut y passer et s'assurer si la chose est vraie ou non.

— J'y suis passé.

— Eh bien! l'orfèvre?

— L'orfèvre n'a entendu parler de rien.

— Bien! bien! Rochefort, tout n'est pas perdu, et peut-être... peut-être tout est-il pour le mieux!

— Le fait est que je ne doute pas que le génie de Votre Éminence...

— Ne répare les bêtises de mon agent, n'est-ce pas?

— C'est justement ce que j'allais dire, si Votre Éminence m'avait laissé achever ma phrase.

— Maintenant, savez-vous où se cachaient la duchesse de Chevreuse et le duc de Buckingham?

— Non, Monseigneur, mes gens n'ont pu rien me dire de positif là-dessus.

— Je le sais, moi.

— Vous, Monseigneur?

— Oui, ou du moins je m'en doute. Ils se tenaient, l'un rue de Vaugirard, n° 25, et l'autre rue de La Harpe, n° 75.

— Votre Éminence veut-elle que je les fasse arrêter tous deux?

— Il sera trop tard, ils seront partis.

— N'importe, on peut s'en assurer.

— Prenez dix hommes de mes gardes, et fouillez les deux maisons.

— J'y vais, Monseigneur.

Et Rochefort s'élança hors de l'appartement.

Le cardinal, resté seul, réfléchit un instant et sonna une troisième fois.

Le même officier reparut.

— Faites entrer le prisonnier, dit le cardinal.

Maître Bonacieux fut introduit de nouveau, et, sur un signe du cardinal, l'officier se retira.

— Vous m'avez trompé, dit sévèrement le cardinal.

— Moi, s'écria Bonacieux, moi, tromper Votre Éminence !

— Votre femme, en allant rue de Vaugirard et rue de La Harpe, n'allait pas chez des marchands de toile.

— Et où allait-elle, juste Dieu ?

— Elle allait chez la duchesse de Chevreuse et chez le duc de Buckingham.

— Oui, dit Bonacieux rappelant tous ses souvenirs, oui, c'est cela, Votre Éminence a raison. J'ai dit plusieurs fois à ma femme qu'il était étonnant que des marchands de toile demeurassent dans des maisons pareilles, dans des maisons qui n'avaient pas d'enseignes, et chaque fois ma femme s'est mise à rire. Ah ! Monseigneur, continua Bonacieux en se jetant aux pieds de l'Éminence, ah ! que vous êtes bien le cardinal, le grand cardinal, l'homme de génie que tout le monde révère.

Le cardinal, tout médiocre qu'était le triomphe remporté sur un être aussi vulgaire que l'était Bonacieux, n'en jouit pas moins un instant ; puis, presque aussitôt, comme si une nouvelle pensée se présentait à son esprit, un sourire plissa ses lèvres, et tendant la main au mercier :

— Relevez-vous, mon ami, lui dit-il, vous êtes un brave homme.

— Le cardinal m'a touché la main! J'ai touché la main du grand homme! s'écria Bonacieux; le grand homme m'a appelé son ami!

— Oui, mon ami; oui! dit le cardinal avec ce ton paterne qu'il savait prendre quelquefois, mais qui ne trompait que les gens qui ne le connaissaient pas; et comme on vous a soupçonné injustement, eh bien! il vous faut une indemnité : tenez! prenez ce sac de cent pistoles, et pardonnez-moi.

— Que je vous pardonne, Monseigneur! dit Bonacieux hésitant à prendre le sac, craignant sans doute que ce prétendu don ne fût qu'une plaisanterie. Mais vous étiez bien libre de me faire arrêter, vous êtes bien libre de me faire torturer, vous êtes bien libre de me faire pendre : vous êtes le maître, et je n'aurais pas eu le plus petit mot à dire. Vous pardonner, Monseigneur! Allons donc, vous n'y pensez pas!

— Ah! mon cher Monsieur Bonacieux! vous y mettez de la générosité, je le vois, et je vous en remercie. Ainsi donc, vous prenez ce sac, et vous vous en allez sans être trop mécontent?

— Je m'en vais enchanté, Monseigneur.

— Adieu donc, ou plutôt au revoir, car j'espère que nous nous reverrons.

— Tant que Monseigneur voudra, et je suis bien aux ordres de Son Éminence.

— Ce sera souvent, soyez tranquille, car j'ai trouvé un charme extrême à votre conversation.

— Oh! Monseigneur!

— Au revoir, Monsieur Bonacieux, au revoir.

Et le cardinal lui fit un signe de la main, auquel Bonacieux répondit en s'inclinant jusqu'à terre; puis

il sortit à reculons, et quand il fut dans l'antichambre,
le cardinal l'entendit qui, dans son enthousiasme, criait
à tue-tête : « Vive Monseigneur! Vive Son Éminence!
Vive le grand cardinal! » Le cardinal écouta en souriant
cette brillante manifestation des sentiments enthou-
siastes de Maître Bonacieux ; puis, quand les cris de
Bonacieux se furent perdus dans l'éloignement :

— Bien, dit-il, voici désormais un homme qui se
fera tuer pour moi.

Et le cardinal se mit à examiner avec la plus grande
attention la carte de La Rochelle qui, ainsi que nous
l'avons dit, était étendue sur son bureau, traçant avec
un crayon la ligne où devait passer la fameuse digue
qui, dix-huit mois plus tard, fermait le port de la cité
assiégée.

Comme il en était au plus profond de ses méditations
stratégiques, la porte se rouvrit, et Rochefort rentra.

— Eh bien? dit vivement le cardinal en se levant
avec une promptitude qui prouvait le degré d'importance qu'il attachait à la commission dont il avait
chargé le comte.

— Eh bien! dit celui-ci, une femme de vingt-six à
vingt-huit ans et un homme de trente-cinq à quarante
ans ont logé effectivement, l'un quatre jours et l'autre
cinq, dans les maisons indiquées par Votre Éminence :
mais la femme est partie cette nuit, et l'homme ce matin.

— C'étaient eux! s'écria le cardinal, qui regardait
à la pendule ; et maintenant, continua-t-il, il est trop
tard pour faire courir après : la duchesse est à Tours,
et le duc à Boulogne. C'est à Londres qu'il faut les
rejoindre.

— Quels sont les ordres de Votre Éminence?

— Pas un mot de ce qui s'est passé ; que la reine
reste dans une sécurité parfaite ; qu'elle ignore que

nous savons son secret ; qu'elle croie que nous sommes
à la recherche d'une conspiration quelconque. Envoyez-moi le garde des sceaux Séguier.

— Et cet homme, qu'en a fait Votre Éminence ?

— Quel homme ? demanda le cardinal.

— Ce Bonacieux ?

— J'en ai fait tout ce qu'on pouvait en faire. J'en
ai fait l'espion de sa femme.

Le comte de Rochefort s'inclina en homme qui reconnaît la grande supériorité du maître, et se retira.

Resté seul, le cardinal s'assit de nouveau, écrivit
une lettre qu'il cacheta de son sceau particulier, puis
il sonna. L'officier entra pour la quatrième fois.

— Faites-moi venir Vitray, dit-il, et dites-lui de
s'apprêter pour un voyage.

Un instant après, l'homme qu'il avait demandé était
debout devant lui, tout botté et tout éperonné.

— Vitray, dit-il, vous allez partir tout courant pour
Londres. Vous ne vous arrêterez pas un instant en
route. Vous remettrez cette lettre à Milady. Voici un
bon de deux cents pistoles, passez chez mon trésorier
et faites-vous payer. Il y en a autant à toucher si vous
êtes ici de retour dans six jours et si vous avez bien
fait ma commission.

Le messager, sans répondre un seul mot, s'inclina,
prit la lettre, le bon de deux cents pistoles, et sortit.

Voici ce que contenait la lettre :

« Milady,

« Trouvez-vous au premier bal où se trouvera le duc
» de Buckingham. Il aura à son pourpoint douze ferrets
» de diamants, approchez-vous de lui et coupez-en deux.

« Aussitôt que ces ferrets seront en votre possession,
» prévenez-moi. »

XV

GENS DE ROBE ET GENS D'ÉPÉE

Le lendemain du jour où ces événements étaient arrivés, Athos n'ayant point reparu, M. de Tréville avait été prévenu par d'Artagnan et par Porthos de sa disparition.

Quant à Aramis, il avait demandé un congé de cinq jours, et il était à Rouen, disait-on, pour affaires de famille.

M. de Tréville était le père de ses soldats. Le moindre et le plus inconnu d'entre eux, dès qu'il portait l'uniforme de la compagnie, était aussi certain de son aide et de son appui qu'aurait pu l'être son frère lui-même.

Il se rendit donc à l'instant chez le lieutenant criminel. On fit venir l'officier qui commandait le poste de la Croix-Rouge, et les renseignements successifs apprirent qu'Athos était momentanément logé au Fort-l'Évêque.

Athos avait passé par toutes les épreuves que nous avons vu Bonacieux subir.

Nous avons assisté à la scène de confrontation entre les deux captifs. Athos, qui n'avait rien dit jusque-là de peur que d'Artagnan, inquiété à son tour, n'eût point le temps qu'il lui fallait, Athos déclara, à partir de ce moment, qu'il se nommait Athos et non d'Artagnan.

Il ajouta qu'il ne connaissait ni Monsieur ni Madame Bonacieux, qu'il n'avait jamais parlé ni à l'un ni à l'autre ; qu'il était venu vers les dix heures du soir pour faire visite à M. d'Artagnan, son ami, mais que jusqu'à cette heure il était resté chez M. de Tréville, où il avait dîné ; vingt témoins, ajouta-t-il, pouvaient attester le fait, et il nomma plusieurs gentilshommes distingués, entre autres M. le duc de La Trémouille.

Le second commissaire fut aussi étourdi que le premier de la déclaration simple et ferme de ce mousquetaire, sur lequel il aurait bien voulu prendre la revanche que les gens de robe aiment tant à gagner sur les gens d'épée ; mais le nom de M. de Tréville et celui de M. le duc de La Trémouille méritaient réflexion.

Athos fut aussi envoyé au cardinal, mais malheureusement le cardinal était au Louvre chez le roi.

C'était précisément le moment où M. de Tréville, sortant de chez le lieutenant criminel et de chez le gouverneur du Fort-l'Évêque, sans avoir pu trouver Athos, arriva chez Sa Majesté.

Comme capitaine des mousquetaires, M. de Tréville avait à toute heure ses entrées chez le roi.

On sait quelles étaient les préventions du roi contre la reine, préventions habilement entretenues par le cardinal, qui, en fait d'intrigues, se défiait infiniment plus des femmes que des hommes. Une des grandes causes surtout de cette prévention était l'amitié d'Anne d'Autriche pour Mme de Chevreuse. Ces deux femmes l'inquiétaient plus que les guerres avec l'Espagne, les démêlés avec l'Angleterre et l'embarras des finances. A ses yeux et dans sa conviction, Mme de Chevreuse servait la reine non seulement dans ses intrigues politiques, mais, ce qui le tourmentait bien plus encore, dans ses intrigues amoureuses.

Au premier mot de ce qu'avait dit M. le cardinal, que Mme de Chevreuse, exilée à Tours et qu'on croyait dans cette ville, était venue à Paris et, pendant cinq jours qu'elle y était restée, avait dépisté la police, le roi était entré dans une furieuse colère. Capricieux et infidèle, le roi voulait être appelé *Louis le Juste et Louis le Chaste*. La postérité comprendra difficilement ce caractère, que l'histoire n'explique que par des faits et jamais par des raisonnements.

Mais lorsque le cardinal ajouta que non seulement Mᵐᵉ de Chevreuse était venue à Paris, mais encore que la reine avait renoué avec elle à l'aide d'une de ces correspondances mystérieuses qu'à cette époque on nommait une cabale, lorsqu'il affirma que lui, le cardinal, allait démêler les fils les plus obscurs de cette intrigue, quand, au moment d'arrêter sur le fait, en flagrant délit, nanti de toutes les preuves, l'émissaire de la reine près de l'exilée, un mousquetaire avait osé interrompre violemment le cours de la justice en tombant, l'épée à la main, sur d'honnêtes gens de loi chargés d'examiner avec impartialité toute l'affaire pour la mettre sous les yeux du roi, Louis XIII ne se contint plus, il fit un pas vers l'appartement de la reine avec cette pâle et muette indignation qui, lorsqu'elle éclatait, conduisait ce prince jusqu'à la plus froide cruauté.

Et cependant, dans tout cela, le cardinal n'avait pas encore dit un mot du duc de Buckingham.

Ce fut alors que M. de Tréville entra, froid, poli et dans une tenue irréprochable.

Averti de ce qui venait de se passer par la présence du cardinal et par l'altération de la figure du roi, M. de Tréville se sentit fort comme Samson devant les Philistins.

Louis XIII mettait déjà la main sur le bouton de la porte ; au bruit que fit M. de Tréville en entrant, il se retourna.

— Vous arrivez bien, Monsieur, dit le roi, qui, lorsque ses passions étaient montées à un certain point, ne

savait pas dissimuler, et j'en apprends de belles sur
le compte de vos mousquetaires.

— Et moi, dit froidement M. de Tréville, j'en ai de
belles à apprendre à Votre Majesté sur ses gens de robe.

— Plaît-il? dit le roi avec hauteur.

— J'ai l'honneur d'apprendre à Votre Majesté, continua M. de Tréville du même ton, qu'un parti de procu-
reurs, de commissaires et de gens de police, gens fort
estimables mais fort acharnés, à ce qu'il paraît, contre
l'uniforme, s'est permis d'arrêter dans une maison,
d'emmener en pleine rue et de jeter au Fort-l'Évêque,
tout cela sur un ordre que l'on a refusé de me représen-
ter, un de mes mousquetaires, ou plutôt des vôtres,
Sire, d'une conduite irréprochable, d'une réputation
presque illustre, et que Votre Majesté connaît favorable-
ment, M. Athos.

— Athos, dit le roi machinalement ; oui, au fait,
je connais ce nom-là.

— Que Votre Majesté se le rappelle, dit M. de Tréville ; M. Athos est ce mousquetaire qui, dans le fâcheux
duel que vous savez, a eu le malheur de blesser grièvement M. de Cahusac. A propos, Monseigneur, continua
Tréville en s'adressant au cardinal, M. de Cahusac est
tout à fait rétabli, n'est-ce pas?

— Merci! dit le cardinal en se pinçant les lèvres de
colère.

— M. Athos était donc allé rendre visite à l'un de
ses amis alors absent, continua M. de Tréville, à un
jeune Béarnais, cadet aux gardes de Sa Majesté, compagnie des Essarts ; mais à peine venait-il de s'installer
chez son ami et de prendre un livre en l'attendant,
qu'une nuée de recors et de soldats mêlés ensemble
vint faire le siège de la maison, enfonça plusieurs
portes...

Le cardinal fit au roi un signe qui signifiait : « C'est pour l'affaire dont je vous ai parlé. »

— Nous savons tout cela, répliqua le roi, car tout cela s'est fait pour notre service.

— Alors, dit Tréville, c'est aussi pour le service de Votre Majesté qu'on a saisi un de mes mousquetaires innocent, qu'on l'a placé entre deux gardes comme un malfaiteur, et qu'on a promené au milieu d'une populace insolente ce galant homme, qui a versé dix fois son sang pour le service de Votre Majesté et qui est prêt à le répandre encore.

— Bah! dit le roi ébranlé, les choses se sont passées ainsi ?

— M. de Tréville ne dit pas, reprit le cardinal avec le plus grand flegme, que ce mousquetaire innocent, que ce galant homme venait, une heure auparavant, de frapper à coups d'épée quatre commissaires instructeurs délégués par moi afin d'instruire une affaire de la plus haute importance.

— Je défie Votre Éminence de le prouver, s'écria M. de Tréville avec sa franchise toute gasconne et sa rudesse toute militaire, car, une heure auparavant, M. Athos, qui, je le confierai à Votre Majesté, est un homme de la plus haute qualité, me faisait l'honneur, après avoir dîné chez moi, de causer dans le salon de mon hôtel avec M. le duc de La Trémouille et M. le comte de Châlus, qui s'y trouvaient.

Le roi regarda le cardinal.

— Un procès-verbal fait foi, dit le cardinal répondant tout haut à l'interrogation muette de Sa Majesté, et les gens maltraités ont dressé le suivant, que j'ai l'honneur de présenter à Votre Majesté.

— Procès-verbal de gens de robe vaut-il la parole d'honneur, répondit fièrement Tréville, d'homme d'épée ?

— Allons, allons, Tréville, taisez-vous, dit le roi.

— Si Son Éminence a quelque soupçon contre un de mes mousquetaires, dit Tréville, la justice de M. le cardinal est assez connue pour que je demande moi-même une enquête.

— Dans la maison où cette descente de justice a été faite, continua le cardinal impassible, loge, je crois, un Béarnais ami du mousquetaire.

— Votre Éminence veut parler de M. d'Artagnan?

— Je veux parler d'un jeune homme que vous protégez, Monsieur de Tréville.

— Oui, Votre Éminence, c'est cela même.

— Ne soupçonnez-vous pas ce jeune homme d'avoir donné de mauvais conseils...

— A M. Athos, à un homme qui a le double de son âge? interrompit M. de Tréville; non, Monseigneur. D'ailleurs, M. d'Artagnan a passé la soirée chez moi.

— Ah çà! dit le cardinal, tout le monde a donc passé la soirée chez vous?

— Son Éminence douterait-elle de ma parole? dit Tréville, le rouge de la colère au front.

— Non, Dieu m'en garde! dit le cardinal, mais, seulement, à quelle heure était-il chez vous?

— Oh! cela je puis le dire sciemment à Votre Éminence, car, comme il entrait, je remarquai qu'il était neuf heures et demie à la pendule, quoique j'eusse cru qu'il était plus tard.

— Et à quelle heure est-il sorti de votre hôtel?

— A dix heures et demie, une heure après l'événement.

— Mais, enfin, répondit le cardinal, qui ne soupçonnait pas un instant la loyauté de Tréville, et qui sentait que la victoire lui échappait, mais, enfin, Athos a été pris dans cette maison de la rue des Fossoyeurs.

— Est-il défendu à un ami de visiter un ami ? A un mousquetaire de ma compagnie de fraterniser avec un garde de la compagnie de M. des Essarts ?

— Oui, quand la maison où il fraternise avec cet ami est suspecte.

— C'est que cette maison est suspecte, Tréville, dit le roi ; peut-être ne le saviez-vous pas ?

— En effet, Sire, je l'ignorais. En tout cas, elle peut être suspecte partout ; mais je nie qu'elle le soit dans la partie qu'habite M. d'Artagnan ; car je puis vous affirmer, Sire, que, si j'en crois ce qu'il a dit, il n'existe pas un plus dévoué serviteur de Sa Majesté, un admirateur plus profond de M. le cardinal.

— N'est-ce pas ce d'Artagnan qui a blessé un jour Jussac dans cette malheureuse rencontre qui a eu lieu près du couvent des Carmes-Déchaussés ? demanda le roi en regardant le cardinal, qui rougit de dépit.

— Et le lendemain, Bernajoux. Oui, Sire, oui, c'est bien cela, et Votre Majesté a bonne mémoire.

— Allons, que résolvons-nous ? dit le roi.

— Cela regarde Votre Majesté plus que moi, dit le cardinal. J'affirmerais la culpabilité.

— Et moi je la nie, dit Tréville. Mais Sa Majesté a des juges, et ses juges décideront.

— C'est cela, dit le roi, renvoyons la cause devant les juges ; c'est leur affaire de juger, et ils jugeront.

— Seulement, reprit Tréville, il est bien triste qu'en ce temps malheureux où nous sommes, la vie la plus pure, la vertu la plus incontestable n'exemptent pas un homme de l'infamie et de la persécution. Aussi l'armée sera-t-elle peu contente, je puis en répondre, d'être en butte à des traitements rigoureux à propos d'affaires de police.

Le mot était imprudent ; mais M. de Tréville l'avait

lancé avec connaissance de cause. Il voulait une explosion, parce qu'en cela la mine fait du feu, et que le feu éclaire.

— Affaires de police! s'écria le roi, relevant les paroles de M. de Tréville, affaires de police! Et qu'en savez-vous, Monsieur? Mêlez-vous de vos mousquetaires, et ne me rompez pas la tête. Il semble, à vous entendre, que si par malheur on arrête un mousquetaire, la France est en danger. Eh! que de bruit pour un mousquetaire! J'en ferai arrêter dix, ventrebleu! cent, même; toute la compagnie! Et je ne veux pas que l'on souffle mot.

— Du moment où ils sont suspects à Votre Majesté, dit Tréville, les mousquetaires sont coupables; aussi, me voyez-vous, Sire, prêt à vous rendre mon épée; car, après avoir accusé mes soldats, M. le cardinal, je n'en doute pas, finira par m'accuser moi-même; ainsi mieux vaut que je me constitue prisonnier avec M. Athos, qui est arrêté déjà, et M. d'Artagnan, qu'on va arrêter sans doute.

— Tête gasconne, en finirez-vous? dit le roi.

— Sire, répondit Tréville sans baisser le moindrement la voix, ordonnez qu'on me rende mon mousquetaire, ou qu'il soit jugé.

— On le jugera, dit le cardinal.

— Eh bien! tant mieux; car, dans ce cas, je demanderai à Sa Majesté la permission de plaider pour lui.

Le roi craignit un éclat.

— Si Son Éminence, dit-il, n'avait pas personnellement des motifs...

Le cardinal vit venir le roi, et alla au-devant de lui:

— Pardon, dit-il, mais du moment où Votre Majesté voit en moi un juge prévenu, je me retire.

— Voyons, dit le roi, me jurez-vous, par mon père,

que M. Athos était chez vous pendant l'événement, et qu'il n'y a point pris part?

— Par votre glorieux père et par vous-même, qui êtes ce que j'aime et ce que je vénère le plus au monde, je le jure!

— Veuillez réfléchir, Sire, dit le cardinal. Si nous relâchons ainsi le prisonnier, on ne pourra plus connaître la vérité.

— M. Athos sera toujours là, reprit M. de Tréville, prêt à répondre quand il plaira aux gens de robe de l'interroger. Il ne désertera pas, Monsieur le cardinal; soyez tranquille, je réponds de lui, moi.

— Au fait, il ne désertera pas, dit le roi; on le retrouvera toujours, comme dit M. de Tréville. D'ailleurs, ajouta-t-il en baissant la voix et en regardant d'un air suppliant Son Éminence, donnons-leur de la sécurité: cela est politique.

Cette politique de Louis XIII fit sourire Richelieu.

— Ordonnez, Sire, dit-il, vous avez le droit de grâce.

— Le droit de grâce ne s'applique qu'aux coupables, dit Tréville, qui voulait avoir le dernier mot, et mon mousquetaire est innocent. Ce n'est donc pas grâce que vous allez faire, Sire, c'est justice.

— Et il est au Fort-l'Évêque? dit le roi.

— Oui, Sire, et au secret, dans un cachot, comme le dernier des criminels.

— Diable! diable! murmura le roi, qué faut-il faire?

— Signer l'ordre de mise en liberté, et tout sera dit, reprit le cardinal; je crois, comme Votre Majesté, que la garantie de M. de Tréville est plus que suffisante.

Tréville s'inclina respectueusement avec une joie qui n'était pas sans mélange de crainte; il eût préféré une résistance opiniâtre du cardinal à cette soudaine facilité.

Le roi signa l'ordre d'élargissement, et Tréville l'emporta sans retard.

Au moment où il allait sortir, le cardinal lui fit un sourire amical, et dit au roi :

— Une bonne harmonie règne entre les chefs et les soldats, dans vos mousquetaires, Sire ; voilà qui est bien profitable au service et bien honorable pour tous.

— Il me jouera quelque mauvais tour incessamment, disait Tréville ; on n'a jamais le dernier mot avec un pareil homme. Mais hâtons-nous, car le roi peut changer d'avis tout à l'heure ; et au bout du compte, il est plus difficile de remettre à la Bastille ou au Fort-l'Évêque un homme qui en est sorti que d'y garder un prisonnier qu'on y tient.

M. de Tréville fit triomphalement son entrée au Fort-l'Évêque, où il délivra le mousquetaire, que sa paisible indifférence n'avait pas abandonné.

Puis, la première fois qu'il revit d'Artagnan :

— Vous l'échappez belle, lui dit-il, voilà votre coup d'épée à Jussac payé. Reste bien encore celui de Bernajoux, mais il ne faudrait pas trop vous y fier.

Au reste, M. de Tréville avait raison de se défier du cardinal et de penser que tout n'était pas fini, car à peine le capitaine des mousquetaires eut-il fermé la porte derrière lui que Son Éminence dit au roi :

— Maintenant que nous ne sommes plus que nous deux, nous allons causer sérieusement, s'il plaît à Votre Majesté. Sire, M. de Buckingham était à Paris depuis cinq jours et n'en est parti que ce matin.

XVI

OÙ M. LE GARDE DES SCEAUX SÉGUIER CHERCHA
PLUS D'UNE FOIS LA CLOCHE POUR LA SONNER,
COMME IL LE FAISAIT AUTREFOIS

Il est impossible de se faire une idée de l'impression
que ces quelques mots produisirent sur Louis XIII. Il
rougit et pâlit successivement ; et le cardinal vit tout
d'abord qu'il venait de conquérir d'un seul coup tout
le terrain qu'il avait perdu.

— M. de Buckingham à Paris! s'écria-t-il, et qu'y
vient-il faire?

— Sans doute conspirer avec vos ennemis les huguenots et les Espagnols.

— Non, pardieu, non! conspirer contre mon honneur
avec Mme de Chevreuse, Mme de Longueville et les
Condé!

— Oh! Sire, quelle idée! La reine est trop sage, et
surtout aime trop Votre Majesté.

— La femme est faible, Monsieur le cardinal, dit le
roi ; et quant à m'aimer beaucoup, j'ai mon opinion
faite sur cet amour.

— Je n'en maintiens pas moins, dit le cardinal, que
le duc de Buckingham est venu à Paris pour un projet
tout politique.

— Et moi je suis sûr qu'il est venu pour autre chose,
Monsieur le cardinal ; mais si la reine est coupable,
qu'elle tremble!

— Au fait, dit le cardinal, quelque répugnance que
j'aie à arrêter mon esprit sur une pareille trahison,
Votre Majesté m'y fait penser : Mme de Lannoy, que,

d'après l'ordre de Votre Majesté, j'ai interrogée plusieurs fois, m'a dit ce matin que la nuit avant celle-ci
Sa Majesté avait veillé fort tard, que ce matin elle
avait beaucoup pleuré et que toute la journée elle avait
écrit.

— C'est cela, dit le roi, à lui sans doute. Cardinal, il
me faut les papiers de la reine.

— Mais comment les prendre, Sire? Il me semble
que ce n'est ni moi ni Votre Majesté qui pouvons nous
charger d'une pareille mission.

— Comment s'y est-on pris pour la maréchale
d'Ancre? s'écria le roi au plus haut degré de la colère;
on a fouillé ses armoires, et enfin on l'a fouillée elle-
même.

— La maréchale d'Ancre n'était que la maréchale
d'Ancre, une aventurière florentine, Sire, voilà tout;
tandis que l'auguste épouse de Votre Majesté est Anne
d'Autriche, reine de France, c'est-à-dire une des plus
grandes princesses du monde.

— Elle n'en est que plus coupable, Monsieur le duc!
Plus elle a oublié la haute position où elle était placée,
plus elle est bas descendue. Il y a longtemps d'ailleurs
que je suis décidé à en finir avec toutes ces petites
intrigues de politique et d'amour. Elle a aussi près
d'elle un certain La Porte...

— Que je crois la cheville ouvrière de tout cela, je
l'avoue, dit le cardinal.

— Vous pensez donc, comme moi, qu'elle me trompe?
dit le roi.

— Je crois, et je le répète à Votre Majesté, que la
reine conspire contre la puissance de son roi, mais je
n'ai point dit contre son honneur.

— Et moi je vous dis contre tous deux; moi je vous
dis que la reine ne m'aime pas; je vous dis qu'elle en

aime un autre ; je vous dis qu'elle aime cet infâme duc
de Buckingham ! Pourquoi ne l'avez-vous pas fait arrêter pendant qu'il était à Paris ?

— Arrêter le duc ! Arrêter le premier ministre du
roi Charles Ier ! Y pensez-vous, Sire ? Quel éclat ! Et si
alors les soupçons de Votre Majesté, ce dont je continue
à douter, avaient quelque consistance, quel éclat terrible ! quel scandale désespérant !

— Mais puisqu'il s'exposait comme un vagabond et
un larronneur, il fallait...

Louis XIII s'arrêta lui-même, effrayé de ce qu'il
allait dire, tandis que Richelieu, allongeant le cou,
attendait inutilement la parole qui était restée sur les
lèvres du roi.

— Il fallait ?

— Rien, dit le roi, rien. Mais, pendant tout le temps
qu'il a été à Paris, vous ne l'avez pas perdu de vue ?

— Non, Sire.

— Où logeait-il ?

— Rue de La Harpe, nº 75.

— Où est-ce, cela ?

— Du côté du Luxembourg.

— Et vous êtes sûr que la reine et lui ne se sont pas
vus ?

— Je crois la reine trop attachée à ses devoirs, Sire.

— Mais ils ont correspondu, c'est à lui que la reine
a écrit toute la journée ; Monsieur le duc, il me faut
ces lettres !

— Sire, cependant...

— Monsieur le duc, à quelque prix que ce soit, je les
veux.

— Je ferai pourtant observer à Votre Majesté...

— Me trahissez-vous donc aussi, Monsieur le cardinal,
pour vous opposer toujours ainsi à mes volontés ? Êtes-

vous aussi d'accord avec l'Espagnol et avec l'Anglais,
avec Mᵐᵉ de Chevreuse et avec la reine?

— Sire, répondit en soupirant le cardinal, je croyais
être à l'abri d'un pareil soupçon.

— Monsieur le cardinal, vous m'avez entendu; je
veux ces lettres.

— Il n'y aurait qu'un moyen.

— Lequel?

— Ce serait de charger de cette mission M. le garde
des sceaux Séguier. La chose rentre complètement dans
les devoirs de sa charge.

— Qu'on l'envoie chercher à l'instant même!

— Il doit être chez moi, Sire; je l'avais fait prier de
passer, et lorsque je suis venu au Louvre, j'ai laissé
l'ordre, s'il se présentait, de le faire attendre.

— Qu'on aille le chercher à l'instant même!

— Les ordres de Votre Majesté seront exécutés;
mais...

— Mais quoi?

— Mais la reine se refusera peut-être à obéir.

— A mes ordres?

— Oui, si elle ignore que ces ordres viennent du roi.

— Eh bien! pour qu'elle n'en doute pas, je vais la
prévenir moi-même.

— Votre Majesté n'oubliera pas que j'ai fait tout ce
que j'ai pu pour prévenir une rupture.

— Oui, duc, je sais que vous êtes fort indulgent
pour la reine, trop indulgent peut-être; et nous aurons,
je vous en préviens, à parler plus tard de cela.

— Quand il plaira à Votre Majesté; mais je serai
toujours heureux et fier, Sire, de me sacrifier à la bonne
harmonie que je désire voir régner entre vous et la
reine de France.

— Bien, cardinal, bien; mais en attendant envoyez

chercher M. le garde des sceaux ; moi, j'entre chez la
reine.

Et Louis XIII, ouvrant la porte de communication,
s'engagea dans le corridor qui conduisait de chez lui
chez Anne d'Autriche.

La reine était au milieu de ses femmes, Mme de Guitaut, Mme de Sablé, Mme de Montbazon et Mme de Guéménée. Dans un coin était cette camériste espagnole,
doña Estefania, qui l'avait suivie de Madrid. Mme de
Guéménée faisait la lecture, et tout le monde écoutait
avec attention la lectrice, à l'exception de la reine, qui,
au contraire, avait provoqué cette lecture afin de pouvoir, tout en feignant d'écouter, suivre le fil de ses
propres pensées.

Ces pensées, toutes dorées qu'elles étaient par un
dernier reflet d'amour, n'en étaient pas moins tristes.
Anne d'Autriche, privée de la confiance de son mari,
poursuivie par la haine du cardinal, qui ne pouvait lui
pardonner d'avoir repoussé un sentiment plus doux,
ayant sous les yeux l'exemple de la reine mère, que
cette haine avait tourmentée toute sa vie — quoique
Marie de Médicis, s'il faut en croire les Mémoires du
temps, eût commencé par accorder au cardinal le sentiment qu'Anne d'Autriche finit toujours par lui refuser
— Anne d'Autriche avait vu tomber autour d'elle ses
serviteurs les plus dévoués, ses confidents les plus intimes, ses favoris les plus chers. Comme ces malheureux
doués d'un don funeste, elle portait malheur à tout ce
qu'elle touchait ; son amitié était un signe fatal qui
appelait la persécution. Mme de Chevreuse et Mme de
Vernet étaient exilées ; enfin La Porte ne cachait pas
à sa maîtresse qu'il s'attendait à être arrêté d'un instant
à l'autre.

C'est au moment où elle était plongée au plus profond

et au plus sombre de ces réflexions que la porte de la chambre s'ouvrit et que le roi entra.

La lectrice se tut à l'instant même, toutes les dames se levèrent, et il se fit un profond silence.

Quant au roi, il ne fit aucune démonstration de politesse ; seulement, s'arrêtant devant la reine :

— Madame, dit-il d'une voix altérée, vous allez recevoir la visite de M. le chancelier, qui vous communiquera certaines affaires dont je l'ai chargé.

La malheureuse reine, qu'on menaçait sans cesse de divorce, d'exil et de jugement même, pâlit sous son rouge et ne put s'empêcher de dire :

— Mais pourquoi cette visite, Sire ? Que me dira M. le chancelier que Votre Majesté ne puisse me dire elle-même ?

Le roi tourna sur ses talons sans répondre, et presque au même instant le capitaine des gardes, M. de Guitaut, annonça la visite de M. le chancelier.

Lorsque le chancelier parut, le roi était déjà sorti par une autre porte.

Le chancelier entra demi-souriant, demi-rougissant. Comme nous le retrouverons probablement dans le cours de cette histoire, il n'y a pas de mal à ce que nos lecteurs fassent dès à présent connaissance avec lui.

Ce chancelier était un plaisant homme. Ce fut Des Roches le Masle chanoine à Notre-Dame, et qui avait été autrefois valet de chambre du cardinal, qui le proposa à Son Éminence comme un homme tout dévoué. Le cardinal s'y fia et s'en trouva bien.

On racontait de lui certaines histoires, entre autres celle-ci :

Après une jeunesse orageuse, il s'était retiré dans un couvent pour y expier au moins pendant quelque temps les folies de l'adolescence.

Mais, en entrant dans ce saint lieu, le pauvre pénitent n'avait pu refermer si vite la porte que les passions qu'il fuyait n'y entrassent avec lui. Il en était obsédé sans relâche, et le supérieur, auquel il avait confié cette disgrâce, voulant autant qu'il était en lui l'en garantir, lui avait recommandé pour conjurer le démon tentateur de recourir à la corde de la cloche et de sonner à toute volée. Au bruit dénonciateur, les moines seraient prévenus que la tentation assiégeait un frère, et toute la communauté se mettrait en prières.

Le conseil parut bon au futur chancelier. Il conjura l'esprit malin à grand renfort de prières faites par les moines ; mais le diable ne se laisse pas déposséder facilement d'une place où il a mis garnison ; à mesure qu'on redoublait les exorcismes, il redoublait les tentations ; de sorte que jour et nuit la cloche sonnait à toute volée, annonçant l'extrême désir de mortification qu'éprouvait le pénitent.

Les moines n'avaient plus un instant de repos. Le jour, ils ne faisaient que monter et descendre les escaliers qui conduisaient à la chapelle ; la nuit, outre complies et matines, ils étaient encore obligés de sauter vingt fois à bas de leurs lits et de se prosterner sur le carreau de leurs cellules.

On ignore si ce fut le diable qui lâcha prise ou les moines qui se lassèrent ; mais, au bout de trois mois, le pénitent reparut dans le monde avec la réputation du plus terrible possédé qui eût jamais existé.

En sortant du couvent, il entra dans la magistrature, devint président à mortier à la place de son oncle, embrassa le parti du cardinal, ce qui ne prouvait pas peu de sagacité ; devint chancelier, servit Son Éminence avec zèle dans sa haine contre la reine mère et sa vengeance contre Anne d'Autriche ; stimula les juges dans

l'affaire de Chalais, encouragea les essais de M. de Laffemas, grand gibecier de France ; puis enfin, investi de
toute la confiance du cardinal, confiance qu'il avait si
bien gagnée, il en vint à recevoir la singulière commission pour l'exécution de laquelle il se présentait chez
la reine.

La reine était encore debout quand il entra, mais à
peine l'eut-elle aperçu qu'elle se rassit sur son fauteuil
et fit signe à ses femmes de se rasseoir sur leurs cous-
sins et leurs tabourets, et, d'un ton de suprême hauteur.

— Que désirez-vous, Monsieur, demanda Anne d'Autriche, et dans quel but vous présentez-vous ici ?

— Pour y faire au nom du roi, Madame, et sauf
tout le respect que j'ai l'honneur de devoir à Votre
Majesté, une perquisition exacte dans vos papiers.

— Comment, Monsieur! une perquisition dans mes
papiers... A moi! mais voilà une chose indigne!

— Veuillez me le pardonner, Madame, mais, dans
cette circonstance, je ne suis que l'instrument dont le
roi se sert. Sa Majesté ne sort-elle pas d'ici, et ne vous
a-t-elle pas invitée elle-même à vous préparer à cette
visite ?

— Fouillez donc, Monsieur ; je suis une criminelle,
à ce qu'il paraît : Estefania, donnez les clefs de mes
tables et de mes secrétaires.

Le chancelier fit pour la forme une visite dans les
meubles, mais il savait bien que ce n'était pas dans un
meuble que la reine avait dû serrer la lettre importante
qu'elle avait écrite dans la journée.

Quand le chancelier eut rouvert et refermé vingt fois
les tiroirs du secrétaire, il fallut bien, quelque hésitation
qu'il éprouvât, il fallut bien, dis-je, en venir à la conclusion de l'affaire, c'est-à-dire à fouiller la reine elle-même.
Le chancelier s'avança donc vers Anne d'Autriche, et

d'un ton très perplexe et d'un air fort embarrassé :

— Et maintenant, dit-il, il me reste à faire la perquisition principale.

— Laquelle? demanda la reine, qui ne comprenait pas ou plutôt qui ne voulait pas comprendre.

— Sa Majesté est certaine qu'une lettre a été écrite par vous dans la journée ; elle sait qu'elle n'a pas encore été envoyée à son adresse. Cette lettre ne se trouve ni dans votre table ni dans votre secrétaire, et cependant cette lettre est quelque part.

— Oseriez-vous porter la main sur votre reine? dit Anne d'Autriche en se dressant de toute sa hauteur et en fixant sur le chancelier ses yeux, dont l'expression était devenue presque menaçante.

— Je suis un fidèle sujet du roi, Madame ; et tout ce que Sa Majesté ordonnera, je le ferai.

— Eh bien! c'est vrai, dit Anne d'Autriche, et les espions de M. le cardinal l'ont bien servi. J'ai écrit aujourd'hui une lettre, cette lettre n'est point partie. La lettre est là.

Et la reine ramena sa belle main à son corsage.

— Alors donnez-moi cette lettre, Madame, dit le chancelier.

— Je ne la donnerai qu'au roi, Monsieur, dit Anne.

— Si le roi eût voulu que cette lettre lui fût remise, Madame, il vous l'eût demandée lui-même. Mais, je vous le répète, c'est moi qu'il a chargé de vous la réclamer, et si vous ne la rendiez pas...

— Eh bien?

— C'est encore moi qu'il a chargé de vous la prendre.

— Comment, que voulez-vous dire?

— Que mes ordres vont loin, Madame, et que je suis autorisé à chercher le papier suspect sur la personne même de Votre Majesté.

— Quelle horreur! s'écria la reine.

— Veuillez donc, Madame, agir plus facilement.

— Cette conduite est d'une violence infâme ; savez-vous cela, Monsieur?

— Le roi commande, Madame, excusez-moi.

— Je ne le souffrirai pas ; non, non, plutôt mourir! s'écria la reine, chez laquelle se révoltait le sang impérieux de l'Espagnole et de l'Autrichienne.

Le chancelier fit une profonde révérence, puis avec l'intention bien patente de ne pas reculer d'une semelle dans l'accomplissement de la commission dont il s'était chargé, et comme eût pu le faire un valet de bourreau dans la chambre de la question, il s'approcha d'Anne d'Autriche, des yeux de laquelle on vit à l'instant même jaillir des pleurs de rage.

La reine était, comme nous l'avons dit, d'une grande beauté.

La commission pouvait donc passer pour délicate, et le roi en était arrivé, à force de jalousie contre Buckingham, à n'être plus jaloux de personne.

Sans doute le chancelier Séguier chercha des yeux à ce moment le cordon de la fameuse cloche ; mais, ne le trouvant pas, il en prit son parti et tendit la main vers l'endroit où la reine avait avoué que se trouvait le papier.

Anne d'Autriche fit un pas en arrière, si pâle qu'on eût dit qu'elle allait mourir ; et, s'appuyant de la main gauche, pour ne pas tomber, à une table qui se trouvait derrière elle, elle tira de la droite un papier de sa poitrine et le tendit au garde des sceaux.

— Tenez, Monsieur, la voilà, cette lettre, s'écria la reine d'une voix entrecoupée et frémissante, prenez-la, et me délivrez de votre odieuse présence.

Le chancelier, qui de son côté tremblait d'une émo-

tion facile à concevoir, prit la lettre, salua jusqu'à terre
et se retira.

A peine la porte se fut-elle refermée sur lui que la
reine tomba à demi évanouie dans les bras de ses
femmes.

Le chancelier alla porter la lettre au roi sans en avoir
lu un seul mot. Le roi la prit d'une main tremblante,
chercha l'adresse, qui manquait, devint très pâle, l'ouvrit lentement, puis, voyant par les premiers mots
qu'elle était adressée au roi d'Espagne, il lut très rapidement.

C'était tout un plan d'attaque contre le cardinal.
La reine invitait son frère et l'empereur d'Autriche à
faire semblant, blessés qu'ils étaient par la politique de
Richelieu, dont l'éternelle préoccupation fut l'abaisse-
ment de la maison d'Autriche, de déclarer la guerre à
la France et d'imposer comme condition de la paix le
renvoi du cardinal ; mais d'amour, il n'y en avait pas
un seul mot dans toute cette lettre.

Le roi, tout joyeux, s'informa si le cardinal était encore
au Louvre. On lui dit que Son Éminence attendait,
dans le cabinet de travail, les ordres de Sa Majesté.

Le roi se rendit aussitôt près de lui.

— Tenez, duc, lui dit-il, vous aviez raison, et c'est
moi qui avais tort ; toute l'intrigue est politique, et il
n'était aucunement question d'amour dans cette lettre,
que voici. En échange, il y est fort question de vous.

Le cardinal prit la lettre et la lut avec la plus grande
attention ; puis, lorsqu'il fut arrivé au bout, il la relut
une seconde fois.

— Eh bien! Votre Majesté, dit-il, vous voyez jusqu'où
vont mes ennemis : on vous menace de deux guerres,
si vous ne me renvoyez pas. A votre place, en vérité,
Sire, je céderais à de si puissantes instances, et ce serait

de mon côté avec un véritable bonheur que je me retirerais des affaires.

— Que dites-vous là, duc?

— Je dis, Sire, que ma santé se perd dans ces luttes excessives et dans ces travaux éternels. Je dis que, selon toute probabilité, je ne pourrai pas soutenir les fatigues du siège de La Rochelle, et que mieux vaut que vous nommiez là ou M. de Condé, ou M. de Bassompierre ou enfin quelque vaillant homme dont c'est l'état de mener la guerre, et non pas moi qui suis homme d'église et qu'on détourne sans cesse de ma vocation pour m'appliquer à des choses auxquelles je n'ai aucune aptitude. Vous en serez plus heureux à l'intérieur, Sire, et je ne doute pas que vous n'en soyez plus grand à l'étranger.

— Monsieur le duc, dit le roi, je comprends, soyez tranquille ; tous ceux qui sont nommés dans cette lettre seront punis comme ils le méritent, et la reine elle-même.

— Que dites-vous là, Sire? Dieu me garde que, pour moi, la reine éprouve la moindre contrariété! Elle m'a toujours cru son ennemi, Sire, quoique Votre Majesté puisse attester que j'ai toujours pris chaudement son parti, même contre vous. Oh! si elle trahissait Votre Majesté à l'endroit de son honneur, ce serait autre chose, et je serais le premier à dire : « Pas de grâce, Sire, pas de grâce pour la coupable! » Heureusement il n'en est rien, et Votre Majesté vient d'en acquérir une nouvelle preuve.

— C'est vrai, Monsieur le cardinal, dit le roi, et vous aviez raison, comme toujours ; mais la reine n'en mérite pas moins toute ma colère.

— C'est vous, Sire, qui avez encouru la sienne ; et véritablement, quand elle bouderait sérieusement Votre

Majesté, je le comprendrais ; Votre Majesté l'a traitée
avec une sévérité!...

— C'est ainsi que je traiterai toujours mes ennemis
et les vôtres, duc, si haut placés qu'ils soient et quelque
péril que je coure à agir sévèrement avec eux.

— La reine est mon ennemie, mais n'est pas la vôtre,
Sire ; au contraire, elle est épouse dévouée, soumise
et irréprochable ; laissez-moi donc, Sire, intercéder
pour elle près de Votre Majesté.

— Qu'elle s'humilie alors, et qu'elle revienne à moi
la première!

— Au contraire, Sire, donnez l'exemple ; vous avez
eu le premier tort, puisque c'est vous qui avez soupçonné la reine.

— Moi, revenir le premier? dit le roi ; jamais!

— Sire, je vous en supplie.

— D'ailleurs, comment reviendrais-je le premier?

— En faisant une chose que vous sauriez lui être
agréable.

— Laquelle?

— Donnez un bal ; vous savez combien la reine aime
la danse ; je vous réponds que sa rancune ne tiendra
point à une pareille attention.

— Monsieur le cardinal, vous savez que je n'aime
pas tous les plaisirs mondains.

— La reine ne vous en sera que plus reconnaissante,
puisqu'elle sait votre antipathie pour ce plaisir ; d'ailleurs ce sera une occasion pour elle de mettre ces beaux
ferrets de diamants que vous lui avez donnés l'autre
jour à sa fête, et dont elle n'a pas encore eu le temps de
se parer.

— Nous verrons, Monsieur le cardinal, nous verrons,
dit le roi, qui, dans sa joie de trouver la reine coupable
d'un crime dont il se souciait peu, et innocente d'une

faute qu'il redoutait fort, était tout prêt à se raccommoder avec elle ; nous verrons, mais, sur mon honneur,
vous êtes trop indulgent.

— Sire, dit le cardinal, laissez la sévérité aux ministres, l'indulgence est la vertu royale ; usez-en, et vous
verrez que vous vous en trouverez bien.

Sur quoi le cardinal, entendant la pendule sonner
onze heures, s'inclina profondément, demandant congé
au roi pour se retirer, et le suppliant de se raccommoder
avec la reine.

Anne d'Autriche, qui, à la suite de la saisie de sa
lettre, s'attendait à quelque reproche, fut fort étonnée
de voir le lendemain le roi faire près d'elle des tentatives
de rapprochement. Son premier mouvement fut répul-
sif, son orgueil de femme et sa dignité de reine avaient
été tous deux si cruellement offensés qu'elle ne pouvait
revenir ainsi du premier coup ; mais, vaincue par le
conseil de ses femmes, elle eut enfin l'air de commencer
à oublier. Le roi profita de ce premier moment de
retour pour lui dire qu'incessamment il comptait donner
une fête.

C'était une chose si rare qu'une fête pour la pauvre
Anne d'Autriche qu'à cette annonce, ainsi que l'avait
pensé le cardinal, la dernière trace de ses ressentiments
disparut sinon dans son cœur, du moins sur son visage.
Elle demanda quel jour cette fête devait avoir lieu, mais
le roi répondit qu'il fallait qu'il s'entendît sur ce point
avec le cardinal.

En effet, chaque jour le roi demandait au cardinal
à quelle époque cette fête aurait lieu, et chaque jour
le cardinal, sous un prétexte quelconque, différait de
la fixer.

Dix jours s'écoulèrent ainsi.

Le huitième jour après la scène que nous avons

racontée, le cardinal reçut une lettre, au timbre de
Londres, qui contenait seulement ces quelques lignes :

« Je les ai ; mais je ne puis quitter Londres, attendu
» que je manque d'argent ; envoyez-moi cinq cents
» pistoles, et quatre ou cinq jours après les avoir reçues,
» je serai à Paris. »

Le jour même où le cardinal avait reçu cette lettre,
le roi lui adressa sa question habituelle.

Richelieu compta sur ses doigts et se dit tout bas :

— Elle arrivera, dit-elle, quatre ou cinq jours après
avoir reçu l'argent ; il faut quatre ou cinq jours à l'argent pour aller, quatre ou cinq jours à elle pour revenir,
cela fait dix jours ; maintenant faisons la part des vents
contraires, des mauvais hasards, des faiblesses de
femme, et mettons cela à douze jours.

— Eh bien! Monsieur le duc, dit le roi, vous avez
calculé ?

— Oui, Sire : nous sommes aujourd'hui le 20 septembre ; les échevins de la ville donnent une fête le 3
octobre. Cela s'arrangera à merveille, car vous n'aurez
pas l'air de faire un retour vers la reine.

Puis le cardinal ajouta :

— A propos, Sire, n'oubliez pas de dire à Sa Majesté,
la veille de cette fête, que vous désirez voir comment
lui vont ses ferrets de diamants.

XVII

LE MÉNAGE BONACIEUX

C'était la seconde fois que le cardinal revenait sur
ce point des ferrets de diamants avec le roi. Louis XIII
fut donc frappé de cette insistance, et pensa que cette
recommandation cachait un mystère.

Plus d'une fois le roi avait été humilié que le cardinal
— dont la police, sans avoir atteint encore la perfection
de la police moderne, était excellente — fût mieux
instruit que lui-même de ce qui se passait dans son propre
ménage. Il espéra donc, dans une conversation avec
Anne d'Autriche, tirer quelque lumière de cette conversation et revenir ensuite près de Son Éminence avec
quelque secret que le cardinal sût ou ne sût pas, ce qui,
dans l'un ou l'autre cas, le rehaussait infiniment aux
yeux de son ministre.

Il alla donc trouver la reine, et, selon son habitude,
l'aborda avec de nouvelles menaces contre ceux qui
l'entouraient. Anne d'Autriche baissa la tête, laissa
s'écouler le torrent sans répondre et espérant qu'il
finirait par s'arrêter ; mais ce n'était pas cela que
voulait Louis XIII ; Louis XIII voulait une discussion
de laquelle jaillît une lumière quelconque, convaincu
qu'il était que le cardinal avait quelque arrière-pensée
et lui machinait une surprise terrible comme en savait
faire Son Éminence. Il arriva à ce but par sa persistance
à accuser.

— Mais, s'écria Anne d'Autriche, lassée de ces
vagues attaques ; mais, Sire, vous ne me dites pas tout
ce que vous avez dans le cœur. Qu'ai-je donc fait ?
Voyons, quel crime ai-je donc commis ? Il est impossible que Votre Majesté fasse tout ce bruit pour une
lettre écrite à mon frère.

Le roi, attaqué à son tour d'une manière si directe,
ne sut que répondre ; il pensa que c'était là le moment
de placer la recommandation qu'il ne devait faire que
la veille de la fête.

— Madame, dit-il avec majesté, il y aura incessamment bal à l'hôtel de ville ; j'entends que, pour faire
honneur à nos braves échevins, vous y paraissiez en

habit de cérémonie, et surtout parée des ferrets de diamants que je vous ai donnés pour votre fête. Voici ma réponse.

La réponse était terrible. Anne d'Autriche crut que Louis XIII savait tout, et que le cardinal avait obtenu de lui cette longue dissimulation de sept ou huit jours, qui était au reste dans son caractère. Elle devint excessivement pâle, appuya sur une console sa main d'une admirable beauté, et qui semblait alors une main de cire, et, regardant le roi avec des yeux épouvantés, elle ne répondit pas une seule syllabe.

— Vous entendez, Madame, dit le roi, qui jouissait de cet embarras dans toute son étendue, mais sans en deviner la cause, vous entendez ?

— Oui, Sire, j'entends, balbutia la reine.

— Vous paraîtrez à ce bal ?

— Oui.

— Avec vos ferrets ?

— Oui.

La pâleur de la reine augmenta encore, s'il était possible ; le roi s'en aperçut, et en jouit avec cette froide cruauté qui était un des mauvais côtés de son caractère.

— Alors, c'est convenu, dit le roi, et voilà tout ce que j'avais à vous dire.

— Mais quel jour ce bal aura-t-il lieu ? demanda Anne d'Autriche.

Louis XIII sentit instinctivement qu'il ne devait pas répondre à cette question, la reine l'ayant faite d'une voix presque mourante.

— Mais très incessamment, Madame, dit-il ; mais je ne me rappelle plus précisément la date du jour, je la demanderai au cardinal.

— C'est donc le cardinal qui vous a annoncé cette fête ? s'écria la reine.

— Oui, Madame, répondit le roi étonné; mais pourquoi cela?

— C'est lui qui vous a dit de m'inviter à y paraître avec ces ferrets?

— C'est-à-dire, Madame...

— C'est lui, Sire, c'est lui!

— Eh bien! qu'importe que ce soit lui ou moi? Y a-t-il un crime à cette invitation?

— Non, Sire.

— Alors, vous paraîtrez?

— Oui, Sire.

— C'est bien, dit le roi en se retirant, c'est bien, j'y compte.

La reine fit une révérence, moins par étiquette que parce que ses genoux se dérobaient sous elle.

Le roi partit enchanté.

— Je suis perdue, murmura la reine, perdue, car le cardinal sait tout, et c'est lui qui pousse le roi, qui ne sait rien encore, mais qui saura tout bientôt. Je suis perdue! Mon Dieu! mon Dieu! mon Dieu!

Elle s'agenouilla sur un coussin et pria, la tête enfoncée entre ses bras palpitants.

En effet, la position était terrible. Buckingham était retourné à Londres, Mme de Chevreuse était à Tours. Plus surveillée que jamais, la reine sentait sourdement qu'une de ses femmes la trahissait, sans savoir dire laquelle. La Porte ne pouvait pas quitter le Louvre. Elle n'avait pas une âme au monde à qui se fier.

Aussi, en présence du malheur qui la menaçait et de l'abandon qui était le sien, éclata-t-elle en sanglots.

— Ne puis-je donc être bonne à rien à Votre Majesté? dit tout à coup une voix pleine de douceur et de pitié.

La reine se retourna vivement, car il n'y avait pas à

se tromper à l'expression de cette voix : c'était une amie
qui parlait ainsi.

En effet, à l'une des portes qui donnaient dans l'appartement de la reine apparut la jolie Mme Bonacieux ;
elle était occupée à ranger les robes et le linge dans un
cabinet, lorsque le roi était entré ; elle n'avait pas pu
sortir, et avait tout entendu.

La reine poussa un cri perçant en se voyant surprise,
car dans son trouble elle ne reconnut pas d'abord la
jeune femme qui lui avait été donnée par La Porte.

— Oh ! ne craignez rien, Madame, dit la jeune
femme en joignant les mains et en pleurant elle-même
des angoisses de la reine ; je suis à Votre Majesté corps
et âme, et si loin que je sois d'elle, si inférieure que
soit ma position, je crois que j'ai trouvé un moyen de
tirer Votre Majesté de peine.

— Vous ! ô ciel ! vous ! s'écria la reine ; mais voyons
regardez-moi en face. Je suis trahie de tous côtés
puis-je me fier à vous ?

— Oh ! Madame ! s'écria la jeune femme en tombant
à genoux : sur mon âme, je suis prête à mourir pour
Votre Majesté !

Ce cri était sorti du plus profond du cœur, et, comme
le premier, il n'y avait pas à se tromper.

— Oui, continua Mme Bonacieux, oui, il y a des
traîtres ici ; mais, par le saint nom de la Vierge, je vous
jure que personne n'est plus dévoué que moi à Votre
Majesté. Ces ferrets que le roi redemande, vous les avez
donnés au duc de Buckingham, n'est-ce pas ? Ces ferrets
étaient enfermés dans une petite boîte en bois de rose
qu'il tenait sous son bras ? Est-ce que je me trompe ?
Est-ce que ce n'est pas cela ?

— Oh ! mon Dieu ! mon Dieu ! murmura la reine
dont les dents claquaient d'effroi.

— Eh bien! ces ferrets, continua Mme Bonacieux, il faut les ravoir.

— Oui, sans doute, il le faut, s'écria la reine; mais comment faire, comment y arriver?

— Il faut envoyer quelqu'un au duc.

— Mais qui?... qui?... A qui me fier?

— Ayez confiance en moi, Madame; faites-moi cet honneur, ma reine, et je trouverai le messager, moi!

— Mais il faudra écrire!

— Oh! oui. C'est indispensable. Deux mots de la main de Votre Majesté et votre cachet particulier.

— Mais ces deux mots, c'est ma condamnation, c'est le divorce, l'exil!

— Oui, s'ils tombent entre des mains infâmes! Mais je réponds que ces deux mots seront remis à leur adresse.

— Oh! mon Dieu! il faut donc que je remette ma vie, mon honneur, ma réputation entre vos mains!

— Oui! oui, Madame, il le faut, et je sauverai tout cela, moi!

— Mais comment? Dites-le moi, au moins.

— Mon mari a été remis en liberté il y a deux ou trois jours; je n'ai pas encore eu le temps de le revoir. C'est un brave et honnête homme qui n'a ni haine ni amour pour personne. Il fera ce que je voudrai; il partira sur un ordre de moi, sans savoir ce qu'il porte, et il remettra la lettre de Votre Majesté, sans même savoir qu'elle est de Votre Majesté, à l'adresse qu'elle indiquera.

La reine prit les deux mains de la jeune femme avec un élan passionné, la regarda comme pour lire au fond de son cœur, et ne voyant que sincérité dans ses beaux yeux, elle l'embrassa tendrement.

— Fais cela, s'écria-t-elle, et tu m'auras sauvé la vie, tu m'auras sauvé l'honneur!

— Oh! n'exagérez pas le service que j'ai le bonheur de vous rendre ; je n'ai rien à sauver à Votre Majesté, qui est seulement victime de perfides complots.

— C'est vrai, c'est vrai, mon enfant, dit la reine, et tu as raison.

— Donnez-moi donc cette lettre, Madame, le temps presse.

La reine courut à une petite table sur laquelle se trouvaient encre, papier et plumes ; elle écrivit deux lignes, cacheta la lettre de son cachet et la remit à Mme Bonacieux.

— Et maintenant, dit la reine, nous oublions une chose bien nécessaire.

— Laquelle?

— L'argent.

Mme Bonacieux rougit.

— Oui, c'est vrai, dit-elle, et j'avouerai à Votre Majesté que mon mari...

— Ton mari n'en a pas, c'est cela que tu veux dire.

— Si fait, il en a, mais il est fort avare, c'est là son défaut. Cependant, que Votre Majesté ne s'inquiète pas, nous trouverons moyen...

— C'est que je n'en ai pas non plus, dit la reine (ceux qui liront les Mémoires de Mme de Motteville ne s'étonneront pas de cette réponse) ; mais attends.

Anne d'Autriche courut à son écrin.

— Tiens, dit-elle, voici une bague d'un grand prix, à ce qu'on assure ; elle vient de mon frère le roi d'Espagne, elle est à moi et j'en puis disposer. Prends cette bague et fais-en de l'argent, et que ton mari parte.

— Dans une heure, vous serez obéie.

— Tu vois l'adresse, ajouta la reine, parlant si bas qu'à peine pouvait-on entendre ce qu'elle disait : A Milord duc de Buckingham, à Londres.

— La lettre sera remise à lui-même.

— Généreuse enfant! s'écria Anne d'Autriche.

Mme Bonacieux baisa les mains de la reine, cacha le papier dans son corsage et disparut avec la légèreté d'un oiseau.

Dix minutes après, elle était chez elle ; comme elle l'avait dit à la reine, elle n'avait pas revu son mari depuis sa mise en liberté ; elle ignorait donc le changement qui s'était fait en lui à l'endroit du cardinal, changement qu'avaient opéré la flatterie et l'argent de Son Éminence et qu'avaient corroboré, depuis, deux ou trois visites du comte de Rochefort, devenu le meilleur ami de Bonacieux, auquel il avait fait croire sans beaucoup de peine qu'aucun sentiment coupable n'avait amené l'enlèvement de sa femme, mais que c'était seulement une précaution politique.

Elle trouva M. Bonacieux seul ; le pauvre homme remettait à grand-peine de l'ordre dans la maison, dont il avait trouvé les meubles à peu près brisés et les armoires à peu près vides, la justice n'étant pas une des trois choses que le roi Salomon indique comme ne laissant point de traces de son passage. Quant à la servante, elle s'était enfuie lors de l'arrestation de son maître. La terreur avait gagné la pauvre fille au point qu'elle n'avait cessé de marcher de Paris jusqu'en Bourgogne, son pays natal.

Le digne mercier avait, aussitôt sa rentrée dans sa maison, fait part à sa femme de son heureux retour, et sa femme lui avait répondu pour le féliciter et pour lui dire que le premier moment qu'elle pourrait dérober à ses devoirs serait consacré tout entier à lui rendre visite.

Ce premier moment s'était fait attendre cinq jours, ce qui, dans toute autre circonstance, eût paru un peu bien long à Maître Bonacieux ; mais il avait, dans la visite qu'il avait faite au cardinal et dans les visites que lui faisait Rochefort, ample sujet à réflexion, et, comme on sait, rien ne fait passer le temps comme de réfléchir.

D'autant plus que les réflexions de Bonacieux étaient toutes couleur de rose. Rochefort l'appelait son ami, son cher Bonacieux, et ne cessait de lui dire que le cardinal faisait le plus grand cas de lui. Le mercier se voyait déjà sur le chemin des honneurs et de la fortune.

De son côté, Mme Bonacieux avait réfléchi, mais il faut le dire, à toute autre chose que l'ambition ; malgré elle, ses pensées avaient eu pour mobile constant ce beau jeune homme si brave et qui paraissait si amoureux. Mariée à dix-huit ans à M. Bonacieux, ayant toujours vécu au milieu des amis de son mari, peu susceptible d'inspirer un sentiment quelconque à une jeune femme dont le cœur était plus élevé que sa position, Mme Bonacieux était restée insensible aux séductions vulgaires ; mais, à cette époque surtout, le titre de gentilhomme avait une grande influence sur la bourgeoisie, et d'Artagnan était gentilhomme ; de plus, il portait l'uniforme des gardes, qui, après l'uniforme des mousquetaires, était le plus apprécié des dames. Il était, nous le répétons, beau, jeune, aventureux ; il parlait d'amour en homme qui aime et qui a soif d'être aimé ; il y en avait là plus qu'il n'en fallait pour tourner une tête de vingt-trois ans, et Mme Bonacieux en était arrivée juste à cet âge heureux de la vie.

Les deux époux, quoiqu'ils ne se fussent pas vus depuis plus de huit jours, et que pendant cette semaine

de graves événements eussent passé entre eux, s'abor-
dèrent donc avec une certaine préoccupation ; néanmoins, M. Bonacieux manifesta une joie réelle et
s'avança vers sa femme à bras ouverts.

Mme Bonacieux lui présenta le front.

— Causons un peu, dit-elle.

— Comment ? dit Bonacieux étonné.

— Oui, sans doute, j'ai une chose de la plus haute
importance à vous dire.

— Au fait, et moi aussi, j'ai quelques questions
assez sérieuses à vous adresser. Expliquez-moi un peu
votre enlèvement, je vous prie.

— Il ne s'agit point de cela pour le moment, dit
Mme Bonacieux.

— Et de quoi s'agit-il donc ? De ma captivité ?

— Je l'ai apprise le jour même ; mais comme vous
n'étiez coupable d'aucun crime, comme vous n'étiez
complice d'aucune intrigue, comme vous ne saviez rien
enfin qui pût vous compromettre, ni vous ni personne,
je n'ai attaché à cet événement que l'importance qu'il
méritait.

— Vous en parlez bien à votre aise, Madame ! reprit
Bonacieux blessé du peu d'intérêt que lui témoignait
sa femme ; savez-vous que j'ai été plongé un jour et
une nuit dans un cachot de la Bastille ?

— Un jour et une nuit sont bientôt passés ; laissons
donc votre captivité, et revenons à ce qui m'amène
près de vous.

— Comment ? Ce qui vous amène près de moi !
N'est-ce donc pas le désir de revoir un mari dont vous
êtes séparée depuis huit jours ? demanda le mercier
piqué au vif.

— C'est cela d'abord, et autre chose ensuite.

— Parlez !

— Une chose du plus haut intérêt et de laquelle dépend notre fortune à venir peut-être.

— Notre fortune a fort changé de face depuis que je vous ai vue, Madame Bonacieux, et je ne serais pas étonné que d'ici à quelques mois elle ne fît envie à beaucoup de gens.

— Oui, surtout si vous voulez suivre les instructions que je vais vous donner.

— A moi?

— Oui, à vous. Il y a une bonne et sainte action à faire, Monsieur, et beaucoup d'argent à gagner en même temps.

Mme Bonacieux savait qu'en parlant d'argent à son mari, elle le prenait par son faible.

Mais un homme, fût-ce un mercier, lorsqu'il a causé dix minutes avec le cardinal de Richelieu, n'est plus le même homme.

— Beaucoup d'argent à gagner! dit Bonacieux en allongeant les lèvres.

— Oui, beaucoup.

— Combien, à peu près?

— Mille pistoles peut-être.

— Ce que vous avez à me demander est donc bien grave?

— Oui.

— Que faut-il faire?

— Vous partirez sur-le-champ, je vous remettrai un papier dont vous ne vous dessaisirez sous aucun prétexte, et que vous remettrez en mains propres.

— Et pour où partirai-je?

— Pour Londres.

— Moi, pour Londres! Allons donc, vous raillez, je n'ai pas affaire à Londres.

— Mais d'autres ont besoin que vous y alliez.

— Quels sont ces autres? Je vous avertis, je ne fais plus rien en aveugle, et je veux savoir non seulement à quoi je m'expose, mais encore pour qui je m'expose.

— Une personne illustre vous envoie, une personne illustre vous attend ; la récompense dépassera vos désirs, voilà tout ce que je puis vous promettre.

— Des intrigues encore, toujours des intrigues! merci, je m'en défie maintenant, et le cardinal m'a éclairé là-dessus.

— Le cardinal! s'écria Mme Bonacieux, vous avez vu le cardinal?

— Il m'a fait appeler, répondit fièrement le mercier.

— Et vous vous êtes rendu à son invitation, imprudent que vous êtes.

— Je dois dire que je n'avais pas le choix de m'y rendre ou de ne pas m'y rendre, car j'étais entre deux gardes. Il est vrai encore de dire que, comme alors je ne connaissais pas Son Éminence, si j'avais pu me dispenser de cette visite, j'en eusse été fort enchanté.

— Il vous a donc maltraité? Il vous a donc fait des menaces?

— Il m'a tendu la main et m'a appelé son ami — son ami! Entendez-vous, Madame? Je suis l'ami du grand cardinal!

— Du grand cardinal!

— Lui contesteriez-vous ce titre, par hasard, Madame?

— Je ne lui conteste rien, mais je vous dis que la faveur d'un ministre est éphémère, et qu'il faut être fou pour s'attacher à un ministre ; il est des pouvoirs au-dessus du sien, qui ne reposent pas sur le caprice d'un homme ou l'issue d'un événement ; c'est à ces pouvoirs qu'il faut se rallier.

— J'en suis fâché, Madame, mais je ne connais pas

d'autre pouvoir que celui du grand homme que j'ai l'honneur de servir.

— Vous servez le cardinal ?

— Oui, Madame, et comme son serviteur je ne permettrai pas que vous vous livriez à des complots contre la sûreté de l'État, et que vous serviez, vous, les intrigues d'une femme qui n'est pas Française et qui a le cœur espagnol. Heureusement, le grand cardinal est là, son regard vigilant surveille et pénètre jusqu'au fond du cœur.

Bonacieux répétait mot pour mot une phrase qu'il avait entendu dire au comte de Rochefort ; mais la pauvre femme, qui avait compté sur son mari et qui, dans cet espoir, avait répondu de lui à la reine, n'en frémit pas moins, et du danger dans lequel elle avait failli se jeter, et de l'impuissance dans laquelle elle se trouvait. Cependant, connaissant la faiblesse et surtout la cupidité de son mari, elle ne désespérait pas de l'amener à ses fins.

— Ah ! vous êtes cardinaliste, Monsieur, s'écria-t-elle ; ah ! vous servez le parti de ceux qui maltraitent votre femme et qui insultent votre reine !

— Les intérêts particuliers ne sont rien devant les intérêts de tous. Je suis pour ceux qui sauvent l'État, dit avec emphase Bonacieux.

C'était une autre phrase du comte de Rochefort, qu'il avait retenue et qu'il trouvait l'occasion de placer.

— Et savez-vous ce que c'est que l'État dont vous parlez ? dit Mme Bonacieux en haussant les épaules. Contentez-vous d'être un bourgeois sans finesse aucune, et tournez-vous du côté qui vous offre le plus d'avantages.

— Eh ! eh ! dit Bonacieux en frappant sur un sac à

la panse arrondie et qui rendit un son argentin ; que
dites-vous de ceci, Madame la prêcheuse ?

— D'où vient cet argent ?

— Vous ne devinez pas ?

— Du cardinal ?

— De lui et de mon ami le comte de Rochefort.

— Le comte de Rochefort ! Mais c'est lui qui m'a
enlevée !

— Cela se peut, Madame.

— Et vous recevez de l'argent de cet homme ?

— Ne m'avez-vous pas dit que cet enlèvement était
tout politique ?

— Oui ; mais cet enlèvement avait pour but de me
faire trahir ma maîtresse, de m'arracher par des tortures des aveux qui pussent compromettre l'honneur et
peut-être la vie de mon auguste maîtresse.

— Madame, reprit Bonacieux, votre auguste maîtresse est une perfide Espagnole, et ce que le cardinal
fait est bien fait.

— Monsieur, dit la jeune femme, je vous savais lâche,
avare et imbécile, mais je ne vous savais pas infâme !

— Madame, dit Bonacieux, qui n'avait jamais vu
sa femme en colère et qui reculait devant le courroux
conjugal, Madame, que dites-vous donc ?

— Je dis que vous êtes un misérable ! continua
Mme Bonacieux, qui vit qu'elle reprenait quelque
influence sur son mari. Ah ! vous faites de la politique,
vous ! Et de la politique cardinaliste encore ! Ah ! vous
vous vendez, corps et âme, au démon pour de l'argent.

— Non, mais au cardinal.

— C'est la même chose ! s'écria la jeune femme.
Qui dit Richelieu, dit Satan.

— Taisez-vous, Madame, taisez-vous, on pourrait
vous entendre !

— Oui, vous avez raison, et je serais honteuse pour vous de votre lâcheté.

— Mais qu'exigez-vous donc de moi? Voyons!

— Je vous l'ai dit : que vous partiez à l'instant même, Monsieur, que vous accomplissiez loyalement la commission dont je daigne vous charger, et à cette condition j'oublie tout, je pardonne ; et il y a plus — elle lui tendit la main — je vous rends mon amitié.

Bonacieux était poltron et avare ; mais il aimait sa femme : il fut attendri. Un homme de cinquante ans ne tient pas longtemps rancune à une femme de vingt-trois. Mme Bonacieux vit qu'il hésitait :

— Allons, êtes-vous décidé? dit-elle.

— Mais, ma chère amie, réfléchissez donc un peu à ce que vous exigez de moi ; Londres est loin de Paris, fort loin, et peut-être la commission dont vous me chargez n'est-elle pas sans danger.

— Qu'importe, si vous les évitez!

— Tenez, Madame Bonacieux, dit le mercier, tenez, décidément, je refuse : les intrigues me font peur. J'ai vu la Bastille, moi. Brrrrou! c'est affreux, la Bastille! Rien que d'y penser, j'en ai la chair de poule. On m'a menacé de la torture. Savez-vous ce que c'est que la torture? Des coins de bois qu'on vous enfonce entre les jambes jusqu'à ce que les os éclatent! Non, décidément, je n'irai pas. Et morbleu! que n'y allez-vous vous-même? Car, en vérité, je crois que je me suis trompé sur votre compte jusqu'à présent : je crois que vous êtes un homme, et des plus enragés encore!

— Et vous, vous êtes une femme, une misérable femme, stupide et abrutie. Ah! vous avez peur! Eh bien! si vous ne partez pas à l'instant même, je vous fait arrêter par l'ordre de la reine, et je vous fais mettre à cette Bastille que vous craignez tant.

Bonacieux tomba dans une réflexion profonde ; il pesa mûrement les deux colères dans son cerveau, celle du cardinal et celle dè la reine : celle du cardinal l'emporta énormément.

— Faites-moi arrêter de la part de la reine, dit-il, et moi je me réclamerai de Son Éminence.

Pour le coup, Mme Bonacieux vit qu'elle avait été trop loin, et elle fut épouvantée de s'être si fort avancée. Elle contempla un instant avec effroi cette figure stupide, d'une résolution invincible, comme celle des sots qui ont peur.

— Eh bien, soit ! dit-elle. Peut-être, au bout du compte, avez-vous raison : un homme en sait plus long que les femmes en politique, et vous surtout, Monsieur Bonacieux, qui avez causé avec le cardinal. Et cependant, il est bien dur, ajouta-t-elle, que mon mari, qu'un homme sur l'affection duquel je croyais pouvoir compter, me traite aussi disgracieusement et ne satisfasse point à ma fantaisie.

— C'est que vos fantaisies peuvent mener trop loin, reprit Bonacieux triomphant, et je m'en défie.

— J'y renoncerai donc, dit la jeune femme en soupirant ; c'est bien, n'en parlons plus.

— Si, au moins, vous me disiez quelle chose je vais faire à Londres, reprit Bonacieux, qui se rappelait un peu tard que Rochefort lui avait recommandé d'essayer de surprendre les secrets de sa femme.

— Il est inutile que vous le sachiez, dit la jeune femme, qu'une défiance instinctive repoussait maintenant en arrière : il s'agissait d'une bagatelle comme en désirent les femmes, d'une emplette sur laquelle il y avait beaucoup à gagner.

Mais plus la jeune femme se défendait, plus au contraire Bonacieux pensa que le secret qu'elle refusait

de lui confier était important. Il résolut donc de courir
à l'instant même chez le comte de Rochefort, et de lui
dire que la reine cherchait un messager pour l'envoyer
à Londres.

— Pardon, si je vous quitte, ma chère Madame
Bonacieux, dit-il ; mais, ne sachant pas que vous me
viendriez voir, j'avais pris rendez-vous avec un de mes
amis ; je reviens à l'instant même, et si vous voulez
m'attendre seulement une demi-minute, aussitôt que
j'en aurai fini avec cet ami, je reviens vous prendre,
et, comme il commence à se faire tard, je vous reconduis
au Louvre.

— Merci, Monsieur, répondit Mme Bonacieux : vous
n'êtes point assez brave pour m'être d'une utilité quelconque, et je m'en retournerai bien au Louvre toute
seule.

— Comme il vous plaira, Madame Bonacieux, reprit
l'ex-mercier. Vous reverrai-je bientôt ?

— Sans doute ; la semaine prochaine, je l'espère,
mon service me laissera quelque liberté, et j'en profiterai
pour revenir mettre de l'ordre dans nos affaires, qui
doivent être quelque peu dérangées.

— C'est bien ; je vous attendrai. Vous ne m'en voulez pas ?

— Moi ! pas le moins du monde.

— A bientôt, alors ?

— A bientôt.

Bonacieux baisa la main de sa femme, et s'éloigna
rapidement.

— Allons, dit Mme Bonacieux, lorsque son mari
eut refermé la porte de la rue, et qu'elle se trouva
seule, il ne manquait plus à cet imbécile que d'être
cardinaliste ! Et moi qui avais répondu à la reine, moi
qui avais promis à ma pauvre maîtresse... Ah ! mon

Dieu, mon Dieu! elle va me prendre pour quelqu'une de ces misérables dont fourmille le palais, et qu'on a placées près d'elle pour l'espionner! Ah! Monsieur Bonacieux! je ne vous ai jamais beaucoup aimé ; maintenant, c'est bien pis : je vous hais! et, sur ma parole, vous me le payerez!

Au moment où elle disait ces mots, un coup frappé au plafond lui fit lever la tête, et une voix, qui parvint à elle à travers le plancher, lui cria :

— Chère Madame Bonacieux, ouvrez-moi la petite porte de l'allée, et je vais descendre près de vous.

XVIII

L'AMANT ET LE MARI

— Ah! Madame, dit d'Artagnan en entrant par la porte que lui ouvrait la jeune femme, permettez-moi de vous le dire, vous avez là un triste mari.

— Vous avez donc entendu notre conversation? demanda vivement Mme Bonacieux en regardant d'Artagnan avec inquiétude.

— Tout entière.

— Mais comment cela, mon Dieu?

— Par un procédé à moi connu, et par lequel j'ai entendu aussi la conversation plus animée que vous avez eue avec les sbires du cardinal.

— Et qu'avez-vous compris dans ce que nous disions?

— Mille choses : d'abord, que votre mari est un niais et un sot, heureusement ; puis, que vous étiez embarrassée, ce dont j'ai été fort aise, et que cela me donne une occasion de me mettre à votre service, et Dieu sait si je suis prêt à me jeter dans le feu pour vous ; enfin que la reine a besoin qu'un homme brave, intelligent et dévoué fasse pour elle un voyage à Londres. J'ai au moins deux des trois qualités qu'il vous faut, et me voilà.

Mme Bonacieux ne répondit pas, mais son cœur battait de joie, et une secrète espérance brilla à ses yeux.

— Et quelle garantie me donnerez-vous, demanda-t-elle, si je consens à vous confier cette mission ?

— Mon amour pour vous. Voyons, dites, ordonnez : que faut-il faire ?

— Mon Dieu ! mon Dieu ! murmura la jeune femme, dois-je vous confier un pareil secret, Monsieur ? Vous êtes presque un enfant !

— Allons, je vois qu'il vous faut quelqu'un qui vous réponde de moi.

— J'avoue que cela me rassurerait fort.

— Connaissez-vous Athos ?

— Non.

— Porthos ?

— Non.

— Aramis ?

— Non. Quels sont ces messieurs ?

— Des mousquetaires du roi. Connaissez-vous M. de Tréville, leur capitaine ?

— Oh ! oui, celui-là, je le connais, non pas personnellement, mais pour en avoir entendu plus d'une fois parler à la reine comme d'un brave et loyal gentilhomme.

— Vous ne craignez pas que lui vous trahisse pour le cardinal, n'est-ce pas ?

— Oh ! non, certainement.

— Eh bien ! révélez-lui votre secret, et demandez-lui, si important, si précieux, si terrible qu'il soit, si vous pouvez me le confier.

— Mais ce secret ne m'appartient pas, et je ne puis le révéler ainsi.

— Vous l'alliez bien confier à M. Bonacieux, dit d'Artagnan avec dépit.

— Comme on confie une lettre au creux d'un arbre, à l'aile d'un pigeon, au collier d'un chien.

— Et cependant, moi, vous voyez bien que je vous aime.

— Vous le dites.

— Je suis un galant homme!

— Je le crois.

— Je suis brave!

— Oh! cela, j'en suis sûre.

— Alors, mettez-moi donc à l'épreuve.

Mme Bonacieux regarda le jeune homme, retenue par une dernière hésitation. Mais il y avait une telle ardeur dans ses yeux, une telle persuasion dans sa voix, qu'elle se sentit entraînée à se fier à lui. D'ailleurs elle se trouvait dans une de ces circonstances où il faut risquer le tout pour le tout. La reine était aussi bien perdue par une trop grande retenue que par une trop grande confiance. Puis, avouons-le, le sentiment involontaire qu'elle éprouvait pour ce jeune protecteur la décida à parler.

— Écoutez, lui dit-elle, je me rends à vos protestations et je cède à vos assurances. Mais je vous jure devant Dieu qui nous entend, que si vous me trahissez et que mes ennemis me pardonnent, je me tuerai en vous accusant de ma mort.

— Et moi, je vous jure devant Dieu, Madame, dit d'Artagnan, que si je suis pris en accomplissant les ordres que vous me donnez, je mourrai avant de rien faire ou dire qui compromette quelqu'un.

Alors la jeune femme lui confia le terrible secret dont

le hasard lui avait déjà révélé une partie en face de la Samaritaine. Ce fut leur mutuelle déclaration d'amour.

D'Artagnan rayonnait de joie et d'orgueil. Ce secret qu'il possédait, cette femme qu'il aimait, la confiance et l'amour, faisaient de lui un géant.

— Je pars, dit-il, je pars sur-le-champ.

— Comment! vous partez! s'écria Mme Bonacieux et votre régiment, votre capitaine?

— Sur mon âme, vous m'aviez fait oublier tout cela, chère Constance! Oui, vous avez raison, il me faut un congé.

— Encore un obstacle, murmura Mme Bonacieux avec douleur.

— Oh! celui-là, s'écria d'Artagnan après un moment de réflexion, je le surmonterai, soyez tranquille.

— Comment cela?

— J'irai trouver ce soir même M. de Tréville, que je chargerai de demander pour moi cette faveur à son beau-frère, M. des Essarts.

— Maintenant, autre chose.

— Quoi? demanda d'Artagnan, voyant que Mme Bonacieux hésitait à continuer.

— Vous n'avez peut-être pas d'argent?

— Peut-être est de trop, dit d'Artagnan en souriant.

— Alors, reprit Mme Bonacieux en ouvrant une armoire et en tirant de cette armoire le sac qu'une demi-heure auparavant caressait si amoureusement son mari, prenez ce sac.

— Celui du cardinal! s'écria en éclatant de rire d'Artagnan qui, comme on s'en souvient, grâce à ses carreaux enlevés, n'avait pas perdu une syllabe de la conversation du mercier et de sa femme.

— Celui du cardinal, répondit Mme Bonacieux;

vous voyez qu'il se présente sous un aspect assez
respectable.

— Pardieu! s'écria d'Artagnan, ce sera une chose
doublement divertissante que de sauver la reine avec
l'argent de Son Éminence!

— Vous êtes un aimable et charmant jeune homme,
dit Mme Bonacieux. Croyez que Sa Majesté ne sera point
ingrate.

— Oh! je suis déjà grandement récompensé! s'écria
d'Artagnan. Je vous aime, vous me permettez de vous
le dire ; c'est déjà plus de bonheur que je n'en osais
espérer.

— Silence! dit Mme Bonacieux en tressaillant.

— Quoi?

— On parle dans la rue.

— C'est la voix...

— De mon mari. Oui, je l'ai reconnue!

D'Artagnan courut à la porte et poussa le verrou.

— Il n'entrera pas que je ne sois parti, dit-il, et
quand je serai parti, vous lui ouvrirez.

— Mais je devrais être partie aussi, moi. Et la disparition de cet argent, comment la justifier si je suis là?

— Vous avez raison, il faut sortir.

— Sortir, comment? Il nous verra si nous sortons.

— Alors il faut monter chez moi.

— Ah! s'écria Mme Bonacieux, vous me dites cela
d'un ton qui me fait peur.

Mme Bonacieux prononça ces paroles avec une larme
dans les yeux. D'Artagnan vit cette larme, et, troublé,
attendri, il se jeta à ses genoux.

— Chez moi, dit-il, vous serez en sûreté comme dans
un temple, je vous en donne ma parole de gentilhomme.

— Partons, dit-elle, je me fie à vous, mon ami.

D'Artagnan rouvrit avec précaution le verrou, et

tous deux, légers comme des ombres, se glissèrent par
la porte intérieure dans l'allée, montèrent sans bruit
l'escalier et rentrèrent dans la chambre de d'Artagnan.

Une fois chez lui, pour plus de sûreté, le jeune homme
barricada la porte ; ils s'approchèrent tous deux de la
fenêtre, et par une fente du volet ils virent M. Bonacieux
qui causait avec un homme en manteau.

A la vue de l'homme en manteau, d'Artagnan bondit,
et, tirant son épée à demi, s'élança vers la porte.

C'était l'homme de Meung.

— Qu'allez-vous faire ? s'écria Mme Bonacieux ; vous
nous perdez.

— Mais j'ai juré de tuer cet homme ! dit d'Artagnan.

— Votre vie est vouée en ce moment et ne vous
appartient pas. Au nom de la reine, je vous défends de
vous jeter dans aucun péril étranger à celui du voyage.

— Et en votre nom, n'ordonnez-vous rien ?

— En mon nom, dit Mme Bonacieux avec une vive
émotion ; en mon nom, je vous en prie. Mais écoutons,
il me semble qu'ils parlent de moi.

D'Artagnan se rapprocha de la fenêtre et prêta
l'oreille.

M. Bonacieux avait rouvert sa porte, et voyant l'appartement vide, il était revenu à l'homme au manteau
qu'un instant il avait laissé seul.

— Elle est partie, dit-il, elle sera retournée au
Louvre.

— Vous êtes sûr, répondit l'étranger, qu'elle ne s'est
pas doutée dans quelles intentions vous êtes sorti ?

— Non, répondit Bonacieux avec suffisance ; c'est
une femme trop superficielle.

— Le cadet aux gardes est-il chez lui ?

— Je ne le crois pas ; comme vous le voyez, son

volet est fermé, et l'on ne voit aucune lumière briller
à travers les fentes.

— C'est égal, il faudrait s'en assurer.

— Comment cela?

— En allant frapper à sa porte.

— Je demanderai à son valet.

— Allez.

Bonacieux rentra chez lui, passa par la même porte
qui venait de donner passage aux deux fugitifs, monta
jusqu'au palier de d'Artagnan et frappa.

Personne ne répondit. Porthos, pour faire plus
grande figure, avait emprunté ce soir-là Planchet.
Quant à d'Artagnan, il n'avait garde de donner signe
d'existence.

Au moment où le doigt de Bonacieux résonna sur la
porte, les deux jeunes gens sentirent bondir leurs cœurs.

— Il n'y a personne chez lui, dit Bonacieux.

— N'importe, rentrons toujours chez vous, nous serons plus en sûreté que sur le seuil d'une porte.

— Ah! mon Dieu! murmura Mme Bonacieux, nous
n'allons plus rien entendre.

— Au contraire, dit d'Artagnan, nous n'entendrons
que mieux.

D'Artagnan enleva les trois ou quatre carreaux qui
faisaient de sa chambre une autre oreille de Denys,
étendit un tapis à terre, se mit à genoux, et fit signe
à Mme Bonacieux de se pencher, comme il le faisait,
vers l'ouverture.

— Vous êtes sûr qu'il n'y a personne? dit l'inconnu.

— J'en réponds, dit Bonacieux.

— Et vous pensez que votre femme?...

— Est retournée au Louvre.

— Sans parler à aucune personne qu'à vous?

— J'en suis sûr.

— C'est un point important, comprenez-vous?

— Ainsi, la nouvelle que je vous ai apportée a donc une valeur...?

— Très grande, mon cher Bonacieux, je ne vous le cache pas.

— Alors le cardinal sera content de moi?

— Je n'en doute pas.

— Le grand cardinal!

— Vous êtes sûr que, dans sa conversation avec vous, votre femme n'a pas prononcé de noms propres?

— Je ne crois pas.

— Elle n'a nommé ni Mᵐᵉ de Chevreuse, ni M. de Buckingham, ni Mᵐᵉ de Vernel?

— Non, elle m'a dit seulement qu'elle voulait m'envoyer à Londres pour servir les intérêts d'une personne illustre.

— Le traître! murmura Mᵐᵉ Bonacieux.

— Silence! dit d'Artagnan en lui prenant une main qu'elle lui abandonna sans y penser.

— N'importe, continua l'homme au manteau, vous êtes un niais de n'avoir pas feint d'accepter la commission, vous auriez la lettre à présent ; l'État qu'on menace était sauvé, et vous...

— Et moi?

— Eh bien, vous! le cardinal vous donnait des lettres de noblesse...

— Il vous l'a dit?

— Oui, je sais qu'il voulait vous faire cette surprise.

— Soyez tranquille, reprit Bonacieux ; ma femme m'adore, et il est encore temps.

— Le niais! murmura Mᵐᵉ Bonacieux.

— Silence! dit d'Artagnan en lui serrant plus fortement la main.

— Comment est-il encore temps? reprit l'homme au manteau.

— Je retourne au Louvre, je demande Mme Bonacieux, je dis que j'ai réfléchi, je renoue l'affaire, j'obtiens la lettre, et je cours chez le cardinal.

— Eh bien! allez vite; je reviendrai bientôt savoir le résultat de votre démarche.

L'inconnu sortit.

— L'infâme! dit Mme Bonacieux en adressant encore cette épithète à son mari.

— Silence! répéta d'Artagnan en lui serrant la main plus fortement encore.

Un hurlement terrible interrompit alors les réflexions de d'Artagnan et de Mme Bonacieux. C'était son mari, qui s'était aperçu de la disparition de son sac et qui criait au voleur.

— Oh! mon Dieu! s'écria Mme Bonacieux, il va ameuter tout le quartier.

Bonacieux cria longtemps; mais comme de pareils cris, attendu leur fréquence, n'attiraient personne dans la rue des Fossoyeurs, et que d'ailleurs la maison du mercier était depuis quelque temps assez mal famée, voyant que personne ne venait, il sortit en continuant de crier, et l'on entendit sa voix qui s'éloignait dans la direction de la rue du Bac.

— Et maintenant qu'il est parti, à votre tour de vous éloigner, dit Mme Bonacieux; du courage, mais surtout de la prudence, et songez que vous vous devez à la reine.

— A elle et à vous! s'écria d'Artagnan. Soyez tranquille, belle Constance, je reviendrai digne de sa reconnaissance; mais reviendrai-je aussi digne de votre amour?

La jeune femme ne répondit que par la vive rougeur

qui colora ses joues. Quelques instants après, d'Artagnan sortit à son tour, enveloppé, lui aussi, d'un grand manteau que retroussait cavalièrement le fourreau d'une longue épée.

Mme Bonacieux le suivit des yeux avec ce long regard d'amour dont la femme accompagne l'homme qu'elle se sent aimer ; mais lorsqu'il eut disparu à l'angle de la rue, elle tomba à genoux, et joignant les mains :

— O mon Dieu ! s'écria-t-elle, protégez la reine, protégez-moi !

XIX

PLAN DE CAMPAGNE

D'Artagnan se rendit droit chez M. de Tréville. Il avait réfléchi que, dans quelques minutes, le cardinal serait averti par ce damné inconnu, qui paraissait être son agent, et pensait avec raison qu'il n'y avait pas un instant à perdre.

Le cœur du jeune homme débordait de joie. Une occasion où il y avait à la fois gloire à acquérir et argent à gagner se présentait à lui, et, comme premier encouragement, venait de le rapprocher d'une femme qu'il adorait. Ce hasard faisait donc presque du premier coup, pour lui, plus qu'il n'eût osé demander à la Providence.

M. de Tréville était dans son salon avec sa cour habituelle de gentilshommes. D'Artagnan, que l'on connaissait comme un familier de la maison, alla droit

à son cabinet et le fit prévenir qu'il l'attendait pour
chose d'importance.

D'Artagnan était là depuis cinq minutes à peine,
lorsque M. de Tréville entra. Au premier coup d'œil et
à la joie qui se peignait sur son visage, le digne capitaine
comprit qu'il se passait effectivement quelque chose de
nouveau.

Tout le long de la route, d'Artagnan s'était demandé
s'il se confierait à M. de Tréville, ou si seulement il lui
demanderait de lui accorder carte blanche pour une
affaire secrète. Mais M. de Tréville avait toujours été
si parfait pour lui, il était si fort dévoué au roi et à la
reine, il haïssait si cordialement le cardinal, que le jeune
homme résolut de tout lui dire.

— Vous m'avez fait demander, mon jeune ami? dit
M. de Tréville.

— Oui, Monsieur, dit d'Artagnan, et vous me par-
donnerez, je l'espère, de vous avoir dérangé, quand
vous saurez de quelle chose importante il est question.

— Dites alors, je vous écoute.

— Il ne s'agit de rien moins, dit d'Artagnan, en
baissant la voix, que de l'honneur et peut-être de la vie
de la reine.

— Que dites-vous là? demanda M. de Tréville en
regardant tout autour de lui s'ils étaient bien seuls, et
en ramenant son regard interrogateur sur d'Artagnan.

— Je dis, Monsieur, que le hasard m'a rendu maître
d'un secret...

— Que vous garderez, j'espère, jeune homme, sur
votre vie.

— Mais que je dois vous confier, à vous, Monsieur,
car vous seul pouvez m'aider dans la mission que je
viens de recevoir de Sa Majesté.

— Ce secret est-il à vous?

— Non, Monsieur, c'est celui de la reine.

— Êtes-vous autorisé par Sa Majesté à me le confier?

— Non, Monsieur, car au contraire le plus profond mystère m'est recommandé.

— Et pourquoi donc allez-vous le trahir vis-à-vis de moi?

— Parce que, je vous le dis, sans vous je ne puis rien, et que j'ai peur que vous ne me refusiez la grâce que je viens vous demander, si vous ne savez pas dans quel but je vous la demande.

— Gardez votre secret, jeune homme, et dites-moi ce que vous désirez.

— Je désire que vous obteniez pour moi, de M. des Essarts, un congé de quinze jours.

— Quand cela?

— Cette nuit même.

— Vous quittez Paris?

— Je vais en mission.

— Pouvez-vous me dire où?

— A Londres.

— Quelqu'un a-t-il intérêt à ce que vous n'arriviez pas à votre but?

— Le cardinal, je le crois, donnerait tout au monde pour m'empêcher de réussir.

— Et vous partez seul?

— Je pars seul.

— En ce cas, vous ne passerez pas Bondy; c'est moi qui vous le dis, foi de Tréville.

— Comment cela?

— On vous fera assassiner.

— Je serai mort en faisant mon devoir.

— Mais votre mission ne sera pas remplie.

— C'est vrai, dit d'Artagnan.

— Croyez-moi, continua Tréville, dans les entreprises de ce genre, il faut être quatre pour arriver un.

— Ah! vous avez raison, Monsieur, dit d'Artagnan ; mais vous connaissez Athos, Porthos et Aramis, et vous savez si je puis disposer d'eux.

— Sans leur confier le secret que je n'ai pas voulu savoir ?

— Nous nous sommes juré, une fois pour toutes, confiance aveugle et dévouement à toute épreuve ; d'ailleurs vous pouvez leur dire que vous avez toute confiance en moi, et ils ne seront pas plus incrédules que vous.

— Je puis leur envoyer à chacun un congé de quinze jours, voilà tout : à Athos, que sa blessure fait toujours souffrir pour aller aux eaux de Forges ; à Porthos et à Aramis, pour suivre leur ami, qu'ils ne veulent pas abandonner dans une si douloureuse position. L'envoi de leur congé sera la preuve que j'autorise leur voyage.

— Merci, Monsieur, et vous êtes cent fois bon.

— Allez donc les trouver à l'instant même, et que tout s'exécute cette nuit. Ah! et d'abord écrivez-moi votre requête à M. des Essarts. Peut-être aviez-vous un espion à vos trousses, et votre visite, qui dans ce cas est déjà connue du cardinal, sera légitimée ainsi.

D'Artagnan formula cette demande, et M. de Tréville, en la recevant de ses mains, assura qu'avant deux heures du matin les quatre congés seraient aux domiciles respectifs des voyageurs.

— Ayez la bonté d'envoyer le mien chez Athos, dit d'Artagnan. Je craindrais, en rentrant chez moi, d'y faire quelque mauvaise rencontre.

— Soyez tranquille. Adieu et bon voyage! A propos! dit M. de Tréville en le rappelant.

D'Artagnan revint sur ses pas.

— Avez-vous de l'argent ?

D'Artagnan fit sonner le sac qu'il avait dans sa poche.

— Assez? demanda M. de Tréville.

— Trois cents pistoles.

— C'est bien, on va au bout du monde avec cela ; allez donc.

D'Artagnan salua M. de Tréville, qui lui tendit la main ; d'Artagnan la lui serra avec un respect mêlé de reconnaissance. Depuis qu'il était arrivé à Paris, il n'avait eu qu'à se louer de cet excellent homme, qu'il avait toujours trouvé digne, loyal et grand.

Sa première visite fut pour Aramis ; il n'était pas revenu chez son ami depuis la fameuse soirée où il avait suivi Mme Bonacieux. Il y a plus : à peine avait-il vu le jeune mousquetaire, et à chaque fois qu'il l'avait revu, il avait cru remarquer une profonde tristesse empreinte sur son visage.

Ce soir encore, Aramis veillait, sombre et rêveur ; d'Artagnan lui fit quelques questions sur cette mélancolie profonde ; Aramis s'excusa sur un commentaire du dix-huitième chapitre de saint Augustin qu'il était forcé d'écrire en latin pour la semaine suivante, et qui le préoccupait beaucoup.

Comme les deux amis causaient depuis quelques instants, un serviteur de M. de Tréville entra porteur d'un paquet cacheté.

— Qu'est-ce là? demanda Aramis.

— Le congé que Monsieur a demandé, répondit le laquais.

— Moi, je n'ai pas demandé de congé.

— Taisez-vous et prenez, dit d'Artagnan. Et vous, mon ami, voici une demi-pistole pour votre peine ; vous direz à M. de Tréville que M. Aramis le remercie bien sincèrement. Allez.

Le laquais salua jusqu'à terre et sortit.

— Que signifie cela ? demanda Aramis.

— Prenez ce qu'il vous faut pour un voyage de quinze jours et suivez-moi.

— Mais je ne puis quitter Paris en ce moment, sans savoir...

Aramis s'arrêta.

— Ce qu'elle est devenue, n'est-ce pas ? continua d'Artagnan.

— Qui ? reprit Aramis.

— La femme qui était ici, la femme au mouchoir brodé.

— Qui vous a dit qu'il y avait une femme ici ? répliqua Aramis en devenant pâle comme la mort.

— Je l'ai vue.

— Et vous savez qui elle est ?

— Je crois m'en douter, du moins.

— Écoutez, dit Aramis, puisque vous savez tant de choses, savez-vous ce qu'est devenue cette femme ?

— Je présume qu'elle est retournée à Tours.

— A Tours ? Oui, c'est bien cela ; vous la connaissez. Mais comment est-elle retournée à Tours sans me rien dire ?

— Parce qu'elle a craint d'être arrêtée.

— Comment ne m'a-t-elle pas écrit ?

— Parce qu'elle a craint de vous compromettre.

— D'Artagnan, vous me rendez la vie ! s'écria Aramis. Je me croyais méprisé, trahi. J'étais si heureux de la revoir ! Je ne pouvais croire qu'elle risquât sa liberté pour moi, et cependant pour quelle cause serait-elle revenue à Paris ?

— Pour la cause qui aujourd'hui nous fait aller en Angleterre.

— Et quelle est cette cause ? demanda Aramis.

— Vous le saurez un jour, Aramis ; mais, pour le

moment, j'imiterai la retenue de la *nièce du docteur.*

Aramis sourit, car il se rappelait le conte qu'il avait fait certain soir à ses amis.

— Eh bien! donc, puisqu'elle a quitté Paris et que vous en êtes sûr, d'Artagnan, rien ne m'y arrête plus, et je suis prêt à vous suivre. Vous dites que nous allons?...

— Chez Athos, pour le moment, et si vous voulez venir, je vous invite même à vous hâter, car nous avons déjà perdu beaucoup de temps. A propos, prévenez Bazin.

— Bazin vient avec nous? demanda Aramis.

— Peut-être. En tout cas, il est bon qu'il nous suive pour le moment chez Athos.

Aramis appela Bazin, et après lui avoir ordonné de le venir joindre chez Athos :

— Partons donc, dit-il en prenant son manteau, son épée et ses trois pistolets, et en ouvrant inutilement trois ou quatre tiroirs pour voir s'il n'y trouverait pas quelque pistole égarée. Puis, quand il se fut bien assuré que cette recherche était superflue, il suivit d'Artagnan en se demandant comment il se faisait que le jeune cadet aux gardes sût aussi bien que lui quelle était la femme à laquelle il avait donné l'hospitalité, et sût mieux que lui ce qu'elle était devenue.

Seulement, en sortant, Aramis posa sa main sur le bras de d'Artagnan, et le regardant fixement :

— Vous n'avez parlé de cette femme à personne? dit-il.

— A personne au monde.

— Pas même à Athos et à Porthos?

— Je ne leur en ai pas soufflé le moindre mot.

— A la bonne heure.

Et, tranquille sur ce point important, Aramis continua

son chemin avec d'Artagnan, et tous deux arrivèrent
bientôt chez Athos.

Ils le trouvèrent tenant son congé d'une main et la
lettre de M. de Tréville de l'autre.

— Pouvez-vous m'expliquer ce que signifient ce
congé et cette lettre que je viens de recevoir? dit Athos
étonné.

« Mon cher Athos, je veux bien, puisque votre santé
» l'exige absolument, que vous vous reposiez quinze
» jours. Allez donc prendre les eaux de Forges ou telles
» autres qui vous conviendront, et rétablissez-vous
» promptement.

  « Votre affectionné

        « Tréville. »

— Eh bien, ce congé et cette lettre signifient qu'il
faut me suivre, Athos.

— Aux eaux de Forges?

— Là ou ailleurs.

— Pour le service du roi?

— Du roi ou de la reine : ne sommes-nous pas serviteurs de Leurs Majestés?

En ce moment, Porthos entra.

— Pardieu, dit-il, voici une chose étrange : depuis
quand, dans les mousquetaires, accorde-t-on aux gens
des congés sans qu'ils les demandent?

— Depuis, dit d'Artagnan, qu'ils ont des amis qui
les demandent pour eux.

— Ah! ah! dit Porthos, il paraît qu'il y a du nouveau.

— Oui, nous partons, dit Aramis.

— Pour quel pays? demanda Porthos.

— Ma foi, je n'en sais trop rien, dit Athos : demande
cela à d'Artagnan.

— Pour Londres, Messieurs, dit d'Artagnan.

— Pour Londres! s'écria Porthos ; et qu'allons-nous faire à Londres?

— Voilà ce que je ne puis vous dire, Messieurs, et il faut vous fier à moi.

— Mais pour aller à Londres, ajouta Porthos, il faut de l'argent, et je n'en ai pas.

— Ni moi, dit Aramis.

— Ni moi, dit Athos.

— J'en ai, moi, reprit d'Artagnan en tirant son trésor de sa poche et en le posant sur la table. Il y a dans ce sac trois cents pistoles ; prenons-en chacun soixante-quinze ; c'est autant qu'il en faut pour aller à Londres et pour en revenir. D'ailleurs, soyez tranquilles, nous n'y arriverons pas tous, à Londres.

— Et pourquoi cela?

— Parce que, selon toute probabilité, il y en aura quelques-uns d'entre nous qui resteront en route.

— Mais est-ce donc une campagne que nous entreprenons?

— Et des plus dangereuses, je vous en avertis.

— Ah çà! mais, puisque nous risquons de nous faire tuer, dit Porthos, je voudrais bien savoir pourquoi, au moins?

— Tu en seras bien plus avancé! dit Athos.

— Cependant, dit Aramis, je suis de l'avis de Porthos.

— Le roi a-t-il l'habitude de vous rendre des comptes? Non, il vous dit tout bonnement : Messieurs, on se bat en Gascogne ou dans les Flandres, allez vous battre ; et vous y allez. Pourquoi? Vous ne vous en inquiétez même pas.

— D'Artagnan a raison, dit Athos, voilà nos trois congés qui viennent de M. de Tréville, et voilà trois cents pistoles qui viennent je ne sais d'où. Allons nous

faire tuer où l'on nous dit d'aller. La vie vaut-elle la
peine de faire autant de questions ? D'Artagnan, je suis
prêt à te suivre.

— Et moi aussi, dit Porthos.

— Et moi aussi, dit Aramis. Aussi bien, je ne suis
pas fâché de quitter Paris. J'ai besoin de distractions.

— Eh bien ! vous en aurez des distractions, Messieurs,
soyez tranquilles, dit d'Artagnan.

— Et maintenant, quand partons-nous ? dit Athos.

— Tout de suite, répondit d'Artagnan ; il n'y a pas
une minute à perdre.

— Holà ! Grimaud, Planchet, Mousqueton, Bazin !
crièrent les quatre jeunes gens appelant leurs laquais,
graissez nos bottes et ramenez les chevaux de l'hôtel.

En effet, chaque mousquetaire laissait à l'hôtel
général comme à une caserne son cheval et celui de son
laquais.

Planchet, Grimaud, Mousqueton et Bazin partirent
en toute hâte.

— Maintenant, dressons le plan de campagne, dit
Porthos. Où allons-nous d'abord ?

— A Calais, dit d'Artagnan ; c'est la ligne la plus
directe pour arriver à Londres.

— Eh bien ! dit Porthos, voici mon avis.

— Parle.

— Quatre hommes voyageant ensemble seraient
suspects : d'Artagnan nous donnera à chacun ses instructions, je partirai en avant par la route de Boulogne
pour éclairer le chemin ; Athos partira deux heures après
par celle d'Amiens ; Aramis nous suivra par celle de
Noyon ; quant à d'Artagnan, il partira par celle qu'il
voudra, avec les habits de Planchet, tandis que Planchet nous suivra en d'Artagnan et avec l'uniforme des
gardes.

— Messieurs, dit Athos, mon avis est qu'il ne convient pas de mettre en rien des laquais dans une pareille affaire ; un secret peut par hasard être trahi par des gentilshommes, mais il est presque toujours vendu par des laquais.

— Le plan de Porthos me semble impraticable, dit d'Artagnan, en ce que j'ignore moi-même quelles instructions je puis vous donner. Je suis porteur d'une lettre, voilà tout. Je n'ai pas et ne puis faire trois copies de cette lettre, puisqu'elle est scellée ; il faut donc, à mon avis, voyager de compagnie. Cette lettre est là, dans cette poche. (Et il montra la poche où était la lettre.) Si je suis tué, l'un de vous la prendra et vous continuerez la route ; s'il est tué, ce sera le tour d'un autre, et ainsi de suite ; pourvu qu'un seul arrive, c'est tout ce qu'il faut.

— Bravo, d'Artagnan ! ton avis est le mien, dit Athos. Il faut être conséquent, d'ailleurs : je vais prendre les eaux, vous m'accompagnerez ; au lieu des eaux de Forges, je vais prendre les eaux de mer ; je suis libre. On veut nous arrêter, je montre la lettre de M. de Tréville, et vous montrez vos congés ; on nous attaque, nous nous défendons ; on nous juge, nous soutenons mordicus que nous n'avions d'autre intention que de nous tremper un certain nombre de fois dans la mer ; on aurait trop bon marché de quatre hommes isolés, tandis que quatre hommes réunis font une troupe. Nous armerons les quatre laquais de pistolets et de mousquetons ; si l'on envoie une armée contre nous, nous livrerons bataille, et le survivant, comme l'a dit d'Artagnan, portera la lettre.

— Bien dit, s'écria Aramis ; tu ne parles pas souvent, Athos, mais quand tu parles, c'est comme saint Jean Bouche d'Or. J'adopte le plan d'Athos. Et toi, Porthos ?

— Moi aussi, dit Porthos, s'il convient à d'Artagnan. D'Artagnan, porteur de la lettre, est naturellement le chef de l'entreprise ; qu'il décide, et nous exécuterons.

— Eh bien ! dit d'Artagnan, je décide que nous adoptions le plan d'Athos et que nous partions dans une demi-heure.

— Adopté ! reprirent en chœur les trois mousquetaires.

Et chacun, allongeant la main vers le sac, prit soixante-quinze pistoles et fit ses préparatifs pour partir à l'heure convenue.

XX

VOYAGE

A deux heures du matin, nos quatre aventuriers sortirent de Paris par la barrière Saint-Denis ; tant qu'il fit nuit, ils restèrent muets ; malgré eux, ils subissaient l'influence de l'obscurité et voyaient des embûches partout.

Aux premiers rayons du jour, leurs langues se délièrent ; avec le soleil, la gaieté revint : c'était comme à la veille d'un combat, le cœur battait, les yeux riaient ; on sentait que la vie qu'on allait peut-être quitter était, au bout du compte, une bonne chose.

L'aspect de la caravane, au reste, était des plus formidables : les chevaux noirs des mousquetaires, leur tournure martiale, cette habitude de l'escadron qui fait marcher régulièrement ces nobles compagnons du soldat, eussent trahi le plus strict incognito.

Les valet suivaient, armés jusqu'aux dents.

Tout alla bien jusqu'à Chantilly, où l'on arriva vers les huit heures du matin. Il fallait déjeuner. On descendit devant une auberge que recommandait une enseigne représentant saint Martin donnant la moitié de son manteau à un pauvre. On enjoignit aux laquais de ne pas desseller les chevaux et de se tenir prêts à repartir immédiatement.

On entra dans la salle commune, et l'on se mit à table.

Un gentilhomme, qui venait d'arriver par la route de Dammartin était assis à cette même table et déjeunait. Il entama la conversation sur la pluie et le beau temps ; les voyageurs répondirent : il but à leur santé ; les voyageurs lui rendirent sa politesse.

Mais au moment où Mousqueton venait annoncer que les chevaux étaient prêts et où l'on se levait de table, l'étranger proposa à Porthos la santé du cardinal. Porthos répondit qu'il ne demandait pas mieux, si l'étranger à son tour voulait boire à la santé du roi. L'étranger s'écria qu'il ne connaissait d'autre roi que Son Éminence. Porthos l'appela ivrogne ; l'étranger tira son épée.

— Vous avez fait une sottise, dit Athos ; n'importe, il n'y a plus à reculer maintenant : tuez cet homme et venez nous rejoindre le plus vite que vous pourrez.

Et tous trois remontèrent à cheval et repartirent à toute bride, tandis que Porthos promettait à son adversaire de le perforer de tous les coups connus dans l'escrime.

— Et d'un! dit Athos au bout de cinq cents pas.

— Mais pourquoi cet homme s'est-il attaqué à Porthos plutôt qu'à tout autre? demanda Aramis.

— Parce que, Porthos parlant plus haut que nous tous, il l'a pris pour le chef, dit d'Artagnan.

— J'ai toujours dit que ce cadet de Gascogne était un puits de sagesse, murmura Athos.

Et les voyageurs continuèrent leur route.

A Beauvais, on s'arrêta deux heures, tant pour faire souffler les chevaux que pour attendre Porthos. Au bout de deux heures, comme Porthos n'arrivait pas, ni aucune nouvelle de lui, on se remit en chemin.

A une lieue de Beauvais, à un endroit où le chemin se trouvait resserré entre deux talus, on rencontra huit ou dix hommes qui, profitant de ce que la route était dépavée en cet endroit, avaient l'air d'y travailler en y creusant des trous et en pratiquant des ornières boueuses.

Aramis, craignant de salir ses bottes dans ce mortier artificiel, les apostropha durement. Athos voulut le retenir, il était trop tard. Les ouvriers se mirent à railler les voyageurs, et firent perdre par leur insolence la tête même au froid Athos qui poussa son cheval contre l'un d'eux.

Alors chacun de ces hommes recula jusqu'au fossé et y prit un mousquet caché ; il en résulta que nos sept voyageurs furent littéralement passés par les armes. Aramis reçut une balle qui lui traversa l'épaule, et Mousqueton une autre balle qui se logea dans les parties charnues qui prolongent le bas des reins. Cependant Mousqueton seul tomba de cheval, non pas qu'il fût grièvement blessé, mais, comme il ne pouvait voir sa blessure, sans doute il crut être plus dangereusement blessé qu'il ne l'était.

— C'est une embuscade, dit d'Artagnan, ne brûlons pas une amorce, et en route.

Aramis, tout blessé qu'il était, saisit la crinière de son cheval, qui l'emporta avec les autres. Celui de Mousqueton les avait rejoints, et galopait tout seul à son rang.

— Cela nous fera un cheval de rechange, dit Athos.

— J'aimerais mieux un chapeau, dit d'Artagnan ; le mien a été emporté par une balle. C'est bien heureux, ma foi, que la lettre que je porte n'ait pas été dedans.

— Ah çà ! mais ils vont tuer le pauvre Porthos quand il passera, dit Aramis.

— Si Porthos était sur ses jambes, il nous aurait rejoints maintenant, dit Athos. M'est avis que, sur le terrain, l'ivrogne se sera dégrisé.

Et l'on galopa encore pendant deux heures, quoique les chevaux fussent si fatigués qu'il était à craindre qu'ils ne refusassent bientôt le service.

Les voyageurs avaient pris la traverse, espérant de cette façon être moins inquiétés ; mais, à Crèvecœur, Aramis déclara qu'il ne pouvait aller plus loin. En effet, il avait fallu tout le courage qu'il cachait sous sa forme élégante et sous ses façons polies pour arriver jusque-là. A tout moment il pâlissait, et l'on était obligé de le soutenir sur son cheval ; on le descendit à la porte d'un cabaret, on lui laissa Bazin qui, au reste, dans une escarmouche, était plus embarrassant qu'utile, et l'on repartit dans l'espérance d'aller coucher à Amiens.

— Morbleu ! dit Athos, quand ils se retrouvèrent en route, réduits à deux maîtres et à Grimaud et Planchet, morbleu ! je ne serai plus leur dupe, et je vous réponds qu'ils ne me feront pas ouvrir la bouche ni tirer l'épée d'ici à Calais. J'en jure...

— Ne jurons pas, dit d'Artagnan, galopons, si toutefois nos chevaux y consentent.

Et les voyageurs enfoncèrent leurs éperons dans le ventre de leurs chevaux, qui, vigoureusement stimulés, retrouvèrent des forces. On arriva à Amiens à minuit, et l'on descendit à l'auberge du *Lis d'Or*.

L'hôtelier avait l'air du plus honnête homme de la

terre, il reçut les voyageurs son bougeoir d'une main
et son bonnet de coton de l'autre ; il voulut loger les
deux voyageurs chacun dans une charmante chambre,
malheureusement chacune de ces chambres était à
l'extrémité de l'hôtel. D'Artagnan et Athos refusèrent ;
l'hôte répondit qu'il n'y en avait cependant pas d'autres dignes de Leurs Excellences ; mais les voyageurs
déclarèrent qu'ils coucheraient dans la chambre commune, chacun sur un matelas qu'on leur jetterait à
terre. L'hôte insista, les voyageurs tinrent bon ; il
fallut faire ce qu'ils voulurent.

Ils venaient de disposer leur lit et de barricader leur
porte en dedans, lorsqu'on frappa au volet de la cour ;
ils demandèrent qui était là, reconnurent la voix de
leurs valets et ouvrirent.

En effet, c'étaient Planchet et Grimaud.

— Grimaud suffira pour garder les chevaux, dit
Planchet ; si ces Messieurs veulent, je coucherai en
travers de leur porte ; de cette façon-là, ils seront sûrs
qu'on n'arrivera pas jusqu'à eux.

— Et sur quoi coucheras-tu ? dit d'Artagnan.

— Voici mon lit, répondit Planchet.

Et il montra une botte de paille.

— Viens donc, dit d'Artagnan, tu as raison : la
figure de l'hôte ne me convient pas, elle est trop gracieuse.

— Ni à moi non plus, dit Athos.

Planchet monta par la fenêtre, s'installa en travers
de la porte, tandis que Grimaud allait s'enfermer dans
l'écurie, répondant qu'à cinq heures du matin lui et les
quatre chevaux seraient prêts.

La nuit fut assez tranquille, on essaya bien vers les
deux heures du matin d'ouvrir la porte ; mais comme
Planchet se réveilla en sursaut et cria : *Qui va là ?*

On répondit qu'on se trompait, et on s'éloigna.

A quatre heures du matin, on entendit un grand bruit dans les écuries. Grimaud avait voulu réveiller les garçons d'écurie, et les garçons d'écurie le battaient. Quand on ouvrit la fenêtre, on vit le pauvre garçon sans connaissance, la tête fendue d'un coup de manche à fourche.

Planchet descendit dans la cour et voulut seller les chevaux ; les chevaux étaient fourbus. Celui de Mousqueton seul, qui avait voyagé sans maître pendant cinq ou six heures la veille, aurait pu continuer la route ; mais, par une erreur inconcevable, le chirurgien vétérinaire qu'on avait envoyé chercher, à ce qu'il paraît, pour saigner le cheval de l'hôte, avait saigné celui de Mousqueton.

Cela commençait à devenir inquiétant : tous ces accidents successifs étaient peut-être le résultat du hasard, mais ils pouvaient tout aussi bien être le fruit d'un complot. Athos et d'Artagnan sortirent, tandis que Planchet allait s'informer s'il n'y avait pas trois chevaux à vendre dans les environs. A la porte étaient deux chevaux tout équipés, frais et vigoureux. Cela faisait bien l'affaire. Il demanda où étaient les maîtres ; on lui dit que les maîtres avaient passé la nuit dans l'auberge et réglaient leur compte à cette heure avec le maître.

Athos descendit pour payer la dépense, tandis que d'Artagnan et Planchet se tenaient sur la porte de la rue ; l'hôtelier était dans une chambre basse et reculée, on pria Athos d'y passer.

Athos entra sans défiance et tira deux pistoles pour payer : l'hôte était seul et assis devant son bureau, dont un des tiroirs était entrouvert. Il prit l'argent que lui présenta Athos, le tourna et le retourna dans ses mains, et tout à coup, s'écriant que la pièce était fausse, il déclara qu'il allait le faire arrêter, lui et son compagnon, comme faux-monnayeurs.

— Drôle! dit Athos, en marchant sur lui, je vais te couper les oreilles!

Au même instant, quatre hommes armés jusqu'aux dents entrèrent par les portes latérales et se jetèrent sur Athos.

— Je suis pris, cria Athos de toutes les forces de ses poumons ; au large, d'Artagnan! pique, pique! et il lâcha deux coups de pistolet.

D'Artagnan et Planchet ne se le firent pas répéter à deux fois, ils détachèrent les deux chevaux qui attendaient à la porte, sautèrent dessus, leur enfoncèrent leurs éperons dans le ventre et partirent au triple galop.

— Sais-tu ce qu'est devenu Athos ? demanda d'Artagnan à Planchet en courant.

— Ah! Monsieur, dit Planchet, j'en ai vu tomber deux à ses deux coups, et il m'a semblé, à travers la porte vitrée, qu'il ferraillait avec les autres.

— Brave Athos! murmura d'Artagnan. Et quand on pense qu'il faut l'abandonner! Au reste, autant nous attend peut-être à deux pas d'ici. En avant, Planchet, en avant! Tu es un brave homme.

— Je vous l'ai dit, Monsieur, répondit Planchet, les Picards, ça se reconnaît à l'user ; d'ailleurs je suis ici dans mon pays, ça m'excite.

Et tous deux, piquant de plus belle, arrivèrent à Saint-Omer d'une seule traite. A Saint-Omer, ils firent souffler les chevaux la bride passée à leurs bras, de peur d'accident, et mangèrent un morceau sur le pouce tout debout dans la rue, après quoi ils repartirent.

A cent pas des portes de Calais, le cheval de d'Arta-

gnan s'abattit, et il n'y eut pas moyen de le faire se
relever : le sang lui sortait par le nez et par les yeux ;
restait celui de Planchet, mais celui-là s'était arrêté,
et il n'y eut plus moyen de le faire repartir.

Heureusement, comme nous l'avons dit, ils étaient
à cent pas de la ville ; ils laissèrent les deux montures
sur le grand chemin et coururent au port. Planchet fit
remarquer à son maître un gentilhomme qui arrivait
avec son valet et qui ne les précédait que d'une cinquantaine de pas.

Ils s'approchèrent vivement de ce gentilhomme, qui
paraissait fort affairé. Il avait ses bottes couvertes de
poussière, et s'informait s'il ne pourrait point passer à
l'instant même en Angleterre.

— Rien ne serait plus facile, répondit le patron
d'un bâtiment prêt à mettre à la voile ; mais, ce matin est
arrivé l'ordre de ne laisser partir personne sans une
permission expresse de M. le cardinal.

— J'ai cette permission, dit le gentilhomme en tirant
un papier de sa poche ; la voici.

— Faites-la viser par le gouverneur du port, dit le
patron, et donnez-moi la préférence.

— Où trouverai-je le gouverneur ?

— A sa campagne.

— Et cette campagne est située ?

— A un quart de lieue de la ville ; tenez, vous la
voyez d'ici, au pied de cette petite éminence, ce toit
en ardoise.

— Très bien ! dit le gentilhomme.

Et, suivi de son laquais, il prit le chemin de la maison
de campagne du gouverneur.

D'Artagnan et Planchet suivirent le gentilhomme à
cinq cents pas de distance.

Une fois hors de la ville, d'Artagnan pressa le pas

et rejoignit le gentilhomme comme il entrait dans un petit bois.

— Monsieur, lui dit d'Artagnan, vous me paraissez fort pressé?

— On ne peut plus pressé, Monsieur.

— J'en suis désespéré, dit d'Artagnan, car, comme je suis très pressé aussi, je voulais vous prier de me rendre un service.

— Lequel?

— De me laisser passer le premier.

— Impossible, dit le gentilhomme, j'ai fait soixante lieues en quarante-quatre heures, et il faut que demain à midi je sois à Londres.

— J'ai fait le même chemin en quarante heures, et il faut que demain à dix heures du matin je sois à Londres.

— Désespéré, Monsieur; mais je suis arrivé le premier, et je ne passerai pas le second.

— Désespéré, Monsieur; mais je suis arrivé le second, et je passerai le premier.

— Service du roi! dit le gentilhomme.

— Service de moi! dit d'Artagnan.

— Mais c'est une mauvaise querelle que vous me cherchez là, ce me semble.

— Parbleu! que voulez-vous que ce soit?

— Que désirez-vous?

— Vous voulez le savoir?

— Certainement.

— Eh bien! je veux l'ordre dont vous êtes porteur, attendu que je n'en ai pas, moi, et qu'il m'en faut un.

— Vous plaisantez, je présume.

— Je ne plaisante jamais.

— Laissez-moi passer!

— Vous ne passerez pas.

— Mon brave jeune homme, je vais vous casser la
tête. Holà, Lubin! mes pistolets.

— Planchet, dit d'Artagnan, charge-toi du valet,
je me charge du maître.

Planchet, enhardi par le premier exploit, sauta sur
Lubin, et, comme il était fort et vigoureux, il le renversa les reins contre terre et lui mit le genou sur la
poitrine.

— Faites votre affaire, Monsieur, dit Planchet ; moi,
j'ai fait la mienne.

Voyant cela, le gentilhomme tira son épée et fondit
sur d'Artagnan ; mais il avait affaire à forte partie.

En trois secondes d'Artagnan lui fournit trois coups
d'épée en disant à chaque coup :

— Un pour Athos, un pour Porthos, un pour Aramis.

Au troisième coup, le gentilhomme tomba comme
une masse.

D'Artagnan le crut mort, ou tout au moins évanoui,
et s'approcha pour lui prendre l'ordre ; mais au moment
où il étendait le bras afin de le fouiller, le blessé, qui
n'avait pas lâché son épée, lui porta un coup de pointe
dans la poitrine en disant :

— Un pour vous.

— Et un pour moi! au dernier les bons! s'écria
d'Artagnan furieux, en le clouant par terre d'un quatrième coup d'épée dans le ventre.

Cette fois, le gentilhomme ferma les yeux et s'évanouit.

D'Artagnan fouilla dans la poche où il l'avait vu
remettre l'ordre de passage, et le prit. Il était au nom
du comte de Wardes.

Puis, jetant un dernier coup d'œil sur le beau jeune
homme, qui avait vingt-cinq ans à peine et qu'il laissait là gisant, privé de sentiment et peut-être mort, il
poussa un soupir sur cette étrange destinée qui porte

les hommes à se détruire les uns les autres pour les intérêts de gens qui leur sont étrangers et qui souvent ne savent pas même qu'ils existent.

Mais il fut bientôt tiré de ces réflexions par Lubin, qui poussait des hurlements et criait de toutes ses forces au secours.

Planchet lui appliqua la main sur la gorge et serra de toutes ses forces.

— Monsieur, dit-il, tant que je le tiendrai ainsi, il ne criera pas, j'en suis bien sûr ; mais aussitôt que je le lâcherai, il va se remettre à crier. Je le reconnais pour un Normand, et les Normands sont entêtés.

En effet, tout comprimé qu'il était, Lubin essayait encore de filer des sons.

— Attends! dit d'Artagnan.

Et, prenant son mouchoir, il le bâillonna.

— Maintenant, dit Planchet, lions-le à un arbre.

La chose fut faite en conscience, puis on tira le comte de Wardes près de son domestique ; et comme la nuit commençait à tomber et que le garrotté et le blessé étaient tous deux à quelques pas dans le bois, il était évident qu'ils devaient rester jusqu'au lendemain.

— Et maintenant, dit d'Artagnan, chez le gouverneur!

— Mais vous êtes blessé, ce me semble? dit Planchet.

— Ce n'est rien, occupons-nous du plus pressé ; puis nous reviendrons à ma blessure, qui, au reste, ne me paraît pas très dangereuse.

Et tous deux s'acheminèrent à grands pas vers la campagne du digne fonctionnaire.

On annonça M. le comte de Wardes.

D'Artagnan fut introduit.

— Vous avez un ordre signé du cardinal? dit le gouverneur.

— Oui, Monsieur, répondit d'Artagnan, le voici.

— Ah! ah! il est en règle et bien recommandé, dit le gouverneur.

— C'est tout simple, répondit d'Artagnan, je suis de ses plus fidèles.

— Il paraît que Son Éminence veut empêcher quelqu'un de parvenir en Angleterre.

— Oui, un certain d'Artagnan, un gentilhomme béarnais qui est parti de Paris avec trois de ses amis dans l'intention de gagner Londres.

— Le connaissez-vous personnellement? demanda le gouverneur.

— Qui cela?

— Ce d'Artagnan?

— A merveille.

— Donnez-moi son signalement alors.

— Rien de plus facile.

Et d'Artagnan donna trait pour trait le signalement du comte de Wardes.

— Est-il accompagné? demanda le gouverneur.

— Oui, d'un valet nommé Lubin.

— On veillera sur eux, et si on leur met la main dessus, Son Éminence peut être tranquille, ils seront reconduits à Paris sous bonne escorte.

— Et ce faisant, Monsieur le gouverneur, dit d'Artagnan, vous aurez bien mérité du cardinal.

— Vous le reverrez à votre retour, Monsieur le comte?

— Sans aucun doute.

— Dites-lui, je vous prie, que je suis bien son serviteur.

— Je n'y manquerai pas.

Et joyeux de cette assurance, le gouverneur visa le laissez-passer et le remit à d'Artagnan.

D'Artagnan ne perdit pas son temps en compliments inutiles, il salua le gouverneur, le remercia et partit.

Une fois dehors, lui et Planchet prirent leur course, et, faisant un long détour, ils évitèrent le bois et rentrèrent par une autre porte.

Le bâtiment était toujours prêt à partir, le patron attendait sur le port.

— Eh bien? dit-il en apercevant d'Artagnan.

— Voici ma passe visée, dit celui-ci.

— Et cet autre gentilhomme?

— Il ne partira pas aujourd'hui, dit d'Artagnan, mais soyez tranquille, je payerai le passage pour nous deux.

— En ce cas, partons, dit le patron.

— Partons! répéta d'Artagnan.

Et il sauta avec Planchet dans le canot ; cinq minutes après, ils étaient à bord.

Il était temps : à une demi-lieue en mer, d'Artagnan vit briller une lumière et entendit une détonation.

C'était le coup de canon qui annonçait la fermeture du port.

Il était temps de s'occuper de sa blessure ; heureusement, comme l'avait pensé d'Artagnan, elle n'était pas des plus dangereuses : la pointe de l'épée avait rencontré une côte et avait glissé le long de l'os ; de plus, la chemise s'était collée aussitôt à la plaie, et à peine avait-elle répandu quelques gouttes de sang.

D'Artagnan était brisé de fatigue ; on lui étendit un matelas sur le pont, il se jeta dessus et s'endormit.

Le lendemain, au point du jour, il se trouva à trois ou quatre lieues seulement des côtes d'Angleterre ; la brise avait été faible toute la nuit et l'on avait peu marché.

A dix heures, le bâtiment jetait l'ancre dans le port de Douvres.

A dix heures et demie, d'Artagnan mettait le pied
sur la terre d'Angleterre, en s'écriant :

— Enfin, m'y voilà!

Mais ce n'était pas tout : il fallait gagner Londres.
En Angleterre, la poste était assez bien servie. D'Artagnan et Planchet prirent chacun un bidet, un postillon
courut devant eux ; en quatre heures ils arrivèrent aux
portes de la capitale.

D'Artagnan ne connaissait pas Londres, d'Artagnan
ne savait pas un mot d'anglais ; mais il écrivit le nom
de Buckingham sur un papier, et chacun lui indiqua
l'hôtel du duc.

Le duc était à la chasse à Windsor, avec le roi.

D'Artagnan demanda le valet de chambre de confiance
du duc, qui, l'ayant accompagné dans tous ses voyages,
parlait parfaitement français ; il lui dit qu'il arrivait
de Paris pour affaire de vie et de mort, et qu'il fallait
qu'il parlât à son maître à l'instant même.

La confiance avec laquelle parlait d'Artagnan convain-
quit Patrice ; c'était le nom de ce ministre du ministre.
Il fit seller deux chevaux et se chargea de conduire le
jeune garde. Quant à Planchet, on l'avait descendu de
sa monture, raide comme un jonc : le pauvre garçon
était au bout de ses forces ; d'Artagnan semblait de fer.

On arriva au château ; là on se renseigna : le roi
et Buckingham chassaient à l'oiseau dans des marais
situés à deux ou trois lieues de là.

En vingt minutes on fut au lieu indiqué. Bientôt
Patrice entendit la voix de son maître, qui appelait
son faucon.

— Qui faut-il que j'annonce à Milord duc? demanda
Patrice.

— Le jeune homme qui, un soir, lui a cherché une
querelle sur le Pont-Neuf, en face de la Samaritaine.

— Singulière recommandation!

— Vous verrez qu'elle en vaut bien une autre.

Patrice mit son cheval au galop, atteignit le duc et lui annonça dans les termes que nous avons dits qu'un messager l'attendait.

Buckingham reconnut d'Artagnan à l'instant même, et, se doutant que quelque chose se passait en France dont on lui faisait parvenir la nouvelle, il ne prit que le temps de demander où était celui qui la lui apportait; et, ayant reconnu de loin l'uniforme des gardes, il mit son cheval au galop et vint droit à d'Artagnan. Patrice, par discrétion, se tint à l'écart.

— Il n'est point arrivé malheur à la reine? s'écria Buckingham, répandant toute sa pensée et tout son amour dans cette interrogation.

— Je ne crois pas; cependant je crois qu'elle court quelque grand péril dont Votre Grâce seule peut la tirer.

— Moi? s'écria Buckingham. Eh quoi! je serais assez heureux pour lui être bon à quelque chose! Parlez! parlez!

— Prenez cette lettre, dit d'Artagnan.

— Cette lettre! De qui vient cette lettre?

— De Sa Majesté, à ce que je pense.

— De Sa Majesté! dit Buckingham, pâlissant si fort que d'Artagnan crut qu'il allait se trouver mal.

Et il brisa le cachet.

— Quelle est cette déchirure? dit-il en montrant à d'Artagnan un endroit où elle était percée à jour.

— Ah! ah! dit d'Artagnan, je n'avais pas vu cela; c'est l'épée du comte de Wardes qui aura fait ce beau coup en me trouant la poitrine.

— Vous êtes blessé? demanda Buckingham en rompant le cachet.

— Oh! rien! dit d'Artagnan, une égratignure.

— Juste ciel! qu'ai-je lu! s'écria le duc. Patrice, reste ici, ou plutôt rejoins le roi partout où il sera, et dis à Sa Majesté que je la supplie bien humblement de m'excuser, mais qu'une affaire de la plus haute importance me rappelle à Londres. Venez, Monsieur, venez.

Et tous deux reprirent au galop le chemin de la capitale.

XXI

LA COMTESSE DE WINTER

Tout le long de la route, le duc se fit mettre au courant par d'Artagnan non pas de tout ce qui s'était passé, mais de ce que d'Artagnan savait. En rapprochant ce qu'il avait entendu sortir de la bouche du jeune homme de ses souvenirs à lui, il put donc se faire une idée assez exacte d'une position de la gravité de laquelle, au reste, la lettre de la reine, si courte et si peu explicite qu'elle fût, lui donnait la mesure. Mais ce qui l'étonnait surtout, c'est que le cardinal, intéressé comme il l'était à ce que ce jeune homme ne mît pas le pied en Angleterre, ne fût point parvenu à l'arrêter en route. Ce fut alors, et sur la manifestation de cet étonnement, que d'Artagnan lui raconta les précautions prises, et comment, grâce au dévouement de ses trois amis qu'il avait éparpillés tout sanglants sur la route, il était arrivé à en être quitte pour le coup d'épée qui avait traversé le billet de la reine, et qu'il avait rendu à M. de Wardes en si terrible monnaie. Tout en écoutant ce récit, fait avec la plus

grande simplicité, le duc regardait de temps en temps
le jeune homme d'un air étonné, comme s'il n'eût pas
pu comprendre que tant de prudence, de courage et de
dévouement s'alliât avec un visage qui n'indiquait pas
encore vingt ans.

Les chevaux allaient comme le vent, et en quelques
minutes ils furent aux portes de Londres. D'Artagnan
avait cru qu'en arrivant dans la ville, le duc allait
ralentir l'allure du sien, mais il n'en fut pas ainsi : il
continua sa route à fond de train, s'inquiétant peu de
renverser ceux qui étaient sur son chemin. En effet,
en traversant la Cité, deux ou trois accidents de ce genre
arrivèrent ; mais Buckingham ne détourna pas même
la tête pour regarder ce qu'étaient devenus ceux qu'il
avait culbutés. D'Artagnan le suivait au milieu de cris
qui ressemblaient fort à des malédictions.

En entrant dans la cour de l'hôtel, Buckingham sauta
à bas de son cheval, et, sans s'inquiéter de ce qu'il
deviendrait, il lui jeta la bride sur le cou et s'élança vers
le perron. D'Artagnan en fit autant, avec un peu plus
d'inquiétude, cependant, pour ces nobles animaux dont
il avait pu apprécier le mérite ; mais il eut la consolation
de voir que trois ou quatre valets s'étaient déjà élancés
des cuisines et des écuries, et s'emparaient aussitôt de
leurs montures.

Le duc marchait si rapidement que d'Artagnan avait
peine à le suivre. Il traversa successivement plusieurs
salons d'une élégance dont les plus grands seigneurs de
France n'avaient pas même l'idée, et il parvint enfin
dans une chambre à coucher qui était à la fois un miracle
de goût et de richesse. Dans l'alcôve de cette chambre
était une porte, prise dans la tapisserie, que le duc ouvrit
avec une petite clef d'or qu'il portait suspendue à son
cou par une chaîne du même métal. Par discrétion,

d'Artagnan était resté en arrière ; mais au moment où Buckingham franchissait le seuil de cette porte, il se retourna, et voyant l'hésitation du jeune homme :

— Venez, lui dit-il, et si vous avez le bonheur d'être admis en la présence de Sa Majesté, dites-lui ce que vous avez vu.

Encouragé par cette invitation, d'Artagnan suivit le duc, qui referma la porte derrière lui.

Tous deux se trouvèrent alors dans une petite chapelle toute tapissée de soie de Perse et brochée d'or, ardemment éclairée par un grand nombre de bougies. Au-dessus d'une espèce d'autel, et au-dessous d'un dais de velours bleu surmonté de plumes blanches et rouges, était un portrait de grandeur naturelle représentant Anne d'Autriche, si parfaitement ressemblant que d'Artagnan poussa un cri de surprise : on eût cru que la reine allait parler.

Sur l'autel, et au-dessous du portrait, était le coffret qui renfermait les ferrets de diamants.

Le duc s'approcha de l'autel, s'agenouilla comme eût pu faire un prêtre devant le Christ ; puis il ouvrit le coffret.

— Tenez, lui dit-il en tirant du coffre un gros nœud de ruban bleu tout étincelant de diamants ; tenez, voici ces précieux ferrets avec lesquels j'avait fait le serment d'être enterré. La reine me les avait donnés, la reine me les reprend : sa volonté, comme celle de Dieu, soit faite en toutes choses.

Puis il se mit à baiser les uns après les autres ces ferrets dont il fallait se séparer. Tout à coup, il poussa un cri terrible.

— Qu'y a-t-il ? demanda d'Artagnan avec inquiétude, et que vous arrive-t-il, Milord ?

— Il y a que tout est perdu, s'écria Buckingham en

devenant pâle comme un trépassé ; deux de ces ferrets manquent, il n'y en a plus que dix.

— Milord les a-t-il perdus, ou croit-il qu'on les lui ait volés ?

— On me les a volés, reprit le duc, et c'est le cardinal qui a fait le coup. Tenez, voyez, les rubans qui les soutenaient ont été coupés avec des ciseaux.

— Si Milord pouvait se douter qui a commis le vol... Peut-être la personne les a-t-elle encore entre les mains.

— Attendez, attendez! s'écria le duc. La seule fois que j'ai mis ces ferrets, c'était au bal du roi, il y a huit jours, à Windsor. La comtesse de Winter, avec laquelle j'étais brouillé, s'est rapprochée de moi à ce bal. Ce raccommodement, c'était une vengeance de femme jalouse. Depuis ce jour, je ne l'ai pas revue. Cette femme est un agent du cardinal.

— Mais il en a donc dans le monde entier! s'écria d'Artagnan.

— Oh! oui, oui, dit Buckingham en serrant les dents de colère ; oui, c'est un terrible lutteur. Mais cependant, quand doit avoir lieu ce bal?

— Lundi prochain.

— Lundi prochain! Cinq jours encore, c'est plus de temps qu'il ne nous en faut. Patrice! s'écria le duc en ouvrant la porte de la chapelle, Patrice!

Son valet de chambre de confiance parut.

— Mon joaillier et mon secrétaire!

Le valet de chambre sortit avec une promptitude et un mutisme qui prouvaient l'habitude qu'il avait contractée d'obéir aveuglément et sans réplique.

Mais, quoique ce fût le joaillier qui eût été appelé le premier, ce fut le secrétaire qui parut d'abord. C'était tout simple, il habitait l'hôtel. Il trouva Buckingham

assis devant une table dans sa chambre à coucher, et
écrivant quelques ordres de sa propre main.

— Monsieur Jackson, lui dit-il, vous allez vous
rendre de ce pas chez le lord-chancelier, et lui dire que
je le charge de l'exécution de ces ordres. Je désire qu'ils
soient promulgués à l'instant même.

— Mais, Monseigneur, si le lord-chancelier m'inter-
roge sur les motifs qui ont pu porter Votre Grâce à une
mesure si extraordinaire, que répondrai-je?

— Que tel a été mon bon plaisir, et que je n'ai de
compte à rendre à personne de ma volonté.

— Sera-ce la réponse qu'il devra transmettre à Sa
Majesté, reprit en souriant le secrétaire, si par hasard
Sa Majesté avait la curiosité de savoir pourquoi aucun
vaisseau ne peut sortir des ports de la Grande-Bretagne?

— Vous avez raison, Monsieur, répondit Buckingham
il dirait en ce cas au roi que j'ai décidé la guerre, et que
cette mesure est mon premier acte d'hostilité contre la
France.

Le secrétaire s'inclina et sortit.

— Nous voilà tranquilles de ce côté, dit Buckingham en se retournant vers d'Artagnan. Si les ferrets ne
sont point déjà partis pour la France, ils n'y arriveront
qu'après vous.

— Comment cela?

— Je viens de mettre un embargo sur tous les bâtiments qui se trouvent à cette heure dans les ports de
Sa Majesté, et, à moins de permission particulière, pas
un seul n'osera lever l'ancre.

D'Artagnan regarda avec stupéfaction cet homme qui
mettait le pouvoir illimité dont il était revêtu par la
confiance d'un roi au service de ses amours. Buckingham
vit, à l'expression du visage du jeune homme, ce qui se
passait dans sa pensée, et il sourit.

— Oui, dit-il, oui, c'est qu'Anne d'Autriche est ma véritable reine ; sur un mot d'elle, je trahirais mon pays, je trahirais mon roi, je trahirais mon Dieu. Elle m'a demandé de ne point envoyer aux protestants de La Rochelle le secours que je leur avais promis, et je l'ai fait. Je manquais à ma parole, mais n'importe ! j'obéissais à son désir ; n'ai-je point été grandement payé de mon obéissance, dites ? Car c'est à cette obéissance que je dois son portrait.

D'Artagnan admira à quels fils fragiles et inconnus sont parfois suspendues les destinées d'un peuple et la vie des hommes.

Il en était au plus profond de ses réflexions, lorsque l'orfèvre entra : c'était un Irlandais des plus habiles dans son art, et qui avouait lui-même qu'il gagnait cent mille livres par an avec le duc de Buckingham.

— Monsieur O'Reilly, lui dit le duc en le conduisant dans la chapelle, voyez ces ferrets de diamants, et dites-moi ce qu'ils valent la pièce.

L'orfèvre jeta un seul coup d'œil sur la façon élégante dont ils étaient montés, calcula l'un dans l'autre la valeur des diamants, et sans hésitation aucune :

— Quinze cents pistoles la pièce, Milord, répondit-il.

— Combien faudrait-il de jours pour faire deux ferrets comme ceux-là ? Vous voyez qu'il en manque deux.

— Huit jours, Milord.

— Je les payerai trois mille pistoles la pièce, il me les faut après-demain.

— Milord les aura.

— Vous êtes un homme précieux, Monsieur O'Reilly, mais ce n'est pas le tout ; ces ferrets ne peuvent être confiés à personne, il faut qu'ils soient faits dans ce palais.

— Impossible, Milord, il n'y a que moi qui puisse les exécuter pour qu'on ne voie pas la différence entre les nouveaux et les anciens.

— Aussi, mon cher Monsieur O'Reilly, vous êtes mon prisonnier, et vous voudriez sortir à cette heure de mon palais que vous ne le pourriez pas ; prenez-en donc votre parti. Nommez-moi ceux de vos garçons dont vous aurez besoin, et désignez-moi les ustensiles qu'ils doivent apporter.

L'orfèvre connaissait le duc, il savait que toute observation était inutile, il en prit donc à l'instant même son parti.

— Il me sera permis de prévenir ma femme ? demanda-t-il.

— Oh ! il vous sera même permis de la voir, mon cher Monsieur O'Reilly : votre captivité sera douce, soyez tranquille ; et comme tout dérangement vaut un dédommagement, voici, en dehors du prix des deux ferrets, un bon de mille pistoles pour vous faire oublier l'ennui que je vous cause.

D'Artagnan ne revenait pas de la surprise que lui causait ce ministre, qui remuait à pleines mains les hommes et les millions.

Quant à l'orfèvre, il écrivait à sa femme en lui envoyant le bon de mille pistoles, et en la chargeant de lui retourner en échange son plus habile apprenti, un assortiment de diamants dont il lui donnait le poids et le titre, et une liste des outils qui lui étaient nécessaires.

Buckingham conduisit l'orfèvre dans la chambre qui lui était destinée, et qui, au bout d'une demi-heure, fut transformée en atelier. Puis il mit une sentinelle à chaque porte, avec défense de laisser entrer qui que ce fût, à l'exception de son valet de chambre Patrice. Il est

inutile d'ajouter qu'il était absolument défendu à l'orfèvre O'Reilly et à son aide de sortir sous quelque
prétexte que ce fût.

Ce point réglé, le duc revint à d'Artagnan.

— Maintenant, mon jeune ami, dit-il, l'Angleterre
est à nous deux ; que voulez-vous, que désirez-vous ?

— Un lit, répondit d'Artagnan ; c'est, pour le moment,
je l'avoue, la chose dont j'ai le plus besoin.

Buckingham donna à d'Artagnan une chambre qui
touchait à la sienne. Il voulait garder le jeune homme
sous sa main, non pas qu'il se défiât de lui, mais pour
avoir quelqu'un à qui parler constamment de la reine.

Une heure après fut promulguée dans Londres l'ordon-
nance de ne laisser sortir des ports aucun bâtiment
chargé pour la France, pas même le paquebot des lettres.
Aux yeux de tous, c'était une déclaration de guerre
entre les deux royaumes.

Le surlendemain, à onze heures, les deux ferrets en
diamants étaient achevés, mais si exactement imités,
mais si parfaitement pareils, que Buckingham ne put
reconnaître les nouveaux des anciens, et que les plus
exercés en pareille matière y auraient été trompés
comme lui.

Aussitôt il fit appeler d'Artagnan.

— Tenez, lui dit-il, voici les ferrets de diamants que
vous êtes venu chercher, et soyez mon témoin que tout
ce que la puissance humaine pouvait faire, je l'ai fait.

— Soyez tranquille, Milord, je dirai ce que j'ai vu ;
mais Votre Grâce me remet les ferrets sans la boîte ?

— La boîte vous embarrasserait. D'ailleurs la boîte
m'est d'autant plus précieuse qu'elle me reste seule.
Vous direz que je la garde.

— Je ferai votre commission mot à mot, Milord.

— Et maintenant, reprit Buckingham en regardant

fixement le jeune homme, comment m'acquitterai-je jamais envers vous?

D'Artagnan rougit jusqu'au blanc des yeux. Il vit que le duc cherchait un moyen de lui faire accepter quelque chose, et cette idée que le sang de ses compagnons et le sien lui allaient être payés par de l'or anglais lui répugnait étrangement.

— Entendons-nous, Milord, répondit d'Artagnan, et pesons bien les faits d'avance, afin qu'il n'y ait point de méprise. Je suis au service du roi et de la reine de France, et fais partie de la compagnie des gardes de M. des Essarts, lequel, ainsi que son beau-frère M. de Tréville, est tout particulièrement attaché à Leurs Majestés. J'ai donc tout fait pour la reine et rien pour Votre Grâce. Il y a plus, c'est que peut-être n'eussé-je rien fait de tout cela s'il ne se fût agi d'être agréable à quelqu'un qui est ma dame à moi, comme la reine est la vôtre.

— Oui, dit le duc en souriant, et je crois même connaître cette autre personne, c'est...

— Milord, je ne l'ai point nommée, interrompit vivement le jeune homme.

— C'est juste, dit le duc ; c'est donc à cette personne que je dois être reconnaissant de votre dévouement.

— Vous l'avez dit, Milord, car justement à cette heure qu'il est question de guerre, je vous avoue que je ne vois dans Votre Grâce qu'un Anglais, et par conséquent qu'un ennemi que je serais encore plus enchanté de rencontrer sur le champ de bataille que dans le parc de Windsor ou dans les corridors du Louvre ; ce qui, au reste, ne m'empêchera pas d'exécuter de point en point ma mission et de me faire tuer, si besoin est, pour l'accomplir ; mais, je le répète à Votre Grâce, sans qu'elle ait personnellement pour cela plus à me remercier de ce

que je fais pour moi dans cette seconde entrevue que de
ce que j'ai déjà fait pour elle dans la première.

— Nous disons, nous : « Fier comme un Écossais »,
murmura Buckingham.

— Et nous disons, nous : « Fier comme un Gascon »,
répondit d'Artagnan. Les Gascons sont les Écossais de
la France.

D'Artagnan salua le duc et s'apprêta à partir.

— Eh bien! vous vous en allez comme cela? Par où?
Comment?

— C'est vrai.

— Dieu me damne! les Français ne doutent de rien!

— J'avais oublié que l'Angleterre était une île, et que
vous en étiez le roi.

— Allez au port, demandez le brick le *Sund*, remettez
cette lettre au capitaine; il vous conduira à un petit
port où certes on ne vous attend pas, et où n'abordent
ordinairement que les bâtiments pêcheurs.

— Ce port s'appelle?

— Saint-Valery ; mais, attendez donc : arrivé là, vous
entrerez dans une mauvaise auberge sans nom et sans
enseigne, un véritable bouge à matelots ; il n'y a pas à
vous tromper, il n'y en a qu'une.

— Après?

— Vous demanderez l'hôte, et vous lui direz :
Forward.

— Ce qui veut dire?

— En avant : c'est le mot d'ordre. Il vous donnera
un cheval tout sellé et vous indiquera le chemin que
vous devez suivre ; vous trouverez ainsi quatre relais
sur votre route. Si vous voulez, à chacun d'eux, donner
votre adresse à Paris, les quatre chevaux vous y sui-
vront ; vous en connaissez déjà deux, et vous m'avez
paru les apprécier en amateur : ce sont ceux que nous

montions ; rapportez-vous-en à moi, les autres ne leur
sont point inférieurs. Ces quatre chevaux sont équipés pour la campagne. Si fier que vous soyez, vous ne
refuserez pas d'en accepter un et de faire accepter les
trois autres à vos compagnons : c'est pour faire la guerre,
d'ailleurs. La fin excuse les moyens, comme vous dites,
vous autres Français, n'est-ce pas ?

— Oui, Milord, j'accepte, dit d'Artagnan ; et s'il plaît
à Dieu, nous ferons bon usage de vos présents.

— Maintenant, votre main, jeune homme ; peut-être
nous rencontrerons-nous bientôt sur le champ de bataille ; mais, en attendant, nous nous quitterons bons
amis, je l'espère.

— Oui, Milord, mais avec l'espérance de devenir
ennemis bientôt.

— Soyez tranquille, je vous le promets.

— Je compte sur votre parole, Milord.

D'Artagnan salua le duc et s'avança vivement vers
le port.

En face la Tour de Londres, il trouva le bâtiment
désigné, remit sa lettre au capitaine, qui la fit viser par
le gouverneur du port, et appareilla aussitôt.

Cinquante bâtiments étaient en partance et attendaient.

En passant bord à bord de l'un d'eux, d'Artagnan
crut reconnaître la femme de Meung, la même que le
gentilhomme inconnu avait appelée « Milady », et que
lui, d'Artagnan, avait trouvée si belle ; mais grâce au
courant du fleuve et au bon vent qui soufflait, son navire
allait si vite qu'au bout d'un instant on fut hors de vue.

Le lendemain, vers neuf heures du matin, on aborda
à Saint-Valery.

D'Artagnan se dirigea à l'instant même vers l'auberge indiquée, et la reconnut aux cris qui s'en échap-

paient : on parlait de guerre entre l'Angleterre et la
France comme de chose prochaine et indubitable, et
les matelots joyeux faisaient bombance.

D'Artagnan fendit la foule, s'avança vers l'hôte, et
prononça le mot *Forward*. A l'instant même, l'hôte lui
fit signe de le suivre, sortit avec lui par une porte qui
donnait dans la cour, le conduisit à l'écurie où l'attendait un cheval tout sellé, et lui demanda s'il avait besoin
de quelque autre chose.

— J'ai besoin de connaître la route que je dois suivre,
dit d'Artagnan.

— Allez d'ici à Blangy, et de Blangy à Neufchâtel.
A Neufchâtel, entrez à l'auberge de la *Herse d'Or*,
donnez le mot d'ordre à l'hôtelier, et vous trouverez
comme ici un cheval tout sellé.

— Dois-je quelque chose? demanda d'Artagnan.

— Tout est payé, dit l'hôte, et largement. Allez donc,
et que Dieu vous conduise!

— Amen! répondit le jeune homme en partant au
galop.

Quatre heures après, il était à Neufchâtel.

Il suivit strictement les instructions reçues ; à Neufchâtel, comme à Saint-Valery, il trouva une monture
toute sellée et qui l'attendait ; il voulut transporter les
pistolets de la selle qu'il venait de quitter à la selle qu'il
allait prendre : les fontes étaient garnies de pistolets
pareils.

— Votre adresse à Paris?

— Hôtel des Gardes, compagnie des Essarts.

— Bien, répondit celui-ci.

— Quelle route faut-il prendre? demanda à son tour
d'Artagnan.

— Celle de Rouen ; mais vous laisserez la ville à
votre droite. Au petit village d'Ecouis, vous vous arrê-

terez, il n'y a qu'une auberge, l'*Ecu de France*. Ne la
jugez pas d'après son apparence; elle aura dans ses
écuries un cheval qui vaudra celui-ci.

— Même mot d'ordre?

— Exactement.

— Adieu, maître!

— Bon voyage, gentilhomme! Avez-vous besoin de
quelque chose?

D'Artagnan fit signe de la tête que non, et repartit
à fond de train. A Ecouis, la même scène se répéta : il
trouva un hôte aussi prévenant, un cheval frais et re-
posé; il laissa son adresse comme il l'avait fait, et repartit du même train pour Pontoise. A Pontoise, il
changea une dernière fois de monture, et à neuf heures
il entrait au grand galop dans la cour de l'hôtel de
M. de Tréville.

Il avait fait près de soixante lieues en douze heures.

M. de Tréville le reçut comme s'il l'avait vu le matin
même; seulement, en lui serrant la main un peu plus
vivement que de coutume, il lui annonça que la compagnie de M. des Essarts était de garde au Louvre et qu'il
pouvait se rendre à son poste.

XXII

LE BALLET DE LA MERLAISON

Le lendemain, il n'était bruit dans tout Paris que du
bal que MM. les échevins de la ville donneraient au roi
et à la reine, et dans lequel Leurs Majestés devaient

danser le fameux ballet de la Merlaison, qui était le ballet favori du roi.

Depuis huit jours on préparait, en effet, toutes choses à l'Hôtel de Ville pour cette solennelle soirée. Le menuisier de la ville avait dressé des échafauds sur lesquels devaient se tenir les dames invitées ; l'épicier de la ville avait garni les salles de deux cents flambeaux de cire blanche, ce qui était un luxe inouï pour cette époque ; enfin vingt violons avaient été prévenus, et le prix qu'on leur accordait avait été fixé au double du prix ordinaire, attendu, dit ce rapport, qu'ils devaient sonner toute la nuit.

A dix heures du matin, le sieur de La Coste, enseigne des gardes du roi, suivi de deux exempts et de plusieurs archers du corps, vint demander au greffier de la ville, nommé Clément, toutes les clefs des portes, des chambres et bureaux de l'Hôtel. Ces clefs lui furent remises à l'instant même ; chacune d'elles portait un billet qui devait servir à la faire reconnaître, et à partir de ce moment le sieur de La Coste fut chargé de la garde de toutes les portes et de toutes les avenues.

A onze heures vint à son tour Duhallier, capitaine des gardes, amenant avec lui cinquante archers qui se répartirent aussitôt dans l'Hôtel de Ville, aux portes qui leur avaient été assignées.

A trois heures arrivèrent deux compagnies des gardes, l'une française, l'autre suisse. La compagnie des gardes françaises était composée moitié des hommes de M. Duhallier, moitié des hommes de M. des Essarts.

A six heures du soir, les invités commencèrent à entrer. A mesure qu'ils entraient, ils étaient placés dans la grande salle, sur les échafauds préparés.

A neuf heures arriva Mme la Première présidente. Comme c'était, après la reine, la personne la plus consi-

dérable de la fête, elle fut reçue par Messieurs de la
ville et placée dans la loge en face de celle que devait
occuper la reine.

A dix heures on dressa la collation des confitures
pour le roi, dans la petite salle du côté de l'église Saint-
Jean, et cela en face du buffet d'argent de la ville, qui
était gardé par quatre archers.

A minuit on entendit de grands cris et de nombreuses
acclamations : c'était le roi qui s'avançait à travers les
rues qui conduisent du Louvre à l'Hôtel de Ville, et qui
étaient toutes illuminées avec des lanternes de couleur.

Aussitôt MM. les échevins, vêtus de leurs robes de
drap et précédés de six sergents tenant chacun un flam-
beau à la main, allèrent au-devant du roi, qu'ils rencon-
trèrent sur les degrés, où le prévôt des marchands lui fit
compliment sur sa bienvenue, compliment auquel Sa
Majesté répondit en s'excusant d'être venue si tard, mais
en rejetant la faute sur M. le cardinal, lequel l'avait
retenue jusqu'à onze heures pour parler des affaires de
l'État.

Sa Majesté, en habit de cérémonie, était accompagnée
de S. A. R. Monsieur, du comte de Soissons, du grand
prieur, du duc de Longueville, du duc d'Elbeuf, du
comte d'Harcourt, du comte de La Roche-Guyon, de
M. de Liancourt, de M. de Baradas, du comte de Cramail
et du chevalier de Souveray.

Chacun remarqua que le roi avait l'air triste et préoccupé.

Un cabinet avait été préparé pour le roi, et un autre
pour Monsieur. Dans chacun de ces cabinets étaient dé-
posés des habits de masques. Autant avait été fait pour
la reine et pour Mme la présidente. Les seigneurs et les
dames de la suite de Leurs Majestés devaient s'habiller
deux par deux dans des chambres préparées à cet effet.

Avant d'entrer dans le cabinet, le roi recommanda
qu'on le vînt prévenir aussitôt que paraîtrait le cardinal.

Une demi-heure après l'entrée du roi, de nouvelles
acclamations retentirent : celles-là annonçaient l'arrivée
de la reine. Les échevins firent ainsi qu'ils avaient fait
déjà, et, précédés des sergents, ils s'avancèrent au-
devant de leur illustre convive.

La reine entra dans la salle : on remarqua que, comme
le roi, elle avait l'air triste et surtout fatigué.

Au moment où elle entrait, le rideau d'une petite
tribune qui jusque-là était resté fermé s'ouvrit, et l'on
vit apparaître la tête pâle du cardinal vêtu en cavalier
espagnol. Ses yeux se fixèrent sur ceux de la reine, et un
sourire de joie terrible passa sur ses lèvres : la reine
n'avait pas ses ferrets de diamants.

La reine resta quelque temps à recevoir les compliments de Messieurs de la ville et à répondre aux saluts
des dames.

Tout à coup, le roi apparut avec le cardinal à l'une
des portes de la salle. Le cardinal lui parlait tout bas,
et le roi était très pâle.

Le roi fendit la foule et, sans masque, les rubans de
son pourpoint à peine noués, il s'approcha de la reine,
et d'une voix altérée :

— Madame, lui dit-il, pourquoi donc, s'il vous plaît,
n'avez-vous point vos ferrets de diamants, quand vous
savez qu'il m'eût été agréable de les voir ?

La reine étendit son regard autour d'elle, et vit derrière le roi le cardinal qui souriait d'un sourire diabo-
lique.

— Sire, répondit la reine d'une voix altérée, parce
qu'au milieu de cette grande foule j'ai craint qu'il ne
leur arrivât malheur.

— Et vous avez eu tort, Madame ! Si je vous ai fait

ce cadeau, c'était pour que vous vous en pariez. Je vous
dis que vous avez eu tort.

Et la voix du roi était tremblante de colère ; chacun
regardait et écoutait avec étonnement, ne comprenant
rien à ce qui se passait.

— Sire, dit la reine, je puis les envoyer chercher au
Louvre, où ils sont, et ainsi les désirs de Votre Majesté
seront accomplis.

— Faites, Madame, faites, et cela au plus tôt ; car
dans une heure le ballet va commencer.

La reine salua en signe de soumission et suivit les
dames qui devaient la conduire à son cabinet.

De son côté, le roi regagna le sien.

Il y eut dans la salle un moment de trouble et de
confusion.

Tout le monde avait pu remarquer qu'il s'était passé
quelque chose entre le roi et la reine ; mais tous deux
avaient parlé si bas, que, chacun par respect s'étant
éloigné de quelques pas, personne n'avait rien entendu.
Les violons sonnaient de toutes leurs forces, mais on
ne les écoutait pas.

Le roi sortit le premier de son cabinet ; il était en
costume de chasse des plus élégants, et Monsieur et les
autres seigneurs étaient habillés comme lui. C'était le
costume que le roi portait le mieux, et vêtu ainsi il semblait véritablement le premier gentilhomme de son
royaume.

Le cardinal s'approcha du roi et lui remit une boîte.
Le roi l'ouvrit et y trouva deux ferrets de diamants.

— Que veut dire cela ? demanda-t-il au cardinal.

— Rien, répondit celui-ci ; seulement si la reine a les
ferrets, ce dont je doute, comptez-les, Sire, et si vous
n'en trouvez que dix, demandez à Sa Majesté qui peut
lui avoir dérobé les deux ferrets que voici.

Le roi regarda le cardinal comme pour l'interroger ; mais il n'eut le temps de lui adresser aucune question : un cri d'admiration sortit de toutes les bouches. Si le roi semblait le premier gentilhomme de son royaume, la reine était à coup sûr la plus belle femme de France.

Il est vrai que sa toilette de chasseresse lui allait à merveille ; elle avait un chapeau de feutre avec des plumes bleues, un surtout en velours gris perlé rattaché avec des agrafes de diamants, et une jupe de satin bleu toute brodée d'argent. Sur son épaule gauche étince-laient les ferrets soutenus par un nœud de même cou-leur que les plumes et la jupe.

Le roi tressaillit de joie et le cardinal de colère ; cependant, distants comme ils l'étaient de la reine, ils ne pouvaient compter les ferrets ; la reine les avait, seulement en avait-elle dix ou en avait-elle douze ?

En ce moment, les violons sonnèrent le signal du ballet. Le roi s'avança vers Mme la présidente, avec laquelle il devait danser, et S. A. Monsieur avec la reine. On se mit en place, et le ballet commença.

Le roi figurait en face de la reine, et chaque fois qu'il passait près d'elle, il dévorait du regard ces ferrets, dont il ne pouvait savoir le compte. Une sueur froide couvrait le front du cardinal.

Le ballet dura une heure ; il avait seize entrées.

Le ballet fini au milieu des applaudissements de toute la salle, chacun reconduisit sa dame à sa place, mais le roi profita du privilège qu'il avait de laisser la sienne où il se trouvait, pour s'avancer vivement vers la reine.

— Je vous remercie, Madame, lui dit-il, de la défé-rence que vous avez montrée pour mes désirs, mais je crois qu'il vous manque deux ferrets, et je vous les rapporte.

A ces mots, il tendit à la reine les deux ferrets que lui avait remis le cardinal.

— Comment, Sire! s'écria la jeune reine jouant la surprise, vous m'en donnez encore deux ; mais alors, cela m'en fera donc quatorze ?

En effet, le roi compta, et les douze ferrets se trouvèrent sur l'épaule de Sa Majesté.

Le roi appela le cardinal :

— Eh bien! que signifie cela, Monsieur le cardinal ? demanda le roi d'un ton sévère.

— Cela signifie, Sire, répondit le cardinal, que je désirais faire accepter ces deux ferrets à Sa Majesté, et que n'osant les lui offrir moi-même, j'ai adopté ce moyen.

— Et j'en suis d'autant plus reconnaissante à Votre Éminence, répondit Anne d'Autriche avec un sourire qui prouvait qu'elle n'était pas dupe de cette ingénieuse galanterie, que je suis certaine que ces deux ferrets vous coûtent aussi cher à eux seuls que les douze autres ont coûté à Sa Majesté.

Puis, ayant salué le roi et le cardinal, la reine reprit le chemin de la chambre où elle s'était habillée et où elle devait se dévêtir.

L'attention que nous avons été obligés de donner pendant le commencement de ce chapitre aux personnages illustres que nous y avons introduits nous a écartés un instant de celui à qui Anne d'Autriche devait le triomphe inouï qu'elle venait de remporter sur le cardinal, et qui, confondu, ignoré, perdu dans la foule entassée à l'une des portes, regardait de là cette scène compréhensible seulement pour quatre personnes : le roi, la reine, Son Éminence et lui.

La reine venait de regagner sa chambre, et d'Artagnan s'apprêtait à se retirer, lorsqu'il sentit qu'on lui

touchait légèrement l'épaule ; il se retourna, et vit une
jeune femme qui lui faisait signe de la suivre. Cette
jeune femme avait le visage couvert d'un loup de velours noir, mais malgré cette précaution, qui, au reste,
était bien plutôt prise pour les autres que pour lui, il
reconnut à l'instant même son guide ordinaire, la légère
et spirituelle Mme Bonacieux.

La veille ils s'étaient vus à peine chez le suisse Germain, où d'Artagnan l'avait fait demander. La hâte
qu'avait la jeune femme de porter à la reine cette excellente nouvelle de l'heureux retour de son messager fit
que les deux amants échangèrent à peine quelques paroles. D'Artagnan suivit donc Mme Bonacieux, mû par
un double sentiment : l'amour et la curiosité. Pendant
toute la route, et à mesure que les corridors devenaient
plus déserts, d'Artagnan voulait arrêter la jeune femme,
la saisir, la contempler, ne fût-ce qu'un instant ; mais,
vive comme un oiseau, elle glissait toujours entre ses
mains, et lorsqu'il voulait parler, son doigt ramené sur
sa bouche avec un petit geste impératif plein de charme
lui rappelait qu'il était sous l'empire d'une puissance
à laquelle il devait aveuglément obéir, et qui lui inter-
disait jusqu'à la plus légère plainte ; enfin, après une
minute ou deux de tours et de détours, Mme Bonacieux
ouvrit une porte et introduisit le jeune homme dans
un cabinet tout à fait obscur. Là elle lui fit un nouveau signe de mutisme, et ouvrant une seconde porte
cachée par une tapisserie dont les ouvertures répan-
dirent tout à coup une vive lumière, elle disparut.

D'Artagnan demeura un instant immobile et se demandant où il était, mais bientôt un rayon de lumière
qui pénétrait par cette chambre, l'air chaud et parfumé
qui arrivait jusqu'à lui, la conversation de deux ou
trois femmes, au langage à la fois respectueux et élégant,

le mot de Majesté plusieurs fois répété, lui indiquèrent clairement qu'il était dans un cabinet attenant à la chambre de la reine.

Le jeune homme se tint dans l'ombre et attendit.

La reine paraissait gaie et heureuse, ce qui semblait fort étonner les personnes qui l'entouraient, et qui avaient au contraire l'habitude de la voir presque toujours soucieuse. La reine rejetait ce sentiment joyeux sur la beauté de la fête, sur le plaisir que lui avait fait éprouver le ballet, et comme il n'est pas permis de contredire une reine, qu'elle sourie ou qu'elle pleure, chacun renchérissait sur la galanterie de MM. les échevins de la ville de Paris.

Quoique d'Artagnan ne connût point la reine, il distingua sa voix des autres voix, d'abord à un léger accent étranger, puis à ce sentiment de domination naturellement empreint dans toutes les paroles souveraines. Il l'entendait s'approcher et s'éloigner de cette porte ouverte, et deux ou trois fois il vit même l'ombre d'un corps intercepter la lumière.

Enfin, tout à coup, une main et un bras adorables de forme et de blancheur passèrent à travers la tapisserie ; d'Artagnan comprit que c'était sa récompense : il se jeta à genoux, saisit cette main et appuya respectueusement ses lèvres ; puis cette main se retira laissant dans les siennes un objet qu'il reconnut pour être une bague ; aussitôt la porte se referma, et d'Artagnan se retrouva dans la plus complète obscurité.

D'Artagnan mit la bague à son doigt et attendit de nouveau ; il était évident que tout n'était pas fini encore. Après la récompense de son dévouement venait la récompense de son amour. D'ailleurs, le ballet était dansé, mais la soirée était à peine commencée : on soupait à trois heures, et l'horloge Saint-Jean, depuis quelque temps déjà, avait sonné deux heures trois quarts.

En effet, peu à peu le bruit des voix diminua dans la chambre voisine ; puis on l'entendit s'éloigner ; puis la porte du cabinet où était d'Artagnan se rouvrit, et Mme Bonacieux s'y élança.

— Vous, enfin ! s'écria d'Artagnan.

— Silence ! dit la jeune femme en appuyant sa main sur les lèvres du jeune homme, silence ! et allez-vous-en par où vous êtes venu.

— Mais où et quand vous reverrai-je ? s'écria d'Artagnan.

— Un billet que vous trouverez en rentrant vous le dira. Partez, partez !

Et, à ces mots, elle ouvrit la porte du corridor et poussa d'Artagnan hors du cabinet.

D'Artagnan obéit comme un enfant, sans résistance et sans objection aucune, ce qui prouve qu'il était bien réellement amoureux.

XXIII

LE RENDEZ-VOUS

D'Artagnan revint chez lui tout courant, et quoiqu'il fût plus de trois heures du matin, et qu'il eût les plus méchants quartiers de Paris à traverser, il ne fit aucune mauvaise rencontre. On sait qu'il y a un dieu pour les ivrognes et les amoureux.

Il trouva la porte de son allée entrouverte, monta son escalier, et frappa doucement et d'une façon convenue entre lui et son laquais. Planchet, qu'il avait renvoyé

deux heures auparavant de l'Hôtel de Ville en lui recommandant de l'attendre, vint lui ouvrir la porte.

— Quelqu'un a-t-il apporté une lettre pour moi?
demanda vivement d'Artagnan.

— Personne n'a apporté de lettre, Monsieur, répondit
Planchet; mais il y en a une qui est venue toute seule.

— Que veux-tu dire, imbécile?

— Je veux dire qu'en rentrant, quoique j'eusse la
clef de votre appartement dans ma poche et que cette
clef ne m'eût point quitté, j'ai trouvé une lettre sur le
tapis vert de la table, dans votre chambre à coucher.

— Et où est cette lettre?

— Je l'ai laissée où elle était, Monsieur. Il n'est pas
naturel que les lettres entrent ainsi chez les gens. Si la
fenêtre était ouverte encore, ou seulement entrebâillée,
je ne dis pas; mais non, tout était hermétiquement
fermé. Monsieur, prenez garde, car il y a très certainement quelque magie là-dessous.

Pendant ce temps, le jeune homme s'élançait dans la
chambre et ouvrait la lettre; elle était de Mme Bonacieux, et conçue en ces termes :

« On a de vifs remerciements à vous faire et à vous
» transmettre. Trouvez-vous ce soir vers dix heures à
» Saint-Cloud, en face du pavillon qui s'élève à l'angle
» de la maison de M. d'Estrées.

                                        « C. B. »

En lisant cette lettre, d'Artagnan sentait son cœur
se dilater et s'étreindre de ce doux spasme qui torture et
caresse le cœur des amants.

C'était le premier billet qu'il recevait, c'était le
premier rendez-vous qui lui était accordé. Son cœur,
gonflé par l'ivresse de la joie, se sentait prêt à défaillir

sur le seuil de ce paradis terrestre qu'on appelait
l'amour.

— Eh bien! Monsieur, dit Planchet, qui avait vu
son maître rougir et pâlir successivement ; eh bien!
n'est-ce pas que j'avais deviné juste et que c'est quelque
méchante affaire?

— Tu te trompes, Planchet, répondit d'Artagnan, et
la preuve, c'est que voici un écu pour que tu boives à
ma santé.

— Je remercie Monsieur de l'écu qu'il me donne,
et je lui promets de suivre exactement ses instructions ;
mais il n'en est pas moins vrai que les lettres qui entrent ainsi dans les maisons fermées...

— Tombent du ciel, mon ami, tombent du ciel.

— Alors, Monsieur est content? demanda Planchet.

— Mon cher Planchet, je suis le plus heureux des
hommes!

— Et je puis profiter du bonheur de Monsieur pour
aller me coucher?

— Oui, va.

— Que toutes les bénédictions du ciel tombent sur
Monsieur, mais il n'en est pas moins vrai que cette
lettre...

Et Planchet se retira en secouant la tête avec un air
de doute que n'était point parvenu à effacer entièrement la libéralité de d'Artagnan.

Resté seul, d'Artagnan lut et relut son billet, puis il
baisa et rebaisa vingt fois ces lignes tracées par la main
de sa belle maîtresse. Enfin il se coucha, s'endormit
et fit des rêves d'or.

A sept heures du matin, il se leva et appela Planchet,
qui, au second appel, ouvrit la porte, le visage encore
mal nettoyé des inquiétudes de la veille.

— Planchet, lui dit d'Artagnan, je sors pour toute

la journée peut-être ; tu es donc libre jusqu'à sept heures
du soir ; mais, à sept heures du soir, tiens-toi prêt avec
deux chevaux.

— Allons! dit Planchet, il paraît que nous allons
encore nous faire traverser la peau en plusieurs endroits.

— Tu prendras ton mousqueton et tes pistolets.

— Eh bien! que disais-je ? s'écria Planchet. Là, j'en
étais sûr ; maudite lettre!

— Mais rassure-toi donc, imbécile, il s'agit tout simplement d'une partie de plaisir.

— Oui! comme les voyages d'agrément de l'autre
jour, où il pleuvait des balles et où il poussait des
chausse-trapes.

— Au reste, si vous avez peur, Monsieur Planchet,
reprit d'Artagnan, j'irai sans vous ; j'aime mieux voyager seul que d'avoir un compagnon qui tremble.

— Monsieur me fait injure, dit Planchet ; il me semblait cependant qu'il m'avait vu à l'œuvre.

— Oui, mais j'ai cru que tu avais usé tout ton courage d'une seule fois.

— Monsieur verra que dans l'occasion il m'en reste
encore ; seulement je prie Monsieur de ne pas trop le
prodiguer, s'il veut qu'il m'en reste longtemps.

— Crois-tu en avoir encore une certaine somme à
dépenser ce soir ?

— Je l'espère.

— Eh bien! je compte sur toi.

— A l'heure dite, je serai prêt ; seulement je croyais
que Monsieur n'avait qu'un cheval à l'écurie des
gardes.

— Peut-être n'y en a-t-il qu'un encore dans ce moment-ci, mais ce soir il y en aura quatre.

— Il paraît que notre voyage était un voyage de
remonte ?

T. I.   21

— Justement, dit d'Artagnan.

Et ayant fait à Planchet un dernier geste de recommandation, il sortit.

M. Bonacieux était sur sa porte. L'intention de d'Artagnan était de passer outre, sans parler au digne mercier ; mais celui-ci fit un salut si doux et si bénin que force fut à son locataire non seulement de le lui rendre, mais encore de lier conversation avec lui.

Comment d'ailleurs ne pas avoir un peu de condescendance pour un mari dont la femme vous a donné un rendez-vous le soir même à Saint-Cloud, en face du pavillon de M. d'Estrées! D'Artagnan s'approcha de l'air le plus aimable qu'il put prendre.

La conversation tomba tout naturellement sur l'incarcération du pauvre homme. M. Bonacieux, qui ignorait que d'Artagnan eût entendu sa conversation avec l'inconnu de Meung, raconta à son jeune locataire les persécutions de ce monstre de M. de Laffemas, qu'il ne cessa de qualifier pendant tout son récit du titre de bourreau du cardinal, et s'étendit longuement sur la Bastille, les verrous, les guichets, les soupiraux, les grilles et les instruments de torture.

D'Artagnan l'écouta avec une complaisance exemplaire ; puis, lorsqu'il eut fini :

— Et Mme Bonacieux, dit-il enfin, savez-vous qui l'avait enlevée ? Car je n'oublie pas que c'est à cette circonstance fâcheuse que je dois le bonheur d'avoir fait votre connaissance.

— Ah! dit M. Bonacieux, ils se sont bien gardés de me le dire, et ma femme de son côté m'a juré ses grands dieux qu'elle ne le savait pas. Mais vous-même, continua M. Bonacieux d'un ton de bonhomie parfaite, qu'êtes-vous devenu tous ces jours passés? Je ne vous ai vus ni vous ni vos amis, et ce n'est pas sur le pavé

de Paris, je pense, que vous avez ramassé toute la
poussière que Planchet époussetait hier sur vos bottes.

— Vous avez raison, mon cher Monsieur Bonacieux,
mes amis et moi nous avons fait un petit voyage.

— Loin d'ici ?

— Oh! mon Dieu non, à une quarantaine de lieues
seulement ; nous avons été conduire M. Athos aux eaux
de Forges, où mes amis sont restés.

— Et vous êtes revenu, vous, n'est-ce pas ? reprit
M. Bonacieux en donnant à sa physionomie son air le
plus malin. Un beau garçon comme vous n'obtient pas
de longs congés de sa maîtresse, et nous étions impatiemment attendu à Paris, n'est-ce pas ?

— Ma foi, dit en riant le jeune homme, je vous
l'avoue d'autant mieux, mon cher Monsieur Bonacieux,
que je vois qu'on ne peut rien vous cacher. Oui, j'étais
attendu, et bien impatiemment, je vous en réponds.

Un léger nuage passa sur le front de Bonacieux, mais
si léger, que d'Artagnan ne s'en aperçut pas.

— Et nous allons être récompensé de notre dili-
gence ? continua le mercier avec une légère altération
dans la voix, altération que d'Artagnan ne remarqua
pas plus qu'il n'avait fait du nuage momentané qui, un
instant auparavant, avait assombri la figure du digne
homme.

— Ah! faites donc le bon apôtre! dit en riant d'Artagnan.

— Non, ce que je vous en dis, reprit Bonacieux,
c'est seulement pour savoir si nous rentrons tard.

— Pourquoi cette question, mon cher hôte? demanda d'Artagnan ; est-ce que vous comptez m'attendre ?

— Non, c'est que depuis mon arrestation et le vol
qui a été commis chez moi, je m'effraye chaque fois que

j'entends ouvrir une porte, et surtout la nuit. Dame, que voulez-vous! je ne suis point homme d'épée, moi!

— Eh bien! ne vous effrayez pas si je rentre à une heure, à deux ou trois heures du matin ; si je ne rentre pas du tout, ne vous effrayez pas encore.

Cette fois, Bonacieux devint si pâle que d'Artagnan ne put faire autrement que de s'en apercevoir, et lui demanda ce qu'il avait.

— Rien, répondit Bonacieux, rien. Depuis mes malheurs seulement, je suis sujet à des faiblesses qui me prennent tout à coup, et je viens de me sentir passer un frisson. Ne faites pas attention à cela, vous qui n'avez à vous occuper que d'être heureux.

— Alors j'ai de l'occupation, car je le suis.

— Pas encore, attendez donc, vous avez dit : à ce soir.

— Eh bien, ce soir arrivera, Dieu merci! et peut-être l'attendez-vous avec autant d'impatience que moi. Peut-être, ce soir, Mme Bonacieux visitera-t-elle le domicile conjugal.

— Mme Bonacieux n'est pas libre ce soir, répondit gravement le mari ; elle est retenue au Louvre par son service.

— Tant pis pour vous, mon cher hôte, tant pis ; quand je suis heureux, moi, je voudrais que tout le monde le fût ; mais il paraît que ce n'est pas possible.

Et le jeune homme s'éloigna en riant aux éclats de la plaisanterie que lui seul, pensait-il, pouvait comprendre.

— Amusez-vous bien! répondit Bonacieux d'un accent sépulcral.

Mais d'Artagnan était déjà trop loin pour l'entendre, et l'eût-il entendu, dans la disposition d'esprit où il était, il ne l'eût certes pas remarqué.

Il se dirigea vers l'hôtel de M. de Tréville ; sa visite de la veille avait été, on se le rappelle, très courte et très peu explicative.

Il trouva M. de Tréville dans la joie de son âme. Le roi et la reine avaient été charmants pour lui au bal. Il est vrai que le cardinal avait été parfaitement maussade.

A une heure du matin, il s'était retiré sous prétexte qu'il était indisposé. Quant à Leurs Majestés, elles n'étaient rentrées au Louvre qu'à six heures du matin.

— Maintenant, dit M. de Tréville en baissant la voix et en interrogeant du regard tous les angles de l'appartement pour voir s'ils étaient bien seuls, maintenant parlons de vous, mon jeune ami, car il est évident que votre heureux retour est pour quelque chose dans la joie du roi, dans le triomphe de la reine et dans l'humiliation de Son Éminence. Il s'agit de bien vous tenir.

— Qu'ai-je à craindre, répondit d'Artagnan, tant que j'aurai le bonheur de jouir de la faveur de Leurs Majestés ?

— Tout, croyez-moi. Le cardinal n'est point homme à oublier une mystification tant qu'il n'aura pas réglé ses comptes avec le mystificateur, et le mystificateur m'a bien l'air d'être certain Gascon de ma connaissance.

— Croyez-vous que le cardinal soit aussi avancé que vous et sache que c'est moi qui ai été à Londres ?

— Diable ! vous avez été à Londres. Est-ce de Londres que vous avez rapporté ce beau diamant qui brille à votre doigt ? Prenez garde, mon cher d'Artagnan, ce n'est pas une bonne chose que le présent d'un ennemi ; n'y a-t-il pas là-dessus certain vers latin... Attendez donc...

— Oui, sans doute, reprit d'Artagnan, qui n'avait jamais pu se fourrer la première règle du rudiment dans la tête, et qui, par ignorance, avait fait le déses-

poir de son précepteur ; oui, sans doute, il doit y en
avoir un.

— Il y en a un certainement, dit M. de Tréville, qui
avait une teinte de lettres, et M. de Benserade me le
citait l'autre jour... Attendez donc... Ah! m'y voici :

Timeo Danaos et dona ferentes.

Ce qui veut dire : « Défiez-vous de l'ennemi qui vous
fait des présents. »

— Ce diamant ne vient pas d'un ennemi, Monsieur,
reprit d'Artagnan, il vient de la reine.

— De la reine! oh! oh! dit M. de Tréville. Effectivement, c'est un véritable bijou royal, qui vaut mille
pistoles comme un denier. Par qui la reine vous a-t-elle
fait remettre ce cadeau?

— Elle me l'a remis elle-même.

— Où cela?

— Dans le cabinet attenant à la chambre où elle a
changé de toilette.

— Comment?

— En me donnant sa main à baiser.

— Vous avez baisé la main de la reine! s'écria M. de
Tréville en regardant d'Artagnan.

— Sa Majesté m'a fait l'honneur de m'accorder
cette grâce!

— Et cela en présence de témoins? Imprudente,
trois fois imprudente!

— Non, Monsieur, rassurez-vous, personne ne l'a
vue, reprit d'Artagnan. Et il raconta à M. de Tréville
comment les choses s'étaient passées.

— Oh! les femmes, les femmes! s'écria le vieux
soldat, je les reconnais bien à leur imagination romanesque ; tout ce qui sent le mystérieux les charme ;
ainsi vous avez vu le bras, voilà tout ; vous rencon-

treriez la reine que vous ne la reconnaîtriez pas ; elle vous rencontrerait qu'elle ne saurait pas qui vous êtes.

— Non, mais grâce à ce diamant..., reprit le jeune homme.

— Écoutez, dit M. de Tréville, voulez-vous que je vous donne un conseil, un bon conseil, un conseil d'ami ?

— Vous me ferez honneur, Monsieur, dit d'Artagnan.

— Eh bien! allez chez le premier orfèvre venu et vendez-lui ce diamant pour le prix qu'il vous en donnera ; si juif qu'il soit, vous en trouverez toujours bien huit cents pistoles. Les pistoles n'ont pas de nom, jeune homme, et cette bague en a un terrible, et qui peut trahir celui qui la porte.

— Vendre cette bague! Une bague qui vient de ma souveraine! Jamais! dit d'Artagnan.

— Alors tournez-en le chaton en dedans, pauvre fou, car on sait qu'un cadet de Gascogne ne trouve pas de pareils bijoux dans l'écrin de sa mère.

— Vous croyez donc que j'ai quelque chose à craindre? demanda d'Artagnan.

— C'est-à-dire, jeune homme, que celui qui s'endort sur une mine dont la mèche est allumée doit se regarder comme en sûreté en comparaison de vous.

— Diable! dit d'Artagnan, que le ton d'assurance de M. de Tréville commençait à inquiéter, diable, que faut-il faire ?

— Vous tenir sur vos gardes toujours et avant toute chose. Le cardinal a la mémoire tenace et la main longue ; croyez-moi, il vous jouera quelque tour.

— Mais lequel ?

— Eh! le sais-je, moi! Est-ce qu'il n'a pas à son service toutes les ruses du démon? Le moins qui puisse vous arriver est qu'on vous arrête.

— Comment! on oserait arrêter un homme au service de Sa Majesté?

— Pardieu! on s'est bien gêné pour Athos! En
tout cas, jeune homme, croyez-en un homme qui est
depuis trente ans à la cour : ne vous endormez pas dans
votre sécurité, ou vous êtes perdu. Bien au contraire,
et c'est moi qui vous le dis, voyez des ennemis partout.
Si l'on vous cherche querelle, évitez-la, fût-ce un enfant
de dix ans qui vous la cherche ; si l'on vous attaque de
nuit ou de jour, battez en retraite et sans honte ; si vous
traversez un pont, tâtez les planches, de peur qu'une
planche ne vous manque sous le pied ; si vous passez
devant une maison qu'on bâtit, regardez en l'air de
peur qu'une pierre ne vous tombe sur la tête ; si vous
rentrez tard, faites-vous suivre par votre laquais, et que
votre laquais soit armé, si toutefois vous êtes sûr de
votre laquais. Défiez-vous de tout le monde, de votre
ami, de votre frère, de votre maîtresse, de votre maîtresse surtout.

D'Artagnan rougit.

— De ma maîtresse, répéta-t-il machinalement ; et
pourquoi plutôt d'elle que d'un autre?

— C'est que la maîtresse est un des moyens favoris
du cardinal, il n'en a pas de plus expéditif : une femme
vous vend pour dix pistoles, témoin Dalila. Vous savez
les Écritures, hein?

D'Artagnan pensa au rendez-vous que lui avait donné
Mme Bonacieux pour le soir même ; mais nous devons
dire, à la louange de notre héros, que la mauvaise opinion que M. de Tréville avait des femmes en général
ne lui inspira pas le moindre petit soupçon contre sa
jolie hôtesse.

— Mais, à propos, reprit M. de Tréville, que sont
devenus vos trois compagnons?

— J'allais vous demander si vous n'en aviez pas appris quelques nouvelles.

— Aucune, Monsieur.

— Eh bien! je les ai laissés sur ma route : Porthos à Chantilly, avec un duel sur les bras ; Aramis à Crève-cœur, avec une balle dans l'épaule ; et Athos à Amiens, avec une accusation de faux-monnayeur sur le corps.

— Voyez-vous! dit M. de Tréville ; et comment vous êtes-vous échappé, vous?

— Par miracle, Monsieur, je dois le dire, avec un coup d'épée dans la poitrine, et en clouant M. le comte de Wardes sur le revers de la route de Calais, comme un papillon à une tapisserie.

— Voyez-vous encore! De Wardes, un homme au cardinal, un cousin de Rochefort. Tenez, mon cher ami, il me vient une idée.

— Dites, Monsieur.

— A votre place, je ferais une chose.

— Laquelle?

— Tandis que Son Éminence me ferait chercher à Paris, je reprendrais, moi, sans tambour ni trompette, la route de Picardie, et je m'en irais savoir des nouvelles de mes trois compagnons. Que diable! ils méritent bien cette petite attention de votre part.

— Le conseil est bon, Monsieur, et demain je parti-rai.

— Demain! Et pourquoi pas ce soir?

— Ce soir, Monsieur, je suis retenu à Paris par une affaire indispensable.

— Ah! jeune homme! jeune homme! quelque amou-rette? Prenez garde, je vous le répète : c'est la femme qui nous a perdus, tous tant que nous sommes, et qui nous perdra encore, tous tant que nous sommes. Croyez-moi, partez ce soir.

— Impossible, Monsieur!

— Vous avez donc donné votre parole?

— Oui, Monsieur.

— Alors c'est autre chose ; mais promettez-moi que si vous n'êtes pas tué cette nuit, vous partirez demain.

— Je vous le promets.

— Avez-vous besoin d'argent?

— J'ai encore cinquante pistoles. C'est autant qu'il m'en faut, je le pense.

— Mais vos compagnons?

— Je pense qu'ils ne doivent pas en manquer. Nous sommes sortis de Paris chacun avec soixante-quinze pistoles dans nos poches.

— Vous reverrai-je avant votre départ?

— Non, pas que je pense, Monsieur, à moins qu'il n'y ait du nouveau.

— Allons, bon voyage!

— Merci, Monsieur.

Et d'Artagnan prit congé de M. de Tréville, touché plus que jamais de sa sollicitude toute paternelle pour ses mousquetaires.

Il passa successivement chez Athos, chez Porthos et chez Aramis. Aucun d'eux n'était rentré. Leurs laquais aussi étaient absents, et l'on n'avait des nouvelles ni des uns ni des autres.

Il se serait bien informé d'eux à leurs maîtresses, mais il ne connaissait ni celle de Porthos ni celle d'Aramis ; quant à Athos, il n'en avait pas.

En passant devant l'hôtel des Gardes, il jeta un coup d'œil dans l'écurie : trois chevaux étaient déjà rentrés sur quatre. Planchet, tout ébahi, était en train de les étriller, et avait déjà fini avec deux d'entre eux.

— Ah! Monsieur, dit Planchet en apercevant d'Artagnan, que je suis aise de vous voir!

— Et pourquoi cela, Planchet? demanda le jeune homme.

— Auriez-vous confiance en M. Bonacieux, notre hôte?

— Moi? Pas le moins du monde.

— Oh! que vous faites bien, Monsieur.

— Mais d'où vient cette question?

— De ce que, tandis que vous causiez avec lui, je vous observais sans vous écouter; Monsieur, sa figure a changé deux ou trois fois de couleur.

— Bah!

— Monsieur n'a pas remarqué cela, préoccupé qu'il était de la lettre qu'il venait de recevoir; mais moi, au contraire, que l'étrange façon dont cette lettre était parvenue à la maison avait mis sur mes gardes, je n'ai pas perdu un mouvement de sa physionomie.

— Et tu l'as trouvée?

— Traîtreuse, Monsieur.

— Vraiment!

— De plus, aussitôt que Monsieur l'a eu quitté et qu'il a disparu au coin de la rue, M. Bonacieux a pris son chapeau, a fermé sa porte et s'est mis à courir par la rue opposée.

— En effet, tu as raison, Planchet, tout cela me paraît fort louche, et, sois tranquille, nous ne lui payerons pas notre loyer que la chose ne nous ait été catégoriquement expliquée.

— Monsieur plaisante, mais Monsieur verra.

— Que veux-tu, Planchet, ce qui doit arriver est écrit!

— Monsieur ne renonce donc pas à sa promenade de ce soir?

— Bien au contraire, Planchet, plus j'en voudrai à M. Bonacieux, et plus j'irai au rendez-vous que m'a donné cette lettre qui t'inquiète tant.

— Alors, si c'est la résolution de Monsieur...

— Inébranlable, mon ami ; ainsi donc, à neuf heures, tiens-toi prêt ici, à l'hôtel ; je viendrai te prendre.

Planchet, voyant qu'il n'y avait plus aucun espoir
de faire renoncer son maître à son projet, poussa un
profond soupir, et se mit à étriller le troisième cheval.

Quant à d'Artagnan, comme c'était au fond un garçon plein de prudence, au lieu de rentrer chez lui, il
s'en alla dîner chez ce prêtre gascon qui, au moment
de la détresse des quatre amis, leur avait donné un
déjeuner de chocolat.

XXIV

LE PAVILLON

A neuf heures, d'Artagnan était à l'hôtel des Gardes ;
il trouva Planchet sous les armes. Le quatrième cheval
était arrivé.

Planchet était armé de son mousqueton et d'un
pistolet.

D'Artagnan avait son épée et passa deux pistolets à
sa ceinture, puis tous deux enfourchèrent chacun un
cheval et s'éloignèrent sans bruit. Il faisait nuit close,
et personne ne les vit sortir. Planchet se mit à la suite
de son maître, et marcha par-derrière à dix pas.

D'Artagnan traversa les quais, sortit par la porte de
la Conférence et suivit alors le chemin, bien plus beau
alors qu'aujourd'hui, qui mène à Saint-Cloud.

Tant qu'on fut dans la ville, Planchet garda respectueusement la distance qu'il s'était imposée ; mais dès
que le chemin commença à devenir plus désert et plus

obscur, il se rapprocha tout doucement ; si bien que,
lorsqu'on entra dans le bois de Boulogne, il se trouva
tout naturellement marcher côte à côte avec son maître.
En effet, nous ne devons pas dissimuler que l'oscillation
des grands arbres et le reflet de la lune dans les taillis
sombres lui causaient une vive inquiétude. D'Artagnan
s'aperçut qu'il se passait chez son laquais quelque chose
d'extraordinaire.

— Eh bien! Monsieur Planchet, lui demanda-t-il,
qu'avons-nous donc ?

— Ne trouvez-vous pas, Monsieur, que les bois sont
comme les églises ?

— Pourquoi cela, Planchet ?

— Parce qu'on n'ose point parler haut dans ceux-ci
comme dans celles-là.

— Pourquoi n'oses-tu parler haut, Planchet ? Parce
que tu as peur ?

— Peur d'être entendu, oui, Monsieur.

— Peur d'être entendu! Notre conversation est
cependant morale, mon cher Planchet, et nul n'y trouverait à redire.

— Ah! Monsieur! reprit Planchet en revenant à son
idée mère, que ce M. Bonacieux a quelque chose de
sournois dans ses sourcils et de déplaisant dans le jeu
de ses lèvres!

— Qui diable te fait penser à Bonacieux ?

— Monsieur, l'on pense à ce que l'on peut et non
pas à ce que l'on veut.

— Parce que tu es un poltron, Planchet.

— Monsieur, ne confondons pas la prudence avec la
poltronnerie ; la prudence est une vertu.

— Et tu es vertueux, n'est-ce pas, Planchet ?

— Monsieur, n'est-ce point le canon d'un mousquet
qui brille là-bas ? Si nous baissions la tête ?

— En vérité, murmura d'Artagnan, à qui les recommandations de M. de Tréville revenaient en mémoire ; en vérité, cet animal finirait par me faire peur.

Et il mit son cheval au trot.

Planchet suivit le mouvement de son maître, exactement comme s'il eût été son ombre, et se retrouva trottant près de lui.

— Est-ce que nous allons marcher comme cela toute la nuit, Monsieur ? demanda-t-il.

— Non, Planchet, car tu es arrivé, toi.

— Comment, je suis arrivé ? Et Monsieur ?

— Moi, je vais encore à quelques pas.

— Et Monsieur me laisse seul ici ?

— Tu as peur, Planchet ?

— Non, mais je fais seulement observer à Monsieur que la nuit sera très froide, que les fraîcheurs donnent des rhumatismes, et qu'un laquais qui a des rhumatismes est un triste serviteur, surtout pour un maître alerte comme Monsieur.

— Eh bien, si tu as froid, Planchet, tu entreras dans un de ces cabarets que tu vois là-bas, et tu m'attendras demain matin à six heures devant la porte.

— Monsieur, j'ai bu et mangé respectueusement l'écu que vous m'avez donné ce matin ; de sorte qu'il ne me reste pas un traître sou dans le cas où j'aurais froid.

— Voici une demi-pistole. A demain.

D'Artagnan descendit de son cheval, jeta la bride au bras de Planchet et s'éloigna rapidement en s'enveloppant dans son manteau.

— Dieu, que j'ai froid ! s'écria Planchet dès qu'il eut perdu son maître de vue — et pressé qu'il était de se réchauffer, il se hâta d'aller frapper à la porte d'une maison parée de tous les attributs d'un cabaret de banlieue.

Cependant d'Artagnan, qui s'était jeté dans un petit chemin de traverse, continuait sa route et atteignait Saint-Cloud ; mais, au lieu de suivre la grande rue, il tourna derrière le château, gagna une espèce de ruelle fort écartée, et se trouva bientôt en face du pavillon indiqué. Il était situé dans un lieu tout à fait désert. Un grand mur, à l'angle duquel était ce pavillon, régnait d'un côté de cette ruelle, et de l'autre une haie défendait contre les passants un petit jardin au fond duquel s'élevait une maigre cabane.

Il était arrivé au rendez-vous, et comme on ne lui avait pas dit d'annoncer sa présence par aucun signal, il attendit.

Nul bruit ne se faisait entendre, on eût dit qu'on était à cent lieues de la capitale. D'Artagnan s'adossa à la haie après avoir jeté un coup d'œil derrière lui. Par-delà cette haie, ce jardin et cette cabane, un brouillard sombre enveloppait de ses plis cette immensité où dort Paris, vide, béant, immensité où brillaient quelques points lumineux, étoiles funèbres de cet enfer.

Mais pour d'Artagnan tous les aspects revêtaient une forme heureuse, toutes les idées avaient un sourire, toutes les ténèbres étaient diaphanes. L'heure du rendez-vous allait sonner.

En effet, au bout de quelques instants, le beffroi de Saint-Cloud laissa lentement tomber dix coups de sa large gueule mugissante.

Il y avait quelque chose de lugubre à cette voix de bronze qui se lamentait ainsi au milieu de la nuit.

Mais chacune de ces heures qui composaient l'heure attendue vibrait harmonieusement au cœur du jeune homme.

Ses yeux étaient fixés sur le petit pavillon situé à l'angle du mur et dont toutes les fenêtres étaient fermées par des volets, excepté une seule du premier étage.

À travers cette fenêtre brillait une lumière douce qui argentait le feuillage tremblant de deux ou trois tilleuls qui s'élevaient formant groupe en dehors du parc. Évidemment derrière cette petite fenêtre, si gracieusement éclairée, la jolie Mme Bonacieux l'attendait.

Bercé par cette douce idée, d'Artagnan attendit de son côté une demi-heure sans impatience aucune, les yeux fixés sur ce charmant petit séjour dont d'Artagnan apercevait une partie de plafond aux moulures dorées, attestant l'élégance du reste de l'appartement.

Le beffroi de Saint-Cloud sonna dix heures et demie.

Cette fois-ci, sans que d'Artagnan comprît pourquoi, un frisson courut dans ses veines. Peut-être aussi le froid commençait-il à le gagner et prenait-il pour une impression morale une sensation tout à fait physique.

Puis l'idée lui vint qu'il avait mal lu et que le rendez-vous était pour onze heures seulement.

Il s'approcha de la fenêtre, se plaça dans un rayon de lumière, tira la lettre de sa poche et la relut ; il ne s'était point trompé, le rendez-vous était bien pour dix heures.

Il alla reprendre son poste, commençant à être assez inquiet de ce silence et de cette solitude.

Onze heures sonnèrent.

D'Artagnan commença à craindre véritablement qu'il ne fût arrivé quelque chose à Mme Bonacieux.

Il frappa trois coups dans ses mains, signal ordinaire des amoureux ; mais personne ne lui répondit, pas même l'écho.

Alors il pensa avec un certain dépit que peut-être la jeune femme s'était endormie en l'attendant.

Il s'approcha du mur et essaya d'y monter ; mais le

mur était nouvellement crépi, et d'Artagnan se retourna inutilement les ongles.

En ce moment il avisa les arbres, dont la lumière continuait d'argenter les feuilles, et comme l'un d'eux faisait saillie sur le chemin, il pensa que du milieu de ses branches son regard pourrait pénétrer dans le pavillon.

L'arbre était facile. D'ailleurs d'Artagnan avait vingt ans à peine, et par conséquent se souvenait de son métier d'écolier. En un instant il fut au milieu des branches, et par les vitres transparentes ses yeux plongèrent dans l'intérieur du pavillon.

Chose étrange et qui fit frissonner d'Artagnan de la plante des pieds à la racine des cheveux, cette douce lumière, cette calme lampe éclairait une scène de désordre épouvantable ; une des vitres de la fenêtre était cassée, la porte de la chambre avait été enfoncée et, à demi brisée, pendait à ses gonds ; une table qui avait dû être couverte d'un élégant souper gisait à terre ; les flacons en éclats, les fruits écrasés jonchaient le parquet ; tout témoignait dans cette chambre d'une lutte violente et désespérée ; d'Artagnan crut même reconnaître au milieu de ce pêle-mêle étrange des lambeaux de vêtements et quelques taches sanglantes maculant la nappe et les rideaux.

Il se hâta de redescendre dans la rue avec un horrible battement de cœur, il voulait voir s'il ne trouverait pas d'autres traces de violence.

La petite lueur suave brillait toujours dans le calme de la nuit. D'Artagnan s'aperçut alors, chose qu'il n'avait pas remarquée d'abord, car rien ne le poussait à cet examen, que le sol, battu ici, troué là, présentait des traces confuses de pas d'hommes et de pieds de chevaux. En outre, les roues d'une voiture, qui parais-

sait venir de Paris, avaient creusé dans la terre molle
une profonde empreinte qui ne dépassait pas la hauteur
du pavillon et qui retournait vers Paris.

Enfin d'Artagnan, en poursuivant ses recherches,
trouva près du mur un gant de femme déchiré. Cependant ce gant, par tous les points où il n'avait pas touché
la terre boueuse, était d'une fraîcheur irréprochable.
C'était un de ces gants parfumés comme les amants
aiment à les arracher d'une jolie main.

A mesure que d'Artagnan poursuivait ses investigations, une sueur plus abondante et plus glacée perlait
sur son front, son cœur était serré par une horrible
angoisse, sa respiration était haletante ; et cependant il
se disait, pour se rassurer, que ce pavillon n'avait peut-
être rien de commun avec Mme Bonacieux ; que la jeune
femme lui avait donné rendez-vous devant ce pavillon,
et non dans ce pavillon ; qu'elle avait pu être retenue à
Paris par son service, par la jalousie de son mari peut-
être.

Mais tous ces raisonnements étaient battus en brèche,
détruits, renversés par ce sentiment de douleur intime
qui, dans certaines occasions, s'empare de tout notre
être et nous crie, par tout ce qui est destiné chez nous
à entendre, qu'un grand malheur plane sur nous.

Alors d'Artagnan devint presque insensé : il courut
sur la grande route, prit le même chemin qu'il avait déjà
fait, s'avança jusqu'au bac, et interrogea le passeur.

Vers les sept heures du soir, le passeur avait fait
traverser la rivière à une femme enveloppée d'une
mante noire, qui paraissait avoir le plus grand intérêt
à ne pas être reconnue ; mais, justement à cause des
précautions qu'elle prenait, le passeur avait prêté une
attention plus grande, et il avait reconnu que la femme
était jeune et jolie.

Il y avait alors, comme aujourd'hui, une foule de
jeunes et jolies femmes qui venaient à Saint-Cloud et
qui avaient intérêt à ne pas être vues, et cependant
d'Artagnan ne douta point un instant que ce ne fût
Mme Bonacieux qu'avait remarquée le passeur.

D'Artagnan profita de la lampe qui brillait dans la
cabane du passeur pour relire encore une fois le billet
de Mme Bonacieux et s'assurer qu'il ne s'était pas
trompé, que le rendez-vous était bien à Saint-Cloud et
non ailleurs, devant le pavillon de M. d'Estrées et non
dans une autre rue.

Tout concourait à prouver à d'Artagnan que ses
pressentiments ne le trompaient point et qu'un grand
malheur était arrivé.

Il reprit le chemin du château tout courant ; il lui
semblait qu'en son absence quelque chose de nouveau
s'était peut-être passé au pavillon et que des renseignements l'attendaient là.

La ruelle était toujours déserte, et la même lueur
calme et douce s'épanchait de la fenêtre.

D'Artagnan songea alors à cette masure muette et
aveugle, mais qui sans doute avait vu et qui peut-être
pouvait parler.

La porte de clôture était fermée, mais il sauta par-
dessus la haie, et malgré les aboiements du chien à la
chaîne, il s'approcha de la cabane.

Aux premiers coups qu'il frappa, rien ne répondit.

Un silence de mort régnait dans la cabane comme dans
le pavillon ; cependant, comme cette cabane était sa
dernière ressource, il s'obstina.

Bientôt il lui sembla entendre un léger bruit intérieur,
bruit craintif, et qui semblait trembler lui-même d'être
entendu.

Alors d'Artagnan cessa de frapper et pria, avec un

accent si plein d'inquiétude et de promesses, d'effroi et
de cajolerie, que sa voix était de nature à rassurer de
plus peureux. Enfin un vieux volet vermoulu s'ouvrit,
ou plutôt s'entrebâilla, et se referma dès que la lueur
d'une misérable lampe qui brûlait dans un coin eut éclairé
le baudrier, la poignée de l'épée et le pommeau des
pistolets de d'Artagnan. Cependant, si rapide qu'eût
été le mouvement, d'Artagnan avait eu le temps d'entre-
voir une tête de vieillard.

— Au nom du ciel! dit-il, écoutez-moi : j'attends
quelqu'un qui ne vient pas, je meurs d'inquiétude.
Serait-il arrivé quelque malheur aux environs? Parlez.

La fenêtre se rouvrit lentement, et la même figure
apparut de nouveau, seulement elle était plus pâle
encore que la première fois.

D'Artagnan raconta naïvement son histoire, aux noms
près ; il dit comment il avait rendez-vous avec une
jeune femme devant ce pavillon, et comment, ne la
voyant pas venir, il était monté sur le tilleul et, à la
lueur de la lampe, il avait vu le désordre de la chambre.

Le vieillard l'écouta attentivement, tout en faisant
signe que c'était bien cela ; puis, lorsque d'Artagnan eut
fini, il hocha la tête d'un air qui n'annonçait rien de
bon.

— Que voulez-vous dire? s'écria d'Artagnan. Au
nom du ciel! voyons, expliquez-vous.

— Oh! monsieur, dit le vieillard, ne me demandez
rien ; car si je vous disais ce que j'ai vu, bien certainement il ne m'arriverait rien de bon.

— Vous avez donc vu quelque chose? reprit d'Artagnan. En ce cas, au nom du ciel! continua-t-il en lui
jetant une pistole, dites, dites ce que vous avez vu, et je
vous donne ma foi de gentilhomme que pas une de vos
paroles ne sortira de mon cœur.

Le vieillard lut tant de franchise et de douleur sur le visage de d'Artagnan qu'il lui fit signe d'écouter et qu'il lui dit à voix basse :

« — Il était neuf heures à peu près, j'avais entendu » quelque bruit dans la rue et je désirais savoir ce que » ce pouvait être, lorsqu'en m'approchant de ma porte, » je m'aperçus qu'on cherchait à entrer. Comme je suis » pauvre et que je n'ai pas peur qu'on me vole, j'allai » ouvrir et je vis trois hommes à quelques pas de là. » Dans l'ombre était un carrosse avec des chevaux attelés » et des chevaux de main. Ces chevaux de main appar- » tenaient évidemment aux trois hommes qui étaient » vêtus en cavaliers.

« — Ah, mes bons Messieurs ! m'écriai-je, que deman- » dez-vous ?

« — Tu dois avoir une échelle ? me dit celui qui » paraissait le chef de l'escorte.

« — Oui, Monsieur ; celle avec laquelle je cueille » mes fruits.

« — Donne-nous-la, et rentre chez toi, voilà un écu » pour le dérangement que nous te causons. Souviens- » toi seulement que si tu dis un mot de ce que tu vas » voir et de ce que tu vas entendre (car tu regarderas et » tu écouteras, quelque menace que nous te fassions, » j'en suis sûr), tu es perdu.

« A ces mots, il me jeta un écu, que je ramassai, et il » prit mon échelle.

« Effectivement, après avoir refermé la porte de la » haie derrière eux, je fis semblant de rentrer à la » maison ; mais j'en sortis aussitôt par la porte de » derrière, et, me glissant dans l'ombre, je parvins » jusqu'à cette touffe de sureau, du milieu de laquelle » je pouvais tout voir sans être vu.

« Les trois hommes avaient fait avancer la voiture

» sans aucun bruit, ils en tirèrent un petit homme, gros,
» court, grisonnant, mesquinement vêtu de couleur
» sombre, lequel monta avec précaution à l'échelle,
» regarda sournoisement dans l'intérieur de la chambre,
» redescendit à pas de loup et murmura à voix basse :
« — C'est elle!

« Aussitôt celui qui m'avait parlé s'approcha de la
» porte du pavillon, l'ouvrit avec une clef qu'il portait
» sur lui, referma la porte et disparut ; en même temps,
» les deux autres montèrent à l'échelle. Le petit vieux
» demeurait à la portière, le cocher maintenait les
» chevaux de la voiture, et un laquais les chevaux de
» selle.

« Tout à coup de grands cris retentirent dans le
» pavillon, une femme accourut à la fenêtre et l'ouvrit
» comme pour se précipiter. Mais aussitôt qu'elle aperçut
» les deux hommes, elle se rejeta en arrière ; les deux
» hommes s'élancèrent après elle dans la chambre.

« Alors je ne vis plus rien ; mais j'entendis le bruit
» des meubles que l'on brise. La femme criait et appelait
» au secours. Mais bientôt ses cris furent étouffés ; les
» trois hommes se rapprochèrent de la fenêtre, empor-
» tant la femme dans leurs bras ; deux descendirent par
» l'échelle et la transportèrent dans la voiture, où le
» petit vieux entra après elle. Celui qui était resté dans
» le pavillon referma la croisée, sortit un instant après
» par la porte et s'assura que la femme était bien dans
» la voiture : ses deux compagnons l'attendaient déjà
» à cheval, il sauta à son tour en selle ; le laquais reprit
» sa place près du cocher ; le carrosse s'éloigna au galop
» escorté par les trois cavaliers, et tout fut fini. A partir
» de ce moment-là, je n'ai plus rien vu, rien entendu. »

D'Artagnan, écrasé par une si terrible nouvelle, resta
immobile et muet, tandis que tous les démons de la

colère et de la jalousie hurlaient dans son cœur.

— Mais, mon gentilhomme, reprit le vieillard, sur lequel ce muet désespoir causait certes plus d'effet que n'en eussent produit des cris et des larmes ; allons, ne vous désolez pas, ils ne vous l'ont pas tuée, voilà l'essentiel.

— Savez-vous à peu près, dit d'Artagnan, quel est l'homme qui conduisait cette infernale expédition ?

— Je ne le connais pas.

— Mais puisqu'il vous a parlé, vous avez pu le voir.

— Ah ! c'est son signalement que vous me demandez ?

— Oui.

— Un grand sec, basané, moustaches noires, œil noir, l'air d'un gentilhomme.

— C'est cela, s'écria d'Artagnan ; encore lui ! toujours lui ! C'est mon démon, à ce qu'il paraît ! Et l'autre ?

— Lequel ?

— Le petit.

— Oh ! celui-là n'est pas un seigneur, j'en réponds : d'ailleurs il ne portait pas l'épée, et les autres le traitaient sans aucune considération.

— Quelque laquais, murmura d'Artagnan. Ah ! pauvre femme ! pauvre femme ! qu'en ont-ils fait ?

— Vous m'avez promis le secret, dit le vieillard.

— Et je vous renouvelle ma promesse, soyez tranquille, je suis gentilhomme. Un gentilhomme n'a que sa parole, et je vous ai donné la mienne.

D'Artagnan reprit, l'âme navrée, le chemin du bac. Tantôt il ne pouvait croire que ce fût Mme Bonacieux, et il espérait le lendemain la retrouver au Louvre ; tantôt il craignait qu'elle n'eût eu une intrigue avec quelque autre et qu'un jaloux ne l'eût surprise et fait enlever. Il flottait, il se désolait, il se désespérait.

— Oh! si j'avais là mes amis! s'écriait-il, j'aurais au moins quelque espérance de la retrouver ; mais qui sait ce qu'ils sont devenus eux-mêmes!

Il était minuit à peu près ; il s'agissait de retrouver Planchet. D'Artagnan se fit ouvrir successivement tous les cabarets dans lesquels il aperçut un peu de lumière ; dans aucun d'eux il ne retrouva Planchet

Au sixième, il commença de réfléchir que la recherche était un peu hasardée. D'Artagnan n'avait donné rendez-vous à son laquais qu'à six heures du matin, et quelque part qu'il fût, il était dans son droit.

D'ailleurs, il vint au jeune homme cette idée, qu'en restant aux environs du lieu où l'événement s'était passé, il obtiendrait peut-être quelque éclaircissement sur cette mystérieuse affaire. Au sixième cabaret, comme nous l'avons dit, d'Artagnan s'arrêta donc, demanda une bouteille de vin de première qualité, s'accouda dans l'angle le plus obscur et se décida à attendre ainsi le jour ; mais cette fois encore son espérance fut trompée, et quoiqu'il écoutât de toutes ses oreilles, il n'entendit, au milieu des jurons, des lazzi et des injures qu'échangeaient entre eux les ouvriers, les laquais et les rouliers qui composaient l'honorable société dont il faisait partie, rien qui pût le mettre sur la trace de la pauvre femme enlevée. Force lui fut donc, après avoir avalé sa bouteille par désœuvrement et pour ne pas éveiller des soupçons, de chercher dans son coin la posture la plus satisfaisante possible et de s'endormir tant bien que mal. D'Artagnan avait vingt ans, on se le rappelle, et à cet âge le sommeil a des droits imprescriptibles qu'il réclame impérieusement, même sur les cœurs les plus désespérés.

Vers six heures du matin, d'Artagnan se réveilla avec ce malaise qui accompagne ordinairement le point

du jour après une mauvaise nuit. Sa toilette n'était pas
longue à faire ; il se tâta pour savoir si on n'avait pas
profité de son sommeil pour le voler, et ayant retrouvé
son diamant à son doigt, sa bourse dans sa poche et ses
pistolets à sa ceinture, il se leva, paya sa bouteille et
sortit pour voir s'il n'aurait pas plus de bonheur dans la
recherche de son laquais le matin que la nuit. En effet,
la première chose qu'il aperçut à travers le brouillard
humide et grisâtre fut l'honnête Planchet qui, les deux
chevaux en main, l'attendait à la porte d'un petit
cabaret borgne devant lequel d'Artagnan était passé
sans même soupçonner son existence.

XXV

LA MAÎTRESSE DE PORTHOS

Au lieu de rentrer chez lui directement, d'Artagnan
mit pied à terre à la porte de M. de Tréville, et
monta rapidement l'escalier. Cette fois, il était décidé
à lui raconter tout ce qui venait de se passer. Sans doute
il lui donnerait de bons conseils dans toute cette affaire ;
puis, comme M. de Tréville voyait presque journel-
lement la reine, il pourrait peut-être tirer de Sa Majesté
quelque renseignement sur la pauvre femme à qui l'on
faisait sans doute payer son dévouement à sa maîtresse.

M. de Tréville écouta le récit du jeune homme avec
une gravité qui prouvait qu'il voyait autre chose, dans
toute cette aventure, qu'une intrigue d'amour ; puis,
quand d'Artagnan eut achevé :

— Hum ! dit-il, tout ceci sent Son Éminence d'une
lieue.

— Mais, que faire ? dit d'Artagnan.

— Rien, absolument rien, à cette heure, que quitter
Paris, comme je vous l'ai dit, le plus tôt possible. Je
verrai la reine, je lui raconterai les détails de la disparition de cette pauvre femme, qu'elle ignore sans doute ;
ces détails la guideront de son côté, et, à votre retour,
peut-être aurai-je quelque bonne nouvelle à vous dire.
Reposez-vous-en sur moi.

D'Artagnan savait que, quoique Gascon, M. de Tréville n'avait pas l'habitude de promettre, et que lorsque
par hasard il promettait, il tenait plus qu'il n'avait
promis. Il le salua donc, plein de reconnaissance pour
le passé et pour l'avenir, et le digne capitaine, qui de
son côté éprouvait un vif intérêt pour ce jeune homme
si brave et si résolu, lui serra affectueusement la main
en lui souhaitant un bon voyage.

Décidé à mettre les conseils de M. de Tréville en
pratique à l'instant même, d'Artagnan s'achemina vers
la rue des Fossoyeurs, afin de veiller à la confection de
son portemanteau. En s'approchant de sa maison, il
reconnut M. Bonacieux en costume du matin, debout
sur le seuil de sa porte. Tout ce que lui avait dit, la veille,
le prudent Planchet sur le caractère sinistre de son hôte
revint alors à l'esprit de d'Artagnan, qui le regarda plus
attentivement qu'il n'avait fait encore. En effet, outre
cette pâleur jaunâtre et maladive qui indique l'infiltra-
tion de la bile dans le sang et qui pouvait d'ailleurs n'être
qu'accidentelle, d'Artagnan remarqua quelque chose de
sournoisement perfide dans l'habitude des rides de sa
face. Un fripon ne rit pas de la même façon qu'un honnête homme, un hypocrite ne pleure pas les mêmes
larmes qu'un homme de bonne foi. Toute fausseté est un
masque, et si bien fait que soit le masque, on arrive toujours, avec un peu d'attention, à le distinguer du visage.

Il sembla donc à d'Artagnan que M. Bonacieux portait un masque, et même que ce masque était des plus désagréables à voir.

En conséquence il allait, vaincu par sa répugnance pour cet homme, passer devant lui sans lui parler, quand, ainsi que la veille, M. Bonacieux l'interpella.

— Eh bien! jeune homme, lui dit-il, il paraît que nous faisons de grasses nuits? Sept heures du matin, peste! Il me semble que vous retournez tant soit peu les habitudes reçues, et que vous rentrez à l'heure où les autres sortent.

— On ne vous fera pas le même reproche, Maître Bonacieux, dit le jeune homme, et vous êtes le modèle des gens rangés. Il est vrai que lorsque l'on possède une jeune et jolie femme, on n'a pas besoin de courir après le bonheur ; c'est le bonheur qui vient vous trouver, n'est-ce pas, Monsieur Bonacieux?

Bonacieux devint pâle comme la mort et grimaça un sourire.

— Ah! ah! dit Bonacieux, vous êtes un plaisant compagnon. Mais où diable avez-vous été courir cette nuit, mon jeune maître? Il paraît qu'il ne faisait pas bon dans les chemins de traverse.

D'Artagnan baissa les yeux vers ses bottes toutes couvertes de boue ; mais dans ce mouvement ses regards se portèrent en même temps sur les souliers et les bas du mercier ; on eût dit qu'on les avait trempés dans le même bourbier ; les uns et les autres étaient maculés de taches absolument pareilles.

Alors une idée subite traversa l'esprit de d'Artagnan. Ce petit homme gros, court, grisonnant, cette espèce de laquais vêtu d'un habit sombre, traité sans considération par les gens d'épée qui composaient l'escorte,

c'était Bonacieux lui-même. Le mari avait présidé à
l'enlèvement de sa femme.

Il prit à d'Artagnan une terrible envie de sauter à la
gorge du mercier et de l'étrangler ; mais, nous l'avons
dit, c'était un garçon fort prudent, et il se contint. Cependant, la révolution qui s'était faite sur son visage
était si visible que Bonacieux en fut effrayé et essaya
de reculer d'un pas ; mais justement il se trouvait devant
le battant de la porte, qui était fermée, et l'obstacle
qu'il rencontra le força de se tenir à la même
place.

— Ah çà ! mais c'est vous qui plaisantez, mon brave
homme, dit d'Artagnan ; il me semble que si mes bottes
ont besoin d'un coup d'éponge, vos bas et vos souliers
réclament aussi un coup de brosse. Est-ce que de votre
côté vous auriez aussi couru la prétentaine, Maître
Bonacieux ? Ah diable ! ceci ne serait point pardonnable
à un homme de votre âge et qui, de plus, a une jeune
et jolie femme comme la vôtre.

— Oh ! mon Dieu, non, dit Bonacieux ; mais hier
j'ai été à Saint-Mandé pour prendre des renseignements
sur une servante dont je ne puis absolument me passer,
et comme les chemins étaient mauvais, j'en ai rapporté
toute cette fange, que je n'ai pas encore eu le temps de
faire disparaître.

Le lieu que désignait Bonacieux comme celui qui
avait été le but de sa course fut une nouvelle preuve à
l'appui des soupçons qu'avait conçus d'Artagnan. Bonacieux avait dit Saint-Mandé, parce que Saint-Mandé est
le point absolument opposé à Saint-Cloud.

Cette probabilité lui fut une première consolation.
Si Bonacieux savait où était sa femme, on pourrait
toujours, en employant des moyens extrêmes, forcer le
mercier à desserrer les dents et à laisser échapper son

secret. Il s'agissait seulement de changer cette probabilité en certitude.

— Pardon, mon cher Monsieur Bonacieux, si j'en
use avec vous sans façon, dit d'Artagnan ; mais rien
n'altère comme de ne pas dormir, j'ai donc une soif
d'enragé ; permettez-moi de prendre un verre d'eau
chez vous ; vous le savez, cela ne se refuse pas entre
voisins.

Et sans attendre la permission de son hôte, d'Artagnan
entra vivement dans la maison, et jeta un coup d'œil
rapide sur le lit. Le lit n'était pas défait. Bonacieux ne
s'était pas couché. Il rentrait donc seulement il y avait
une heure ou deux ; il avait accompagné sa femme
jusqu'à l'endroit où on l'avait conduite, ou tout au
moins jusqu'au premier relais.

— Merci, Maître Bonacieux, dit d'Artagnan en vidant son verre, voilà tout ce que je voulais de vous.
Maintenant je rentre chez moi, je vais faire brosser mes
bottes par Planchet, et quand il aura fini, je vous
l'enverrai si vous voulez pour brosser vos souliers.

Et il quitta le mercier tout ébahi de ce singulier adieu
et se demandant s'il ne s'était pas enferré lui-même.

Sur le haut de l'escalier, il trouva Planchet tout ef-
faré.

— Ah ! Monsieur, s'écria Planchet dès qu'il eut aperçu
son maître, en voilà bien d'une autre, et il me tardait
bien que vous rentrassiez.

— Qu'y a-t-il donc ? demanda d'Artagnan.

— Oh ! je vous le donne en cent, Monsieur, je vous
le donne en mille de deviner la visite que j'ai reçue pour
vous en votre absence.

— Quand cela ?

— Il y a une demi-heure, tandis que vous étiez chez
M. de Tréville.

— Et qui donc est venu? Voyons, parle.

— M. de Cavois.

— M. de Cavois?

— En personne.

— Le capitaine des gardes de Son Éminence?

— Lui-même.

— Il venait m'arrêter?

— Je m'en suis douté, Monsieur, et cela malgré son air patelin.

— Il avait l'air patelin, dis-tu?

— C'est-à-dire qu'il était tout miel, Monsieur.

— Vraiment?

— Il venait, disait-il de la part de Son Éminence, qui vous voulait beaucoup de bien, vous prier de le suivre au Palais-Royal.

— Et tu lui as répondu?

— Que la chose était impossible, attendu que vous étiez hors de la maison, comme il le pouvait voir.

— Alors qu'a-t-il dit?

— Que vous ne manquiez pas de passer chez lui dans la journée; puis il a ajouté tout bas: « Dis à ton maître » que Son Éminence est parfaitement disposée pour lui, » et que sa fortune dépend peut-être de cette entrevue. »

— Le piège est assez maladroit pour le cardinal, reprit en souriant le jeune homme.

— Aussi, je l'ai vu, le piège, et j'ai répondu que vous seriez désespéré à votre retour.

« — Où est-il allé? » a demandé M. de Cavois.

« — A Troyes en Champagne », ai-je répondu.

« — Et quand est-il parti? »

« — Hier soir. »

— Planchet, mon ami, interrompit d'Artagnan, tu es véritablement un homme précieux.

— Vous comprenez, Monsieur, j'ai pensé qu'il serait

toujours temps, si vous désirez voir M. de Cavois, de me démentir en disant que vous n'étiez point parti ; ce serait moi, dans ce cas, qui aurais fait le mensonge, et comme je ne suis pas gentilhomme, moi, je puis mentir.

— Rassure-toi, Planchet, tu conserveras ta réputation d'homme véridique : dans un quart d'heure nous partons.

— C'est le conseil que j'allais donner à Monsieur ; et où allons-nous, sans être trop curieux ?

— Pardieu ! du côté opposé à celui vers lequel tu as dit que j'étais allé. D'ailleurs, n'as-tu pas autant de hâte d'avoir des nouvelles de Grimaud, de Mousqueton et de Bazin que j'en ai, moi, de savoir ce que sont devenus Athos, Porthos et Aramis ?

— Si fait, Monsieur, dit Planchet, et je partirai quand vous voudrez ; l'air de la province vaut mieux pour nous, à ce que je crois, en ce moment, que l'air de Paris. Ainsi donc...

— Ainsi donc, fais notre paquet, Planchet, et partons ; moi, je m'en vais devant, les mains dans mes poches, pour qu'on ne se doute de rien. Tu me rejoindras à l'hôtel des Gardes. A propos, Planchet, je crois que tu as raïson à l'endroit de notre hôte, et que c'est décidément une affreuse canaille.

— Ah ! croyez-moi, Monsieur, quand je vous dis quelque chose ; je suis physionomiste, moi, allez !

D'Artagnan descendit le premier, comme la chose avait été convenue ; puis, pour n'avoir rien à se reprocher, il se dirigea une dernière fois vers la demeure de ses trois amis : on n'avait reçu aucune nouvelle d'eux ; seulement une lettre toute parfumée et d'une écriture élégante et menue était arrivée pour Aramis. D'Artagnan s'en chargea. Dix minutes après, Planchet le rejoignait dans les écuries de l'hôtel des Gardes. D'Arta-

352 Les Trois Mousquetaires

gnan, pour qu'il n'y eût pas de temps perdu, avait déjà
sellé son cheval lui-même.

— C'est bien, dit-il à Planchet, lorsque celui-ci eut
joint le portemanteau à l'équipement ; maintenant selle
les trois autres, et partons.

— Croyez-vous que nous irons plus vite avec chacun
deux chevaux? demanda Planchet avec son air narquois.

— Non, monsieur le mauvais plaisant, répondit
d'Artagnan, mais avec nos quatre chevaux nous pourrons ramener nos trois amis, si toutefois nous les retrou-
vons vivants.

— Ce qui serait une grande chance, répondit Planchet, mais enfin, il ne faut pas désespérer de la miséricorde de Dieu.

— Amen, dit d'Artagnan en enfourchant son cheval.

Et tous deux sortirent de l'hôtel des Gardes, s'éloignant chacun par un bout de la rue, l'un devant quitter
Paris par la barrière de La Villette et l'autre par la
barrière de Montmartre, pour se rejoindre au-delà de
Saint-Denis, manœuvre stratégique qui, ayant été exécutée avec une égale ponctualité, fut couronnée des
plus heureux résultats. D'Artagnan et Planchet entrèrent
ensemble à Pierrefitte.

Planchet était plus courageux, il faut le dire, le jour
que la nuit.

Cependant sa prudence naturelle ne l'abandonnait
pas un seul instant ; il n'avait oublié aucun des inci-
dents du premier voyage, et il tenait pour ennemis
tous ceux qu'il rencontrait sur la route. Il en résultait
qu'il avait sans cesse le chapeau à la main, ce qui lui
valait de sévères mercuriales de la part de d'Artagnan,
qui craignait que, grâce à cet excès de politesse, on ne
le prît pour le valet d'un homme de peu.

Cependant, soit qu'effectivement les passants fussent

touchés de l'urbanité de Planchet, soit que cette fois
personne ne fût aposté sur la route du jeune homme,
nos deux voyageurs arrivèrent à Chantilly sans accident
aucun et descendirent à l'hôtel du *Grand Saint Martin*,
le même dans lequel ils s'étaient arrêtés lors de leur
premier voyage.

L'hôte, en voyant un jeune homme suivi d'un laquais
et de deux chevaux de main, s'avança respectueusement
sur le seuil de la porte. Or, comme il avait déjà fait onze
lieues, d'Artagnan jugea à propos de s'arrêter, que
Porthos fût ou ne fût pas dans l'hôtel. Puis peut-être
n'était-il pas prudent de s'informer du premier coup de
ce qu'était devenu le mousquetaire. Il résulta de ces
réflexions que d'Artagnan, sans demander aucune
nouvelle de qui que ce fût, descendit, recommanda les
chevaux à son laquais, entra dans une petite chambre
destinée à recevoir ceux qui désiraient être seuls, et
demanda à son hôte une bouteille de son meilleur vin
et un déjeuner aussi bon que possible, demande qui
corrobora encore la bonne opinion que l'aubergiste avait
prise de son voyageur à la première vue.

Aussi d'Artagnan fut-il servi avec une célérité miraculeuse.

Le régiment des gardes se recrutait parmi les premiers
gentilshommes du royaume, et d'Artagnan, suivi d'un
laquais et voyageant avec quatre chevaux magnifiques, ne pouvait, malgré la simplicité de son uniforme,
manquer de faire sensation. L'hôte voulut le servir
lui-même; ce que voyant, d'Artagnan fit apporter deux
verres et entama la conversation suivante :

— Ma foi, mon cher hôte, dit d'Artagnan en remplissant les deux verres, je vous ai demandé de votre meilleur vin, et si vous m'avez trompé, vous allez être puni
par où vous avez péché, attendu que, comme je déteste

boire seul, vous allez boire avec moi. Prenez donc ce
verre, et buvons. A quoi boirons-nous, voyons, pour ne
blesser aucune susceptibilité ? Buvons à la prospérité
de votre établissement !

— Votre Seigneurie me fait honneur, dit l'hôte, et
je la remercie bien sincèrement de son bon souhait.

— Mais ne vous y trompez pas, dit d'Artagnan, il
y a plus d'égoïsme peut-être que vous ne le pensez dans
mon toast : il n'y a que les établissements qui prospèrent
dans lesquels on soit bien reçus ; dans les hôtels qui péri-
clitent, tout va à la débandade, et le voyageur est
victime des embarras de son hôte ; or, moi qui voyage
beaucoup et surtout sur cette route, je voudrais voir
tous les aubergistes faire fortune.

— En effet, dit l'hôte, il me semble que ce n'est pas
la première fois que j'ai l'honneur de voir Monsieur.

— Bah ? je suis passé dix fois peut-être à Chantilly,
et sur les dix fois je me suis arrêté au moins trois ou
quatre fois chez vous. Tenez, j'y étais encore il y a dix
ou douze jours à peu près ; je faisais la conduite à des
amis, à des mousquetaires, à telle enseigne que l'un
d'eux s'est pris de dispute avec un étranger, un inconnu,
un homme qui lui a cherché je ne sais quelle querelle.

— Ah ! oui vraiment ! dit l'hôte, et je me le rappelle
parfaitement. N'est-ce pas de M. Porthos que Votre
Seigneurie veut me parler ?

— C'est justement le nom de mon compagnon de
voyage.

« Mon Dieu ! mon cher hôte, dites-moi, lui serait-il
arrivé malheur ?

— Mais Votre Seigneurie a dû remarquer qu'il n'a
pas pu continuer sa route.

— En effet, il nous avait promis de nous rejoindre,
et nous ne l'avons pas revu.

— Il nous a fait l'honneur de rester ici.

— Comment! il vous a fait l'honneur de rester ici?

— Oui, Monsieur, dans cet hôtel; nous sommes même bien inquiets.

— Et de quoi?

— De certaines dépenses qu'il a faites.

— Eh bien! mais les dépenses qu'il a faites, il les payera.

— Ah! Monsieur, vous me mettez véritablement du baume dans le sang! Nous avons fait de fort grandes avances, et ce matin encore le chirurgien nous déclarait que si M. Porthos ne le payait pas, c'était à moi qu'il s'en prendrait, attendu que c'était moi qui l'avais envoyé chercher.

— Mais Porthos est donc blessé?

— Je ne saurais vous le dire, Monsieur.

— Comment, vous ne sauriez me le dire? Vous devriez cependant être mieux informé que personne.

— Oui, mais dans notre état nous ne disons pas tout ce que nous savons, Monsieur, surtout quand on nous a prévenus que nos oreilles répondraient pour notre langue.

— Eh bien! puis-je voir Porthos?

— Certainement, Monsieur. Prenez l'escalier, montez au premier et frappez au numéro 1. Seulement, prévenez que c'est vous.

— Comment! que je prévienne que c'est moi?

— Oui, car il pourrait vous arriver malheur.

— Et quel malheur voulez-vous qu'il m'arrive?

— M. Porthos peut vous prendre pour quelqu'un de la maison et, dans un mouvement de colère, vous passer son épée à travers le corps ou vous brûler la cervelle.

— Que lui avez-vous donc fait?

— Nous lui avons demandé de l'argent.

— Ah diable! je comprends cela ; c'est une demande que Porthos reçoit très mal quand il n'est pas en fonds ; mais je sais qu'il devait y être.

— C'est ce que nous avions pensé aussi, Monsieur ; comme la maison est fort régulière et que nous faisons nos comptes toutes les semaines, au bout de huit jours nous lui avons présenté notre note ; mais il paraît que nous sommes tombés dans un mauvais moment, car, au premier mot que nous avons prononcé sur la chose, il nous a envoyés à tous les diables ; il est vrai qu'il avait joué la veille.

— Comment, il avait joué la veille! Et avec qui ?

— Oh! mon Dieu, qui sait cela ? Avec un seigneur qui passait et auquel il avait fait proposer une partie de lansquenet.

— C'est cela, le malheureux aura tout perdu.

— Jusqu'à son cheval, Monsieur, car lorsque l'étranger a été pour partir, nous nous sommes aperçus que son laquais sellait le cheval de M. Porthos. Alors nous lui en avons fait l'observation, mais il nous a répondu que nous nous mêlions de ce qui ne nous regardait pas et que ce cheval était à lui. Nous avons aussitôt fait prévenir M. Porthos de ce qui se passait, mais il nous a fait dire que nous étions des faquins de douter de la parole d'un gentilhomme, et que, puisque celui-là avait dit que le cheval était à lui, il fallait bien que cela fût.

— Je le reconnais bien là, murmura d'Artagnan.

— Alors, continua l'hôte, je lui fis répondre que du moment où nous paraissions destinés à ne pas nous entendre à l'endroit du payement, j'espérais qu'il aurait au moins la bonté d'accorder la faveur de sa pratique à mon confrère le maître de l'*Aigle d'Or ;* mais M. Porthos me répondit que mon hôtel étant le meilleur, il désirait y rester.

« Cette réponse était trop flatteuse pour que j'insistasse sur son départ. Je me bornai donc à le prier de me rendre sa chambre, qui est la plus belle de l'hôtel, et de se contenter d'un joli petit cabinet au troisième. Mais à ceci M. Porthos répondit que, comme il attendait d'un moment à l'autre sa maîtresse, qui était une des plus grandes dames de la cour, je devais comprendre que la chambre qu'il me faisait l'honneur d'habiter chez moi était encore bien médiocre pour une pareille personne.

« Cependant, tout en reconnaissant la vérité de ce qu'il disait, je crus devoir insister ; mais, sans même se donner la peine d'entrer en discussion avec moi, il prit son pistolet, le mit sur sa table de nuit et déclara qu'au premier mot qu'on lui dirait d'un déménagement quelconque à l'extérieur ou à l'intérieur, il brûlerait la cervelle à celui qui serait assez imprudent pour se mêler d'une chose qui ne regardait que lui. Aussi, depuis ce temps-là, Monsieur, personne n'entre plus dans sa chambre, si ce n'est son domestique. »

— Mousqueton est donc ici ?

— Oui, Monsieur ; cinq jours après son départ, il est revenu de fort mauvaise humeur de son côté ; il paraît que lui aussi a eu du désagrément dans son voyage. Malheureusement, il est plus ingambe que son maître, ce qui fait que pour son maître il met tout sens dessus dessous, attendu que, comme il pense qu'on pourrait lui refuser ce qu'il demande, il prend tout ce dont il a besoin sans demander.

— Le fait est, répondit d'Artagnan, que j'ai toujours remarqué dans Mousqueton un dévouement et une intelligence très supérieurs.

— Cela est possible, Monsieur ; mais supposez qu'il m'arrive seulement quatre fois par an de me retrouver en contact avec une intelligence et un dévouement semblables, et je suis un homme ruiné.

— Non, car Porthos vous payera.

— Hum! fit l'hôtelier d'un ton de doute.

— C'est le favori d'une très grande dame qui ne le laissera pas dans l'embarras pour une misère comme celle qu'il vous doit.

— Si j'ose dire ce que je crois là-dessus...

— Ce que vous croyez?

— Je dirai plus : ce que je sais.

— Ce que vous savez?

— Et même ce dont je suis sûr.

— Et de quoi êtes-vous sûr, voyons?

— Je dirai que je connais cette grande dame.

— Vous?

— Oui, moi.

— Et comment la connaissez-vous?

— Oh! Monsieur, si je croyais pouvoir me fier à votre discrétion...

— Parlez, et, foi de gentilhomme, vous n'aurez pas à vous repentir de votre confiance.

— Eh bien! Monsieur, vous concevez, l'inquiétude fait faire bien des choses.

— Qu'avez-vous fait?

— Oh! d'ailleurs, rien qui ne soit dans le droit d'un créancier.

— Enfin?

— M. Porthos nous a remis un billet pour cette duchesse, en nous recommandant de le jeter à la poste. Son domestique n'était pas encore arrivé. Comme il ne pouvait pas quitter sa chambre, il fallait bien qu'il nous chargeât de ses commissions.

— Ensuite?

— Au lieu de mettre la lettre à la poste, ce qui n'est

jamais bien sûr, j'ai profité de l'occasion de l'un de mes
garçons qui allait à Paris, et je lui ai ordonné de la
remettre à cette duchesse elle-même. C'était remplir
les intentions de M. Porthos, qui nous avait si fort
recommandé cette lettre, n'est-ce pas?

— A peu près.

— Eh bien! Monsieur, savez-vous ce que c'est que
cette grande dame?

— Non; j'en ai entendu parler à Porthos, voilà tout.

— Savez-vous ce que c'est que cette prétendue
duchesse?

— Je vous le répète, je ne la connais pas.

— C'est une vieille procureuse au Châtelet, Monsieur,
nommée Mme Coquenard, laquelle a au moins cinquante
ans, et se donne encore des airs d'être jalouse. Cela me
paraissait aussi fort singulier, une princesse qui demeure rue aux Ours.

— Comment savez-vous cela?

— Parce qu'elle s'est mise dans une grande colère en
recevant la lettre, disant que M. Porthos était un volage,
et que c'était encore pour quelque femme qu'il avait reçu ce coup d'épée.

— Mais il a donc reçu un coup d'épée?

— Ah! mon Dieu! qu'ai-je dit là?

— Vous avez dit que Porthos avait reçu un coup
d'épée.

— Oui; mais il m'avait si fort défendu de le dire!

— Pourquoi cela?

— Dame! Monsieur, parce qu'il s'était vanté de
perforer cet étranger avec lequel vous l'avez laissé en
dispute, et que c'est cet étranger, au contraire, qui,
malgré toutes ses rodomontades, l'a couché sur le carreau. Or, comme M. Porthos est un homme fort glorieux,
excepté envers la duchesse, qu'il avait cru intéresser

en lui faisant le récit de son aventure, il ne veut avouer
à personne que c'est un coup d'épée qu'il a reçu.

— Ainsi c'est donc un coup d'épée qui le retient dans
son lit?

— Et un maître coup d'épée, je vous l'assure. Il faut
que votre ami ait l'âme chevillée dans le corps.

— Vous étiez donc là?

— Monsieur, je les avais suivis par curiosité, de sorte
que j'ai vu le combat sans que les combattants me
vissent.

— Et comment cela s'est-il passé?

— Oh! la chose n'a pas été longue, je vous en réponds.
Ils se sont mis en garde; l'étranger a fait une feinte et
s'est fendu; tout cela si rapidement, que lorsque M. Porthos est arrivé à la parade, il avait déjà trois pouces
de fer dans la poitrine. Il est tombé en arrière. L'étranger
lui a mis aussitôt la pointe de son épée à la gorge; et
M. Porthos, se voyant à la merci de son adversaire, s'est
avoué vaincu. Sur quoi, l'étranger lui a demandé son
nom, et apprenant qu'il s'appelait M. Porthos, et nor
M. d'Artagnan, lui a offert son bras, l'a ramené à l'hôtel,
est monté à cheval et a disparu.

— Ainsi c'est à M. d'Artagnan qu'en voulait cet
étranger?

— Il paraît que oui.

— Et savez-vous ce qu'il est devenu?

— Non; je ne l'avais jamais vu jusqu'à ce moment
et nous ne l'avons pas revu depuis.

— Très bien; je sais ce que je voulais savoir. Maintenant, vous dites que la chambre de Porthos est au
premier, numéro 1?

— Oui, Monsieur, la plus belle de l'auberge; une
chambre que j'aurais déjà eu dix fois l'occasion de louer.

— Bah! tranquillisez-vous, dit d'Artagnan en riant;

Porthos vous payera avec l'argent de la duchesse Coquenard.

— Oh! Monsieur, procureuse ou duchesse, si elle lâchait les cordons de sa bourse, ce ne serait rien ; mais elle a positivement répondu qu'elle était lasse des exigences et des infidélités de M. Porthos, et qu'elle ne lui enverrait pas un denier.

— Et avez-vous rendu cette réponse à votre hôte ?

— Nous nous en sommes bien gardés : il aurait vu de quelle manière nous avions fait la commission.

— Si bien qu'il attend toujours son argent ?

— Oh! mon Dieu, oui! Hier encore, il a écrit ; mais, cette fois, c'est son domestique qui a mis la lettre à la poste.

— Et vous dites que la procureuse est vieille et laide !

— Cinquante ans au moins, Monsieur, et pas belle du tout, à ce qu'a dit Pathaud.

— En ce cas, soyez tranquille, elle se laissera attendrir ; d'ailleurs Porthos ne peut pas vous devoir grand-chose.

— Comment, pas grand-chose! Une vingtaine de pistoles déjà, sans compter le médecin. Oh! il ne se refuse rien, allez ; on voit qu'il est habitué à bien vivre.

— Eh bien, si sa maîtresse l'abandonne, il trouvera des amis, je vous le certifie. Ainsi, mon cher hôte, n'ayez aucune inquiétude, et continuez d'avoir pour lui tous les soins qu'exige son état.

— Monsieur m'a promis de ne pas parler de la procureuse et de ne pas dire un mot de la blessure.

— C'est chose convenue ; vous avez ma parole.

— Oh! c'est qu'il me tuerait, voyez-vous!

— N'ayez pas peur ; il n'est pas si diable qu'il en a l'air.

En disant ces mots d'Artagnan monta l'escalier, laissant son hôte un peu plus rassuré à l'endroit de deux choses auxquelles il paraissait beaucoup tenir : sa créance et sa vie.

Au haut de l'escalier, sur la porte la plus apparente du corridor était tracé, à l'encre noire, un numéro 1 gigantesque ; d'Artagnan frappa un coup, et, sur l'invitation de passer outre qui lui vint de l'intérieur, il entra.

Porthos était couché, et faisait une partie de lansquenet avec Mousqueton, pour s'entretenir la main, tandis qu'une broche chargée de perdrix tournait devant le feu, et qu'à chaque coin d'une grande cheminée bouillaient sur deux réchauds deux casseroles, d'où s'exhalait une double odeur de gibelotte et de matelote qui réjouissait l'odorat. En outre, le haut d'un secrétaire et le marbre d'une commode étaient couverts de bouteilles vides.

A la vue de son ami, Porthos jeta un grand cri de joie ; et Mousqueton, se levant respectueusement, lui céda la place et s'en alla donner un coup d'œil aux deux casseroles, dont il paraissait avoir l'inspection particulière.

— Ah ! pardieu ! c'est vous, dit Porthos à d'Artagnan, soyez le bienvenu, et excusez-moi si je ne vais pas au-devant de vous. Mais, ajouta-t-il en regardant d'Artagnan avec une certaine inquiétude, vous savez ce qui m'est arrivé ?

— Non.

— L'hôte ne vous a rien dit ?

— J'ai demandé après vous, et je suis monté tout droit.

Porthos parut respirer plus librement.

— Et que vous est-il donc arrivé, mon cher Porthos ? continua d'Artagnan.

— Il m'est arrivé qu'en me fendant sur mon adversaire, à qui j'avais déjà allongé trois coups d'épée, et avec lequel je voulais en finir d'un quatrième, mon pied a porté sur une pierre, et je me suis foulé le genou.

— Vraiment?

— D'honneur! Heureusement pour le maraud, car je ne l'aurais laissé que mort sur la place, je vous en réponds.

— Et qu'est-il devenu?

— Oh! je n'en sais rien ; il en a eu assez, et il est parti sans demander son reste ; mais vous, mon cher d'Artagnan, que vous est-il arrivé?

— De sorte, continua d'Artagnan, que cette foulure, mon cher Porthos, vous retient au lit?

— Ah! mon Dieu, oui, voilà tout ; du reste, dans quelques jours je serai sur pied.

— Pourquoi alors ne vous êtes-vous pas fait transporter à Paris? Vous devez vous ennuyer cruellement ici.

— C'était mon intention; mais, mon cher ami, il faut que je vous avoue une chose.

— Laquelle?

— C'est que, comme je m'ennuyais cruellement, ainsi que vous le dites, et que j'avais dans ma poche les soixante-quinze pistoles que vous m'aviez distribuées, j'ai, pour me distraire, fait monter près de moi un gentilhomme qui était de passage, et auquel j'ai proposé de faire une partie de dés. Il a accepté, et, ma foi, mes soixante-quinze pistoles sont passées de ma poche dans la sienne, sans compter mon cheval, qu'il a encore emporté par-dessus le marché. Mais vous, mon cher d'Artagnan?

— Que voulez-vous, mon cher Porthos, on ne peut pas être privilégié de toutes façons, dit d'Artagnan ; vous savez le proverbe : « Malheureux au jeu, heureux en amour. » Vous êtes trop heureux en amour pour que le jeu ne se venge pas ; mais que vous importent, à vous,

les revers de la fortune! N'avez-vous pas, heureux
coquin que vous êtes, n'avez-vous pas votre duchesse,
qui ne peut manquer de vous venir en aide?

— Eh bien! voyez, mon cher d'Artagnan, comme
je joue de guignon, répondit Porthos de l'air le plus
dégagé du monde ; je lui ai écrit de m'envoyer quelque
cinquante louis dont j'avais absolument besoin, vu la
position où je me trouvais...

— Eh bien?

— Eh bien! il faut qu'elle soit dans ses terres, car elle
ne m'a pas répondu.

— Vraiment?

— Non. Aussi je lui ai adressé hier une seconde
épître plus pressante encore que la première ; mais vous
voilà, mon très cher, parlons de vous. Je commençais,
je vous l'avoue, à être dans une certaine inquiétude sur
votre compte.

— Mais votre hôte se conduit bien envers vous,
à ce qu'il paraît, mon cher Porthos, dit d'Artagnan,
montrant au malade les casseroles pleines et les bouteilles vides.

— Coussi-coussi! répondit Porthos. Il y a déjà trois
ou quatre jours que l'impertinent m'a monté son compte,
et que je les ai mis à la porte, son compte et lui, de sorte
que je suis ici comme une façon de vainqueur, comme
une manière de conquérant. Aussi, vous le voyez, craignant toujours d'être forcé dans la position, je suis armé
jusqu'aux dents.

— Cependant, dit en riant d'Artagnan, il me semble
que de temps en temps vous faites des sorties.

Et il montrait du doigt les bouteilles et les casseroles.

— Non pas moi, malheureusement! dit Porthos.
Cette misérable foulure me retient au lit, mais Mousqueton bat la campagne et il rapporte des vivres. Mousque-

ton, mon ami, continua Porthos, vous voyez qu'il nous arrive du renfort, il nous faudra un supplément de victuailles.

— Mousqueton, dit d'Artagnan, il faudra que vous me rendiez un service.

— Lequel, Monsieur?

— C'est de donner votre recette à Planchet ; je pourrais me trouver assiégé à mon tour, et je ne serais pas fâché qu'il me fît jouir des mêmes avantages dont vous gratifiez votre maître.

— Eh! mon Dieu! Monsieur, dit Mousqueton d'un air modeste, rien de plus facile. Il s'agit d'être adroit, voilà tout. J'ai été élevé à la campagne, et mon père, dans ses moments perdus, était quelque peu braconnier.

— Et le reste du temps, que faisait-il?

— Monsieur, il pratiquait une industrie que j'ai toujours trouvée assez heureuse.

— Laquelle?

— Comme c'était au temps des guerres des catholiques et des huguenots, et qu'il voyait les catholiques exterminer les huguenots, et les huguenots exterminer les catholiques, le tout au nom de la religion, il s'était fait une croyance mixte, ce qui lui permettait d'être tantôt catholique, tantôt huguenot. Or il se promenait habituellement, son escopette sur l'épaule, derrière les haies qui bordent les chemins, et quand il voyait venir un catholique seul, la religion protestante l'emportait aussitôt dans son esprit. Il abaissait son escopette dans la direction du voyageur ; puis, lorsqu'il était à dix pas de lui, il entamait un dialogue qui finissait presque toujours par l'abandon que le voyageur faisait de sa bourse pour sauver sa vie. Il va sans dire que lorsqu'il voyait venir un huguenot, il se sentait pris d'un zèle catholique si ardent qu'il ne comprenait pas comment, un quart

d'heure auparavant, il avait pu avoir des doutes sur la
supériorité de notre sainte religion. Car moi, Monsieur,
je suis catholique, mon père, fidèle à ses principes,
ayant fait mon frère aîné huguenot.

— Et comment a fini ce digne homme? demanda
d'Artagnan.

— Oh! de la façon la plus malheureuse, Monsieur.
Un jour, il s'était trouvé pris dans un chemin creux
entre un huguenot et un catholique à qui il avait déjà
eu affaire, et qui le reconnurent tous deux ; de sorte
qu'ils se réunirent contre lui et le pendirent à un arbre ;
puis ils vinrent se vanter de la belle équipée qu'ils avaient
faite dans le cabaret du premier village, où nous étions
à boire, mon frère et moi.

— Et que fîtes-vous? dit d'Artagnan.

— Nous les laissâmes dire, reprit Mousqueton. Puis
comme, en sortant de ce cabaret, ils prenaient chacun
une route opposée, mon frère alla s'embusquer sur le
chemin du catholique, et moi sur celui du protestant.
Deux heures après, tout était fini, nous leur avions fait à
chacun son affaire, tout en admirant la prévoyance de
notre pauvre père qui avait pris la précaution de nous
élever chacun dans une religion différente.

— En effet, comme vous le dites, Mousqueton, votre
père me paraît avoir été un gaillard fort intelligent.
Et vous dites donc que, dans ses moments perdus, le
brave homme était braconnier?

— Oui, Monsieur, et c'est lui qui m'a appris à nouer
un collet et à placer une ligne de fond. Il en résulte que
lorsque j'ai vu que notre gredin d'hôte nous nourrissait
d'un tas de grosses viandes bonnes pour des manants,
et qui n'allaient point à deux estomacs aussi débilités
que les nôtres, je me suis remis quelque peu à mon
ancien métier. Tout en me promenant dans le bois de

M. le Prince, j'ai tendu des collets dans les passées ; tout en me couchant au bord des pièces d'eau de Son Altesse, j'ai glissé des lignes dans les étangs. De sorte que maintenant, grâce à Dieu, nous ne manquons pas, comme Monsieur peut s'en assurer, de perdrix et de lapins, de carpes et d'anguilles, tous aliments légers et sains, convenables pour des malades.

— Mais le vin, dit d'Artagnan, qui fournit le vin ? C'est votre hôte ?

— C'est-à-dire, oui et non.

— Comment, oui et non ?

— Il le fournit, il est vrai, mais il ignore qu'il a cet honneur.

— Expliquez-vous, Mousqueton, votre conversation est pleine de choses instructives.

— Voici, Monsieur. Le hasard a fait que j'ai rencontré dans mes pérégrinations un Espagnol qui avait vu beaucoup de pays, et entre autres le Nouveau Monde.

— Quel rapport le Nouveau Monde peut-il avoir avec les bouteilles qui sont sur ce secrétaire et sur cette commode ?

— Patience, Monsieur, chaque chose viendra à son tour.

— C'est juste, Mousqueton ; je m'en rapporte à vous, et j'écoute.

— Cet Espagnol avait à son service un laquais qui l'avait accompagné dans son voyage au Mexique. Ce laquais était mon compatriote, de sorte que nous nous liâmes d'autant plus rapidement qu'il y avait entre nous de grands rapports de caractère. Nous aimions tous deux la chasse par-dessus tout, de sorte qu'il me racontait comment, dans les plaines de pampas, les naturels du pays chassent le tigre et les taureaux avec de simples nœuds coulants qu'ils jettent au cou de ces terribles animaux. D'abord, je ne voulais pas croire qu'on pût en arriver à ce degré d'adresse, de jeter à vingt ou trente pas l'extrémité d'une corde où l'on veut ; mais devant la preuve il fallait bien reconnaître la vérité du récit. Mon ami plaçait une bouteille à trente pas, et à chaque coup il lui prenait le goulot dans un nœud coulant. Je me livrai à cet exercice, et comme la nature m'a doué de quelques facultés, aujourd'hui je jette le lasso aussi bien qu'aucun homme du monde. Eh bien ! comprenez-vous ? Notre hôte a une cave très bien garnie, mais dont la clef ne le quitte pas ; seulement, cette cave a un soupirail. Or, par ce soupirail, je jette le lasso ; et comme je sais maintenant où est le bon coin, j'y puise. Voici, Monsieur, comment le Nouveau Monde se trouve être en rapport avec les bouteilles qui sont sur cette commode et sur ce secrétaire. Maintenant, voulez-vous goûter notre vin, et, sans prévention, vous nous direz ce que vous en pensez.

— Merci, mon ami, merci ; malheureusement je viens de déjeuner.

— Eh bien ! dit Porthos, mets la table, Mousqueton, et tandis que nous déjeunerons, nous, d'Artagnan nous racontera ce qu'il est devenu lui-même, depuis dix jours qu'il nous a quittés.

— Volontiers, dit d'Artagnan.

Tandis que Porthos et Mousqueton déjeunaient avec des appétits de convalescents et cette cordialité de frères qui rapproche les hommes dans le malheur, d'Artagnan raconta comment Aramis blessé avait été forcé de s'arrêter à Crèvecœur, comment il avait laissé Athos se débattre à Amiens entre les mains de quatre hommes qui l'accusaient d'être un faux-monnayeur, et comment, lui, d'Artagnan, avait été forcé de passer sur le ventre du comte de Wardes pour arriver jusqu'en Angleterre.

Mais là s'arrêta la confidence de d'Artagnan ; il annonça seulement qu'à son retour de la Grande-Bretagne il avait ramené quatre chevaux magnifiques, dont un pour lui et un autre pour chacun de ses compagnons ; puis il termina en annonçant à Porthos que celui qui lui était destiné était déjà installé dans l'écurie de l'hôtel.

En ce moment Planchet entra ; il prévenait son maître que les chevaux étaient suffisamment reposés, et qu'il serait possible d'aller coucher à Clermont.

Comme d'Artagnan était à peu près rassuré sur Porthos, et qu'il lui tardait d'avoir des nouvelles de ses deux autres amis, il tendit la main au malade, et le prévint qu'il allait se mettre en route pour continuer ses recherches. Au reste, comme il comptait revenir par la même route, si, dans sept à huit jours, Porthos était encore à l'hôtel du *Grand Saint Martin*, il le reprendrait en passant.

Porthos répondit que, selon toute probabilité, sa foulure ne lui permettrait pas de s'éloigner d'ici là. D'ailleurs il fallait qu'il restât à Chantilly pour attendre une réponse de sa duchesse.

D'Artagnan lui souhaita cette réponse prompte et bonne ; et après avoir recommandé de nouveau Porthos à Mousqueton, et payé sa dépense à l'hôte, il se remit en route avec Planchet, déjà débarrassé d'un de ses chevaux de main.

XXVI

LA THÈSE D'ARAMIS

D'Artagnan n'avait rien dit à Porthos de sa blessure, ni de sa procureuse. C'était un garçon fort sage que notre Béarnais, si jeune qu'il fût. En conséquence, il avait fait semblant de croire tout ce que lui avait raconté le glorieux mousquetaire, convaincu qu'il n'y a pas d'amitié qui tienne à un secret surpris, surtout quand ce secret intéresse l'orgueil ; puis on a toujours une certaine supériorité morale sur ceux dont on sait la vie.

Or d'Artagnan, dans ses projets d'intrigue à venir, et décidé qu'il était à faire de ses trois compagnons les instruments de sa fortune, d'Artagnan n'était pas fâché de réunir d'avance dans sa main les fils invisibles à l'aide desquels il comptait les mener.

Cependant, tout le long de la route, une profonde tristesse lui serrait le cœur : il pensait à cette jeune et jolie Mᵐᵉ Bonacieux qui devait lui donner le prix de son dévouement ; mais, hâtons-nous de le dire, cette tristesse venait moins chez le jeune homme du regret de son bonheur perdu que de la crainte qu'il éprouvait qu'il n'arrivât malheur à cette pauvre femme. Pour lui, il n'y avait pas de doute, elle était victime d'une vengeance du cardinal, et, comme on le sait, les vengeances de Son Éminence étaient terribles. Comment avait-il trouvé grâce devant les yeux du ministre, c'est ce qu'il ignorait lui-même et sans doute ce que lui eût révélé M. de Cavois, si le capitaine des gardes l'eût trouvé chez lui.

Rien ne fait marcher le temps et n'abrège la route comme une pensée qui absorbe en elle-même toutes les facultés de l'organisation de celui qui pense. L'existence extérieure ressemble alors à un sommeil dont cette pensée est le rêve. Par son influence, le temps n'a plus de mesure, l'espace n'a plus de distance. On part d'un lieu, et l'on arrive à un autre, voilà tout. De l'intervalle parcouru, rien ne reste présent à votre souvenir qu'un brouillard vague dans lequel s'effacent mille images

confuses d'arbres, de montagnes et de paysages. Ce fut
en proie à cette hallucination que d'Artagnan franchit,
à l'allure que voulut prendre son cheval, les six ou huit
lieues qui séparent Chantilly de Crèvecœur, sans qu'en
arrivant dans ce village il se souvînt d'aucune des choses
qu'il avait rencontrées sur sa route.

Là seulement la mémoire lui revint, il secoua la tête,
aperçut le cabaret où il avait laissé Aramis, et, mettant
son cheval au trot, il s'arrêta à la porte.

Cette fois ce ne fut pas un hôte, mais une hôtesse qui
le reçut ; d'Artagnan était physionomiste, il enveloppa
d'un coup d'œil la grosse figure réjouie de la maîtresse
du lieu, et comprit qu'il n'avait pas besoin de dissimuler
avec elle, et qu'il n'avait rien à craindre de la part d'une
si joyeuse physionomie.

— Ma bonne dame, lui demanda d'Artagnan, pour-
riez-vous me dire ce qu'est devenu un de mes amis, que
nous avons été forcés de laisser ici il y a une douzaine
de jours ?

— Un beau jeune homme de vingt-trois à vingt-
quatre ans, doux, aimable, bien fait ?

— De plus, blessé à l'épaule ?

— C'est cela !

— Justement.

— Eh bien ! Monsieur, il est toujours ici.

— Ah pardieu ! ma chère dame, dit d'Artagnan en
mettant pied à terre et en jetant la bride de son cheval
au bras de Planchet, vous me rendez la vie ; où est-il,
ce cher Aramis, que je l'embrasse ? Car, je l'avoue, j'ai
hâte de le revoir.

— Pardon, Monsieur, mais je doute qu'il puisse vous
recevoir en ce moment.

— Pourquoi cela ? est-ce qu'il est avec une
femme ?

— Jésus! que dites-vous là! le pauvre garçon! Non,
Monsieur, il n'est pas avec une femme.

— Et avec qui est-il donc?

— Avec le curé de Montdidier et le supérieur des
jésuites d'Amiens.

— Mon Dieu! s'écria d'Artagnan, le pauvre garçon
irait-il plus mal?

— Non, Monsieur, au contraire; mais, à la suite de
sa maladie, la grâce l'a touché et il s'est décidé à entrer
dans les ordres.

— C'est juste, dit d'Artagnan, j'avais oublié qu'il
n'était mousquetaire que par intérim.

— Monsieur insiste-t-il toujours pour le voir?

— Plus que jamais.

— Eh bien, Monsieur n'a qu'à prendre l'escalier à
droite dans la cour, au second, n° 5.

D'Artagnan s'élança dans la direction indiquée et
trouva un de ces escaliers extérieurs comme nous en
voyons encore aujourd'hui dans les cours des anciennes
auberges. Mais on n'arrivait pas ainsi chez le futur
abbé; les défilés de la chambre d'Aramis étaient gardés
ni plus ni moins que les jardins d'Armide; Bazin
stationnait dans le corridor et lui barra le passage avec
d'autant plus d'intrépidité qu'après bien des années
d'épreuves Bazin se voyait enfin près d'arriver au
résultat qu'il avait éternellement ambitionné.

En effet, le rêve du pauvre Bazin avait toujours été
de servir un homme d'église, et il attendait avec impatience le moment sans cesse entrevu dans l'avenir où
Aramis jetterait enfin la casaque aux orties pour prendre
la soutane. La promesse renouvelée chaque jour par le
jeune homme que le moment ne pouvait tarder l'avait
seule retenu au service d'un mousquetaire, service dans
lequel, disait-il, il ne pouvait manquer de perdre son âme.

Bazin était donc au comble de la joie. Selon toute probabilité, cette fois son maître ne se dédirait pas. La réunion de la douleur physique à la douleur morale avait produit l'effet si longtemps désiré : Aramis, souffrant à la fois du corps et de l'âme, avait enfin arrêté sur la religion ses yeux et sa pensée, et il avait regardé comme un avertissement du ciel le double accident qui lui était arrivé, c'est-à-dire la disparition subite de sa maîtresse et sa blessure à l'épaule.

On comprend que rien ne pouvait, dans la disposition où il se trouvait, être plus désagréable à Bazin que l'arrivée de d'Artagnan, laquelle pouvait rejeter son maître dans le tourbillon des idées mondaines qui l'avaient si longtemps entraîné. Il résolut donc de défendre bravement la porte ; et comme, trahi par la maîtresse de l'auberge, il ne pouvait dire qu'Aramis était absent, il essaya de prouver au nouvel arrivant que ce serait le comble de l'indiscrétion que de déranger son maître dans la pieuse conférence qu'il avait entamée depuis le matin, et qui, au dire de Bazin, ne pouvait être terminée avant le soir.

Mais d'Artagnan ne tint aucun compte de l'éloquent discours de Maître Bazin, et comme il ne se souciait pas d'entamer une polémique avec le valet de son ami, il l'écarta tout simplement d'une main, et de l'autre il tourna le bouton de la porte n° 5.

La porte s'ouvrit, et d'Artagnan pénétra dans la chambre.

Aramis, en surtout noir, le chef accommodé d'une espèce de coiffure ronde et plate qui ne ressemblait pas mal à une calotte, était assis devant une table oblongue couverte de rouleaux de papier et d'énormes in-folio ; à sa droite était assis le supérieur des jésuites, et à sa gauche le curé de Montdidier. Les rideaux étaient

à demi clos et ne laissaient pénétrer qu'un jour mystérieux, ménagé pour une béate rêverie. Tous les objets
mondains qui peuvent frapper l'œil quand on entre dans
la chambre d'un jeune homme, et surtout lorsque ce
jeune homme est mousquetaire, avaient disparu comme
par enchantement ; et, de peur, sans doute, que leur
vue ne ramenât son maître aux idées de ce monde,
Bazin avait fait main basse sur l'épée, les pistolets, le
chapeau à plume, les broderies et les dentelles de tout
genre et de toute espèce.

Mais, en leur lieu et place, d'Artagnan crut apercevoir
dans un coin obscur comme une forme de discipline
suspendue par un clou à la muraille.

Au bruit que fit d'Artagnan en ouvrant la porte,
Aramis leva la tête et reconnut son ami. Mais, au grand
étonnement du jeune homme, sa vue ne parut pas pro-
duire une grande impression sur le mousquetaire, tant
son esprit était détaché des choses de la terre.

— Bonjour, cher d'Artagnan, dit Aramis ; croyez que
je suis heureux de vous voir.

— Et moi aussi, dit d'Artagnan, quoique je ne sois
pas encore bien sûr que ce soit à Aramis que je parle.

— A lui-même, mon ami, à lui-même ; mais qui a
pu vous faire douter ?

— J'avais peur de me tromper de chambre, et j'ai
cru d'abord entrer dans l'appartement de quelque
homme d'église ; puis une autre erreur m'a pris en vous
trouvant en compagnie de ces messieurs : c'est que vous
ne fussiez gravement malade.

Les deux hommes noirs lancèrent sur d'Artagnan, dont
ils comprirent l'intention, un regard presque menaçant ;
mais d'Artagnan ne s'en inquiéta pas.

— Je vous trouble peut-être, mon cher Aramis,
continua d'Artagnan ; car, d'après ce que je vois, je

suis porté à croire que vous vous confessez à ces messieurs.

Aramis rougit imperceptiblement.

— Vous, me troubler? Oh! bien au contraire, cher ami, je vous le jure ; et comme preuve de ce que je dis, permettez-moi de me réjouir en vous voyant sain et sauf.

— Ah! il y vient enfin! pensa d'Artagnan, ce n'est pas malheureux.

— Car, Monsieur, qui est mon ami, vient d'échapper à un rude danger, continua Aramis avec onction, en montrant de la main d'Artagnan aux deux ecclésiastiques.

— Louez Dieu, Monsieur, répondirent ceux-ci en s'inclinant à l'unisson.

— Je n'y ai pas manqué, mes révérends, répondit le jeune homme en leur rendant leur salut à son tour.

— Vous arrivez à propos, cher d'Artagnan, dit Aramis, et vous allez, en prenant part à la discussion, l'éclairer de vos lumières. M. le principal d'Amiens, M. le curé de Montdidier et moi, nous argumentons sur certaines questions théologiques dont l'intérêt nous captive depuis longtemps ; je serais charmé d'avoir votre avis.

— L'avis d'un homme d'épée est bien dénué de poids, répondit d'Artagnan, qui commençait à s'inquiéter de la tournure que prenaient les choses, et vous pouvez vous en tenir, croyez-moi, à la science de ces messieurs.

Les deux hommes noirs saluèrent à leur tour.

— Au contraire, reprit Aramis, et votre avis nous sera précieux ; voici de quoi il s'agit : M. le principal croit que ma thèse doit être surtout dogmatique et didactique.

— Votre thèse! Vous faites donc une thèse?

— Sans doute, répondit le jésuite ; pour l'examen

qui précède l'ordination, une thèse est de rigueur.

— L'ordination! s'écria d'Artagnan, qui ne pouvait croire à ce que lui avaient dit successivement l'hôtesse et Bazin,... l'ordination!

Et il promenait ses yeux stupéfaits sur les trois personnages qu'il avait devant lui.

— Or, continua Aramis en prenant sur son fauteuil la même pose gracieuse que s'il eût été dans une ruelle et en examinant avec complaisance sa main blanche et potelée comme une main de femme, qu'il tenait en l'air pour en faire descendre le sang : or, comme vous l'avez entendu, d'Artagnan, M. le principal voudrait que ma thèse fût dogmatique, tandis que je voudrais, moi, quelle fût idéale. C'est donc pourquoi M. le principal me proposait ce sujet qui n'a point encore été traité, dans lequel je reconnais qu'il y a matière à de magnifiques développements.

« *Utraque manus in benedicendo clericis inferioribus necessaria est.* »

D'Artagnan, dont nous connaissons l'érudition, ne sourcilla pas plus à cette citation qu'à celle que lui avait faite M. de Tréville à propos des présents qu'il prétendait que d'Artagnan avait reçus de M. de Buckingham.

— Ce qui veut dire, reprit Aramis pour lui donner toute facilité : Les deux mains sont indispensables aux prêtres des ordres inférieurs, quand ils donnent la bénédiction.

— Admirable sujet! s'écria le jésuite.

— Admirable et dogmatique!, répéta le curé, qui, de la force de d'Artagnan à peu près sur le latin, surveillait soigneusement le jésuite pour emboîter le pas avec lui et répéter ses paroles comme un écho.

Quant à d'Artagnan, il demeura parfaitement indifférent à l'enthousiasme des deux hommes noirs.

— Oui, admirable! *prorsus admirabile !* continua Aramis, mais qui exige une étude approfondie des Pères et des Écritures. Or j'ai avoué à ces savants ecclésiastiques, et cela en toute humilité, que les veilles des corps de garde et le service du roi m'avaient fait un peu négliger l'étude. Je me trouverais donc plus à mon aise, *facilius natans*, dans un sujet de mon choix, qui serait à ces rudes questions théologiques ce que la morale est à la métaphysique en philosophie.

D'Artagnan s'ennuyait profondément, le curé aussi.

— Voyez quel exorde! s'écria le jésuite.

— *Exordium*, répéta le curé pour dire quelque chose.

— *Quemadmodum inter cœlorum immensitatem.*

Aramis jeta un coup d'œil de côté sur d'Artagnan, et il vit que son ami bâillait à se démonter la mâchoire.

— Parlons français, mon père, dit-il au jésuite, M. d'Artagnan goûtera plus vivement nos paroles.

— Oui, je suis fatigué de la route, dit d'Artagnan, et tout ce latin m'échappe.

— D'accord, dit le jésuite un peu dépité, tandis que le curé, transporté d'aise, tournait sur d'Artagnan un regard plein de reconnaissance ; eh bien! voyez le parti qu'on tirerait de cette glose.

— Moïse, serviteur de Dieu... il n'est que serviteur, entendez-vous bien! Moïse bénit avec les mains ; il se fait tenir les deux bras, tandis que les Hébreux battent leurs ennemis ; donc il bénit avec les deux mains. D'ailleurs, que dit l'Évangile : *Imponite manus*, et non pas *manum* ; imposez les mains, et non pas la main.

— Imposez les mains, répéta le curé en faisant un geste.

— A saint Pierre, au contraire, de qui les papes sont

successeurs, continua le jésuite : *Porrige digitos.* Présen-
tez les doigts ; y êtes-vous maintenant ?

— Certes, répondit Aramis en se délectant, mais la
chose est subtile.

— Les doigts! reprit le jésuite ; saint Pierre bénit
avec les doigts. Le pape bénit donc aussi avec les doigts.
Et avec combien de doigts bénit-il ? Avec trois doigts,
un pour le Père, un pour le Fils, et un pour le Saint-
Esprit.

Tout le monde se signa ; d'Artagnan crut devoir
imiter cet exemple.

— Le pape est successeur de saint Pierre et représente
les trois pouvoirs divins ; le reste, *ordines inferiores*
de la hiérarchie ecclésiastique, bénit par le nom des saints
archanges et des anges. Les plus humbles clercs, tels
que nos diacres et sacristains, bénissent avec les gou-
pillons, qui simulent un nombre indéfini de doigts bénis-
sants. Voilà le sujet simplifié, *argumentum omni denu-
datum ornamento.* Je ferais avec cela, continua le
jésuite, deux volumes de la taille de celui-ci.

Et, dans son enthousiasme, il frappait sur le saint
Chrysostome in-folio qui faisait plier la table sous son
poids.

D'Artagnan frémit.

— Certes, dit Aramis, je rends justice aux beautés
de cette thèse, mais en même temps je la reconnais
écrasante pour moi. J'avais choisi ce texte ; dites-moi,
cher d'Artagnan, s'il n'est point de votre goût : *Non
inutile est desiderium in oblatione,* ou mieux encore :
Un peu de regret ne messied pas dans une offrande au
Seigneur.

— Halte-là! s'écria le jésuite, car cette thèse frise
l'hérésie ; il y a une proposition presque semblable
dans l'*Augustinus* de l'hérésiarque Jansénius, dont tôt

ou tard le livre sera brûlé par les mains du bourreau.
Prenez garde! mon jeune ami ; vous penchez vers les
fausses doctrines, mon jeune ami ; vous vous perdrez!

— Vous vous perdrez, dit le curé en secouant doulou-
reusement la tête.

— Vous touchez à ce fameux point du libre arbitre,
qui est un écueil mortel. Vous abordez de front les
insinuations des pélagiens et des demi-pélagiens.

— Mais, mon révérend..., reprit Aramis quelque peu
abasourdi de la grêle d'arguments qui lui tombait sur
la tête.

— Comment prouverez-vous, continua le jésuite
sans lui donner le temps de parler, que l'on doit regretter
le monde lorsqu'on s'offre à Dieu ? Écoutez ce dilemme :
Dieu est Dieu, et le monde est le diable. Regretter le
monde, c'est regretter le diable ; voilà ma conclusion.

— C'est la mienne aussi, dit le curé.

— Mais de grâce!... dit Aramis.

— *Desideras diabolum*, infortuné! s'écria le jésuite.

— Il regrette le diable! Ah! mon jeune ami, reprit le
curé en gémissant, ne regrettez pas le diable, c'est moi
qui vous en supplie.

D'Artagnan tournait à l'idiotisme ; il lui semblait
être dans une maison de fous, et qu'il allait devenir
fou comme ceux qu'il voyait. Seulement il était forcé
de se taire, ne comprenant point la langue qui se parlait
devant lui.

— Mais écoutez-moi donc, reprit Aramis avec une
politesse sous laquelle commençait à percer un peu
d'impatience, je ne dis pas que je regrette ; non, je ne
prononcerai jamais cette phrase qui ne serait pas ortho-
doxe...

Le jésuite leva les bras au ciel, et le curé en fit autant.

— Non, mais convenez au moins qu'on a mauvaise

grâce de n'offrir au Seigneur que ce dont on est parfaitement dégoûté. Ai-je raison, d'Artagnan?

— Je le crois pardieu bien! s'écria celui-ci.

Le curé et le jésuite firent un bond sur leurs chaises.

— Voici mon point de départ, c'est un syllogisme : Le monde ne manque pas d'attraits, je quitte le monde, donc je fais un sacrifice ; or l'Écriture dit positivement : Faites un sacrifice au Seigneur.

— Cela est vrai, dirent les antagonistes.

— Et puis, continua Aramis en se pinçant l'oreille pour la rendre rouge, comme il se secouait les mains pour les rendre blanches, et puis j'ai fait certain rondeau là-dessus que je communiquai à M. Voiture l'an passé, et duquel ce grand homme m'a fait mille compliments.

— Un rondeau! fit dédaigneusement le jésuite.

— Un rondeau! dit machinalement le curé.

— Dites, dites, s'écria d'Artagnan, cela nous changera quelque peu.

— Non, car il est religieux, répondit Aramis, et c'est de la théologie en vers.

— Diable! fit d'Artagnan.

— Le voici, dit Aramis d'un petit air modeste qui n'était pas exempt d'une certaine teinte d'hypocrisie :

> Vous qui pleurez un passé plein de charmes,
> Et qui traînez des jours infortunés,
> Tous vos malheurs se verront terminés,
> Quand à Dieu seul vous offrirez vos larmes,
> Vous qui pleurez.

D'Artagnan et le curé parurent flattés. Le jésuite persista dans son opinion.

— Gardez-vous du goût profane dans le style théologique. Que dit en effet saint Augustin? *Severus sit clericorum sermo.*

— Oui, que le sermon soit clair! dit le curé.

— Or, se hâta d'interrompre le jésuite en voyant que son acolyte se fourvoyait, or votre thèse plaira aux dames, voilà tout ; elle aura le succès d'une plaidoirie de Maître Patru.

— Plaise à Dieu! s'écria Aramis transporté.

— Vous le voyez, s'écria le jésuite, le monde parle encore en vous à haute voix, *altissima voce*. Vous suivez le monde, mon jeune ami, et je tremble que la grâce ne soit point efficace.

— Rassurez-vous, mon révérend, je réponds de moi.

— Présomption mondaine!

— Je me connais, mon père, ma résolution est irrévocable.

— Alors vous vous obstinez à poursuivre cette thèse?

— Je me sens appelé à traiter celle-là, et non pas une autre ; je vais donc la continuer, et demain j'espère que vous serez satisfait des corrections que j'y aurai faites d'après vos avis.

— Travaillez lentement, dit le curé, nous vous laissons dans des dispositions excellentes.

— Oui, le terrain est tout ensemencé, dit le jésuite, et nous n'avons pas à craindre qu'une partie du grain soit tombée sur la pierre, l'autre le long du chemin, et que les oiseaux du ciel aient mangé le reste, *aves cœli comederunt illam.*

— Que la peste t'étouffe avec ton latin! dit d'Artagnan, qui se sentait au bout de ses forces.

— Adieu, mon fils, dit le curé, à demain.

— A demain, jeune téméraire, dit le jésuite ; vous promettez d'être une des lumières de l'Église ; veuille le ciel que cette lumière ne soit pas un feu dévorant!

D'Artagnan, qui pendant une heure s'était rongé les

ongles d'impatience, commençait à attaquer la chair.

Les deux hommes noirs se levèrent, saluèrent Aramis et d'Artagnan, et s'avancèrent vers la porte. Bazin, qui s'était tenu debout et qui avait écouté toute cette controverse avec une pieuse jubilation, s'élança vers eux, prit le bréviaire du curé, le missel du jésuite, et marcha respectueusement devant eux pour leur frayer le chemin.

Aramis les conduisit jusqu'au bas de l'escalier et remonta aussitôt près de d'Artagnan qui rêvait encore.

Restés seuls, les deux amis gardèrent d'abord un silence embarrassé ; cependant il fallait que l'un des deux le rompît le premier, et comme d'Artagnan paraissait décidé à laisser cet honneur à son ami :

— Vous le voyez, dit Aramis, vous me trouvez revenu à mes idées fondamentales.

— Oui, la grâce efficace vous a touché, comme disait ce monsieur tout à l'heure.

— Oh! ces plans de retraite sont formés depuis longtemps ; et vous m'en avez déjà ouï parler, n'est-ce pas, mon ami ?

— Sans doute, mais je vous avoue que j'ai cru que vous plaisantiez.

— Avec ces sortes de choses! Oh! d'Artagnan!

— Dame! on plaisante bien avec la mort.

— Et l'on a tort, d'Artagnan, car la mort, c'est la porte qui conduit à la perdition ou au salut.

— D'accord ; mais, s'il vous plaît, ne théologisons pas, Aramis ; vous devez en avoir assez pour le reste de la journée ; quant à moi, j'ai à peu près oublié le peu de latin que je n'ai jamais su ; puis, je vous l'avouerai, je n'ai rien mangé depuis ce matin dix heures, et j'ai une faim de tous les diables.

— Nous dînerons tout à l'heure, cher ami ; seulement,

vous vous rappellerez que c'est aujourd'hui vendredi ;
or, dans un pareil jour, je ne puis ni voir ni manger de
la chair. Si vous voulez vous contenter de mon dîner,
il se compose de tétragones cuits et de fruits.

— Qu'entendez-vous par tétragones ? demanda
d'Artagnan avec inquiétude.

— J'entends des épinards, reprit Aramis ; mais pour
vous j'ajouterai des œufs, et c'est une grave infraction
à la règle, car les œufs sont viande, puisqu'ils engendrent
le poulet.

— Ce festin n'est pas succulent, mais n'importe ;
pour rester avec vous, je le subirai.

— Je vous suis reconnaissant du sacrifice, dit Aramis ;
mais s'il ne profite pas à votre corps, il profitera,
soyez-en certain, à votre âme.

— Ainsi, décidément, Aramis, vous entrez en religion. Que vont dire nos amis, que va dire M. de Tréville ? Ils vous traiteront de déserteur, je vous en
préviens.

— Je n'entre pas en religion, j'y rentre. C'est l'Église
que j'avais désertée pour le monde, car vous savez que
je me suis fait violence pour prendre la casaque de
mousquetaire.

— Moi, je n'en sais rien.

— Vous ignorez comment j'ai quitté le séminaire ?

— Tout à fait.

— Voici mon histoire ; d'ailleurs les Écritures
disent : « Confessez-vous les uns aux autres », et je me
confesse à vous, d'Artagnan.

— Et moi, je vous donne l'absolution d'avance, vous
voyez que je suis bonhomme.

— Ne plaisantez pas avec les choses saintes, mon
ami.

— Alors, dites, je vous écoute.

— J'étais donc au séminaire depuis l'âge de neuf ans,
j'en avais vingt dans trois jours, j'allais être abbé, et
tout était dit. Un soir que je me rendais, selon mon habitude, dans une maison que je fréquentais avec plaisir
— on est jeune, que voulez-vous! on est faible — un
officier qui me voyait d'un œil jaloux lire les Vies des
Saints à la maîtresse de la maison, entra tout à coup et
sans être annoncé. Justement, ce soir-là, j'avais traduit
un épisode de Judith, et je venais de communiquer mes
vers à la dame qui me faisait toutes sortes de compliments, et, penchée sur mon épaule, les relisait avec moi.
La pose, qui était quelque peu abandonnée, je l'avoue,
blessa cet officier ; il ne dit rien, mais lorsque je sortis,
il sortit derrière moi, et me rejoignant :

« — Monsieur l'abbé, dit-il, aimez-vous les coups de
» canne?

« — Je ne puis le dire, Monsieur, répondis-je, per-
» sonne n'ayant jamais osé m'en donner.

« — Eh bien! écoutez-moi, Monsieur l'abbé, si vous
» retournez dans la maison où je vous ai rencontré ce
» soir, j'oserai, moi.

« Je crois que j'eus peur, je devins fort pâle, je sentis
» les jambes qui me manquaient, je cherchai une réponse
» que je ne trouvai pas, je me tus.

« L'officier attendait cette réponse, et voyant qu'elle
» tardait, il se mit à rire, me tourna le dos et rentra dans
» la maison. Je rentrai au séminaire.

« Je suis bon gentilhomme et j'ai le sang vif, comme
» vous avez pu le remarquer, mon cher d'Artagnan ;
» l'insulte était terrible, et, tout inconnue qu'elle était
» restée au monde, je la sentais vivre et remuer au fond
» de mon cœur. Je déclarai à mes supérieurs que je ne me
» sentais pas suffisamment préparé pour l'ordination,
» et, sur ma demande, on remit la cérémonie à un an.

« J'allai trouver le meilleur maître d'armes de Paris,
» je fis condition avec lui pour prendre une leçon d'es-
» crime chaque jour, et chaque jour, pendant une année,
» je pris cette leçon. Puis, le jour anniversaire de celui
» où j'avais été insulté, j'accrochai ma soutane à un clou,
» je pris un costume complet de cavalier et je me rendis
» à un bal que donnait une dame de mes amies, et où je
» savais que devait se trouver mon homme. C'était rue
» des Francs-Bourgeois, tout près de la Force.

« En effet, mon officier y était ; je m'approchai de lui,
» comme il chantait un lai d'amour en regardant ten-
» drement une femme, et je l'interrompis au beau milieu
» du second couplet.

« — Monsieur, lui dis-je, vous déplaît-il toujours que
» je retourne dans certaine maison de la rue Payenne,
» et me donnerez-vous encore des coups de canne, s'il
» me prend fantaisie de vous désobéir ?

« L'officier me regarda avec étonnement, puis il dit :

« — Que me voulez-vous, Monsieur ? Je ne vous
» connais pas.

« — Je suis, répondis-je, le petit abbé qui lit les Vies
» des Saints et qui traduit Judith en vers.

« — Ah ! ah ! je me rappelle, dit l'officier en gogue-
» nardant ; que me voulez-vous ?

« — Je voudrais que vous eussiez le loisir de venir
» faire un tour de promenade avec moi.

« — Demain matin, si vous le voulez bien, et ce sera
» avec le plus grand plaisir.

« — Non, pas demain matin, s'il vous plaît, tout de
» suite.

« — Si vous l'exigez absolument...

« — Mais oui, je l'exige.

« — Alors, sortons. Mesdames, dit l'officier, ne vous
» dérangez pas. Le temps de tuer Monsieur seule-

» ment, et je reviens vous achever le dernier couplet.

« Nous sortîmes.

« Je le menai rue Payenne, juste à l'endroit où un an
» auparavant, heure pour heure, il m'avait fait le compli-
» ment que je vous ai rapporté. Il faisait un clair de lune
» superbe. Nous mîmes l'épée à la main, et à la première
» passe, je le tuai roide. »

— Diable! fit d'Artagnan.

— Or, continua Aramis, comme les dames ne virent
pas revenir leur chanteur, et qu'on le trouva rue Payenne
avec un grand coup d'épée au travers du corps, on pensa
que c'était moi qui l'avais accommodé ainsi, et la chose
fit scandale. Je fus donc pour quelque temps forcé de
renoncer à la soutane. Athos, dont je fis la connaissance
à cette époque, et Porthos, qui m'avait, en dehors de mes
leçons d'escrime, appris quelques bottes gaillardes,
me décidèrent à demander une casaque de mousquetaire.
Le roi avait fort aimé mon père, tué au siège d'Arras,
et l'on m'accorda cette casaque. Vous comprenez donc
qu'aujourd'hui le moment est venu pour moi de rentrer
dans le sein de l'Église.

— Et pourquoi aujourd'hui plutôt qu'hier et que
demain? Que vous est-il arrivé aujourd'hui, qui
vous donne de si méchantes idées?

— Cette blessure, mon cher d'Artagnan, m'a été un
avertissement du ciel.

— Cette blessure? Bah! elle est à peu près guérie, et
je suis sûr qu'aujourd'hui ce n'est pas celle-là qui vous
fait le plus souffrir.

— Et laquelle? demanda Aramis en rougissant.

— Vous en avez une au cœur, Aramis, une plus
vive et plus sanglante, une blessure faite par une
femme.

L'œil d'Aramis étincela malgré lui.

— Ah! dit-il en dissimulant son émotion sous une feinte négligence, ne parlez pas de ces choses-là ; moi, penser à ces choses-là! Avoir des chagrins d'amour! *Vanitas vanitatum!* Me serais-je donc, à votre avis, retourné la cervelle, et pour qui? Pour quelque grisette, pour quelque fille de chambre, à qui j'aurais fait la cour dans une garnison, fi!

— Pardon, mon cher Aramis, mais je croyais que vous portiez vos visées plus haut.

— Plus haut? Et que suis-je pour avoir tant d'ambition? Un pauvre mousquetaire fort gueux et fort obscur, qui hait les servitudes et se trouve grandement déplacé dans le monde!

— Aramis, Aramis! s'écria d'Artagnan en regardant son ami avec un air de doute.

— Poussière, je rentre dans la poussière. La vie est pleine d'humiliations et de douleurs, continua-t-il en s'assombrissant ; tous les fils qui la rattachent au bonheur se rompent tour à tour dans la main de l'homme, surtout les fils d'or. O mon cher d'Artagnan! reprit Aramis en donnant à sa voix une légère teinte d'amertume, croyez-moi, cachez bien vos plaies quand vous en aurez. Le silence est la dernière joie des malheureux ; gardez-vous de mettre qui que ce soit sur la trace de vos douleurs, les curieux pompent nos larmes comme les mouches font du sang d'un daim blessé.

— Hélas! mon cher Aramis, dit d'Artagnan en poussant à son tour un profond soupir, c'est mon histoire à moi-même que vous faites là.

— Comment?

— Oui, une femme que j'aimais, que j'adorais, vient de m'être enlevée de force. Je ne sais pas où elle est, où on l'a conduite ; elle est peut-être prisonnière, elle est peut-être morte.

— Mais vous avez au moins la consolation de vous dire qu'elle ne vous a pas quitté volontairement ; que si vous n'avez point de ses nouvelles, c'est que toute communication avec vous lui est interdite, tandis que...

— Tandis que...

— Rien, reprit Aramis, rien.

— Ainsi, vous renoncez à jamais au monde ; c'est un parti pris, une résolution arrêtée?

— A tout jamais. Vous êtes mon ami aujourd'hui, demain vous ne serez plus pour moi qu'une ombre ; ou plutôt même, vous n'existerez plus. Quant au monde, c'est un sépulcre et pas autre chose.

— Diable! c'est fort triste ce que vous me dites là.

— Que voulez-vous, ma vocation m'attire, elle m'enlève.

D'Artagnan sourit et ne répondit point. Aramis continua :

— Et cependant, tandis que je tiens encore à la terre, j'eusse voulu vous parler de vous, de nos amis.

— Et moi, dit d'Artagnan, j'eusse voulu vous parler de vous-même, mais je vous vois si détaché de tout ; les amours, vous en faites fi ; les amis sont des ombres, le monde est un sépulcre.

— Hélas! vous le verrez par vous-même, dit Aramis avec un soupir.

— N'en parlons donc plus, dit d'Artagnan, et brûlons cette lettre qui, sans doute, vous annonçait quelque nouvelle infidélité de votre grisette ou de votre fille de chambre.

— Quelle lettre? s'écria vivement Aramis.

— Une lettre qui était venue chez vous en votre absence et qu'on m'a remise pour vous.

— Mais de qui cette lettre?

— Ah! de quelque suivante éplorée, de quelque grisette au désespoir ; la fille de chambre de Mme de Chevreuse peut-être, qui aura été obligée de retourner à Tours avec sa maîtresse, et qui, pour se faire pimpante, aura pris du papier parfumé et aura cacheté sa lettre avec une couronne de duchesse.

— Que dites-vous là ?

— Tiens, je l'aurai perdue! dit sournoisement le jeune homme en faisant semblant de chercher. Heureusement que le monde est un sépulcre, que les hommes et par conséquent les femmes sont des ombres, que l'amour est un sentiment dont vous faites fi!

— Ah! d'Artagnan, d'Artagnan! s'écria Aramis, tu me fais mourir!

— Enfin, la voici! dit d'Artagnan.

Et il tira la lettre de sa poche.

Aramis fit un bond, saisit la lettre, la lut ou plutôt la dévora ; son visage rayonnait.

— Il paraît que la suivante a un beau style, dit nonchalamment le messager.

— Merci, d'Artagnan! s'écria Aramis presque en délire. Elle a été forcée de retourner à Tours ; elle ne m'est pas infidèle, elle m'aime toujours. Viens, mon ami, viens que je t'embrasse ; le bonheur m'étouffe!

Et les deux amis se mirent à danser autour du vénérable saint Chrysostome, piétinant bravement les feuillets de la thèse qui avaient roulé sur le parquet.

En ce moment, Bazin entrait avec les épinards et l'omelette.

— Fuis, malheureux! s'écria Aramis en lui jetant sa calotte au visage ; retourne d'où tu viens, remporte ces horribles légumes et cet affreux entremets! Demande un lièvre piqué, un chapon gras, un gigot à l'ail et quatre bouteilles de vieux bourgogne.

Bazin, qui regardait son maître et qui ne comprenait

rien à ce changement, laissa mélancoliquement glisser
l'omelette dans les épinards, et les épinards sur le parquet.

— Voilà le moment de consacrer votre existence au
Roi des Rois, dit d'Artagnan, si vous tenez à lui faire
une politesse : *Non inutile desiderium in oblatione.*

— Allez-vous-en au diable avec votre latin! Mon cher
d'Artagnan, buvons, morbleu, buvons frais, buvons
beaucoup, et racontez-moi un peu ce qu'on fait là-bas.

XXVII

LA FEMME D'ATHOS

— Il reste maintenant à savoir des nouvelles d'Athos,
dit d'Artagnan au fringant Aramis, quand il l'eut mis
au courant de ce qui s'était passé dans la capitale
depuis leur départ, et qu'un excellent dîner leur eut
fait oublier à l'un sa thèse, à l'autre sa fatigue.

— Croyez-vous donc qu'il lui soit arrivé malheur?
demanda Aramis. Athos est si froid, si brave et manie
si habilement son épée.

— Oui, sans doute, et personne ne reconnaît mieux
que moi le courage et l'adresse d'Athos ; mais j'aime
mieux sur mon épée le choc des lances que celui des
bâtons ; je crains qu'Athos n'ait été étrillé par de la vale-
taille, les valets sont gens qui frappent fort et ne finissent
pas tôt. Voilà pourquoi, je vous l'avoue, je voudrais
repartir le plus tôt possible.

— Je tâcherai de vous accompagner, dit Aramis,
quoique je ne me sente guère en état de monter à cheval.
Hier, j'essayai de la discipline que vous voyez sur ce

mur, et la douleur m'empêcha de continuer ce pieux exercice.

— C'est qu'aussi, mon cher ami, on n'a jamais vu essayer de guérir un coup d'escopette avec des coups de martinet ; mais vous étiez malade, et la maladie rend la tête faible, ce qui fait que je vous excuse.

— Et quand partez-vous ?

— Demain, au point du jour ; reposez-vous de votre mieux cette nuit, et demain, si vous le pouvez, nous partirons ensemble.

— A demain donc, dit Aramis ; car tout de fer que vous êtes, vous devez avoir besoin de repos.

Le lendemain, lorsque d'Artagnan entra chez Aramis, il le trouva à sa fenêtre.

— Que regardez-vous donc là ? demanda d'Artagnan.

— Ma foi ! j'admire ces trois magnifiques chevaux que les garçons d'écurie tiennent en bride ; c'est un plaisir de prince que de voyager sur de pareilles montures.

— Eh bien, mon cher Aramis, vous vous donnerez ce plaisir-là, car l'un de ces chevaux est à vous.

— Ah bah ! Et lequel ?

— Celui des trois que vous voudrez, je n'ai pas de préférence.

— Et le riche caparaçon qui le couvre est à moi aussi ?

— Sans doute.

— Vous voulez rire, d'Artagnan.

— Je ne ris plus depuis que vous parlez français.

— C'est pour moi, ces fontes dorées, cette housse de velours, cette selle chevillée d'argent ?

— A vous-même, comme le cheval qui piaffe est à moi, comme cet autre cheval qui caracole est à Athos.

— Peste ! ce sont trois bêtes superbes.

— Je suis flatté qu'elles soient de votre goût.

— C'est donc le roi qui vous a fait ce cadeau-là ?

— A coup sûr, ce n'est point le cardinal ; mais ne vous inquiétez pas d'où ils viennent, et songez seulement qu'un des trois est votre propriété.

— Je prends celui que tient le valet roux.

— A merveille!

— Vive Dieu! s'écria Aramis, voilà qui me fait passer le reste de ma douleur ; je monterais là-dessus avec trente balles dans le corps. Ah! sur mon âme, les beaux étriers! Holà! Bazin, venez çà, et à l'instant même.

Bazin apparut, morne et languissant, sur le seuil de la porte.

— Fourbissez mon épée, redressez mon feutre, brossez mon manteau, et chargez mes pistolets! dit Aramis.

— Cette dernière recommandation est inutile, interrompit d'Artagnan : il y a des pistolets chargés dans vos fontes.

Bazin soupira.

— Allons, Maître Bazin, tranquillisez-vous, dit d'Artagnan ; on gagne le royaume des cieux dans toutes les conditions.

— Monsieur était déjà si bon théologien! dit Bazin presque larmoyant ; il fût devenu évêque et peut-être cardinal.

— Eh bien! mon pauvre Bazin, voyons, réfléchis un peu ; à quoi sert d'être homme d'Église, je te prie? On n'évite pas pour cela d'aller faire la guerre ; tu vois bien que le cardinal va faire la première campagne avec le pot en tête et la pertuisane au poing ; et M. de Nogaret de La Valette, qu'en dis-tu? Il est cardinal aussi; demande à son laquais combien de fois il lui a fait de la charpie.

— Hélas! soupira Bazin, je le sais, Monsieur, tout est bouleversé dans le monde aujourd'hui.

Pendant ce temps, les deux jeunes gens et le pauvre laquais étaient descendus.

— Tiens-moi l'étrier, Bazin, dit Aramis.

Et Aramis s'élança en selle avec sa grâce et sa légèreté ordinaires; mais après quelques voltes et quelques courbettes du noble animal, son cavalier ressentit des douleurs tellement insupportables, qu'il pâlit et chancela. D'Artagnan, qui, dans la prévision de cet accident, ne l'avait pas perdu des yeux, s'élança vers lui, le retint dans ses bras et le conduisit à sa chambre.

— C'est bien, mon cher Aramis, soignez-vous, dit-il, j'irai seul à la recherche d'Athos.

— Vous êtes un homme d'airain, lui dit Aramis.

— Non, j'ai du bonheur, voilà tout ; mais comment allez-vous vivre en m'attendant ? Plus de thèse, plus de glose sur les doigts et les bénédictions, hein ?

Aramis sourit.

— Je ferai des vers, dit-il.

— Oui, des vers parfumés à l'odeur du billet de la suivante de Mme de Chevreuse. Enseignez donc la prosodie à Bazin, cela le consolera. Quant au cheval, montez-le tous les jours un peu, et cela vous habituera aux manœuvres.

— Oh! pour cela, soyez tranquille, dit Aramis, vous me retrouverez prêt à vous suivre.

Ils se dirent adieu et, dix minutes après, d'Artagnan, après avoir recommandé son ami à Bazin et à l'hôtesse, trottait dans la direction d'Amiens.

Comment allait-il retrouver Athos, et même le retrouverait-il ?

La position dans laquelle il l'avait laissé était critique ; il pouvait bien avoir succombé. Cette idée, en assombrissant son front, lui arracha quelques soupirs et lui fit formuler tout bas quelques serments de vengeance. De tous ses amis, Athos était le plus âgé, et partant le moins rapproché en apparence de ses goûts et de ses sympathies.

Cependant il avait pour ce gentilhomme une préférence marquée. L'air noble et distingué d'Athos, ces éclairs de grandeur qui jaillissaient de temps en temps de l'ombre où il se tenait volontairement enfermé, cette inaltérable égalité d'humeur qui en faisait le plus facile compagnon de la terre, cette gaieté forcée et mordante, cette bravoure qu'on eût appelée aveugle si elle n'eût été le résultat du plus rare sang-froid, tant de qualités attiraient plus que l'estime, plus que l'amitié de d'Artagnan, elles attiraient son admiration.

En effet, considéré même auprès de M. de Tréville, l'élégant et noble courtisan, Athos, dans ses jours de belle humeur, pouvait soutenir avantageusement la comparaison ; il était de taille moyenne, mais cette taille était si admirablement prise et si bien proportionnée, que, plus d'une fois, dans ses luttes avec Porthos, il avait fait plier le géant dont la force physique était devenue proverbiale parmi les mousquetaires ; sa tête, aux yeux perçants, au nez droit, au menton dessiné comme celui de Brutus, avait un caractère indéfinissable de grandeur et de grâce ; ses mains, dont il ne prenait aucun soin, faisaient le désespoir d'Aramis, qui cultivait les siennes à grand renfort de pâte d'amandes et d'huile parfumée ; le son de sa voix était pénétrant et mélodieux tout à la fois, et puis, ce qu'il y avait d'indéfinissable dans Athos, qui se faisait toujours obscur et petit, c'était cette science délicate du monde et des usages de la plus brillante société, cette habitude de bonne maison qui perçait comme à son insu dans ses moindres actions.

S'agissait-il d'un repas, Athos l'ordonnait mieux qu'aucun homme du monde, plaçant chaque convive à la place et au rang que lui avaient faits ses ancêtres ou qu'il s'était faits lui-même. S'agissait-il de science héraldique, Athos connaissait toutes les familles nobles du royaume, leur généalogie, leurs alliances, leurs armes et l'origine de leurs armes. L'étiquette n'avait pas de minuties qui lui fussent étrangères, il savait quels étaient les droits des grands propriétaires, il connaissait à fond la vénerie et la fauconnerie, et un jour il avait, en causant de ce grand art, étonné le roi Louis XIII lui-même, qui cependant y était passé maître.

Comme tous les grands seigneurs de cette époque, il montait à cheval et faisait des armes dans la perfection. Il y a plus : son éducation avait été si peu négligée, même sous le rapport des études scolastiques, si rares à cette époque chez les gentilshommes, qu'il souriait aux bribes de latin que détachait Aramis, et qu'avait l'air de comprendre Porthos ; deux ou trois fois même, au grand étonnement de ses amis, il lui était arrivé, lorsque Aramis laissait échapper quelque erreur de rudiment, de remettre un verbe à son temps et un nom à son cas. En outre, sa probité était inattaquable, dans ce siècle où les hommes de guerre transigeaient si facilement avec leur religion et leur conscience, les amants avec la délicatesse rigoureuse de nos jours, et les pauvres avec le septième commandement de Dieu. C'était donc un homme fort extraordinaire qu'Athos.

Et cependant, on voyait cette nature si distinguée, cette créature si belle, cette essence si fine, tourner insensiblement vers la vie matérielle, comme les vieillards tournent vers l'imbécillité physique et morale. Athos, dans ses heures de privation, et ces heures étaient fréquentes, s'éteignait dans toute sa partie lumineuse, et son côté brillant disparaissait comme dans une profonde nuit.

Alors, le demi-dieu évanoui, il restait à peine un

homme. La tête basse, l'œil terne, la parole lourde et
pénible, Athos regardait pendant de longues heures
soit sa bouteille et son verre, soit Grimaud, qui, habitué
à lui obéir par signes, lisait dans le regard atone de son
maître jusqu'à son moindre désir, qu'il satisfaisait
aussitôt. La réunion des quatre amis avait-elle lieu dans
un de ces moments-là, un mot, échappé avec un violent
effort, était tout le contingent qu'Athos fournissait à la
conversation. En échange, Athos à lui seul buvait comme
quatre, et cela sans qu'il y parût autrement que par un
froncement de sourcil plus indiqué et par une tristesse
plus profonde.

D'Artagnan, dont nous connaissons l'esprit investigateur et pénétrant, n'avait, quelque intérêt qu'il eût
à satisfaire sa curiosité sur ce sujet, pu encore assigner
aucune cause à ce marasme, ni en noter les occurrences.
Jamais Athos ne recevait de lettres, jamais Athos ne faisait aucune démarche qui ne fût connue de tous ses amis.

On ne pouvait dire que ce fût le vin qui lui donnât
cette tristesse, car au contraire il ne buvait que pour
combattre cette tristesse, que ce remède, comme nous
l'avons dit, rendait plus sombre encore. On ne pouvait
attribuer cet excès d'humeur noire au jeu, car, au
contraire de Porthos, qui accompagnait de ses chants ou
de ses jurons toutes les variations de la chance, Athos,
lorsqu'il avait gagné, demeurait aussi impassible que
lorsqu'il avait perdu. On l'avait vu, au cercle des mousquetaires, gagner un soir trois mille pistoles, les perdre
jusqu'au ceinturon brodé d'or des jours de gala ; regagner tout cela, plus cent louis, sans que son beau sourcil
noir eût haussé ou baissé d'une demi-ligne, sans que
ses mains eussent perdu leur nuance nacrée, sans que sa
conversation, qui était agréable ce soir-là, eût cessé
d'être calme et agréable.

Ce n'était pas non plus, comme chez nos voisins les Anglais, une influence atmosphérique qui assombrissait son visage, car cette tristesse devenait plus intense en général vers les beaux jours de l'année ; juin et juillet étaient les mois terribles d'Athos.

Pour le présent, il n'avait pas de chagrin, il haussait les épaules quand on lui parlait de l'avenir ; son secret était donc dans le passé, comme on l'avait dit vaguement à d'Artagnan.

Cette teinte mystérieuse répandue sur toute sa personne rendait encore plus intéressant l'homme dont jamais les yeux ni la bouche, dans l'ivresse la plus complète, n'avaient rien révélé, quelle que fût l'adresse des questions dirigées contre lui.

— Eh bien! pensait d'Artagnan, le pauvre Athos est peut-être mort à cette heure, et mort par ma faute, car c'est moi qui l'ai entraîné dans cette affaire, dont il ignorait l'origine, dont il ignorera le résultat et dont il ne devait tirer aucun profit.

— Sans compter, Monsieur, répondait Planchet, que nous lui devons probablement la vie. Vous rappelez-vous comme il a crié : « Au large, d'Artagnan! je suis pris. » Et après avoir déchargé ses deux pistolets, quel bruit terrible il faisait avec son épée! On eût dit vingt hommes, ou plutôt vingt diables enragés!

Et ces mots redoublaient l'ardeur de d'Artagnan, qui excitait son cheval, lequel n'ayant pas besoin d'être excité emportait son cavalier au galop.

Vers onze heures du matin, on aperçut Amiens ; à onze heures et demie, on était à la porte de l'auberge maudite.

D'Artagnan avait souvent médité contre l'hôte perfide une de ces bonnes vengeances qui consolent, rien qu'en espérance. Il entra donc dans l'hôtellerie, le feutre sur les yeux, la main gauche sur le pommeau de l'épée et faisant siffler sa cravache de la main droite.

— Me reconnaissez-vous ? dit-il à l'hôte, qui s'avançait pour le saluer.

— Je n'ai pas cet honneur, Monseigneur, répondit celui-ci les yeux encore éblouis du brillant équipage avec lequel d'Artagnan se présentait.

— Ah! vous ne me connaissez pas!

— Non, Monseigneur.

— Eh bien! deux mots vont vous rendre la mémoire. Qu'avez-vous fait de ce gentilhomme à qui vous eûtes l'audace, voici quinze jours passés à peu près, d'intenter une accusation de fausse monnaie ?

L'hôte pâlit, car d'Artagnan avait pris l'attitude la plus menaçante, et Planchet se modelait sur son maître.

— Ah! Monseigneur, ne m'en parlez pas, s'écria l'hôte de son ton de voix le plus larmoyant ; ah! Seigneur, combien j'ai payé cette faute! Ah malheureux que je suis!

— Ce gentilhomme, vous dis-je, qu'est-il devenu ?

— Daignez m'écouter, Monseigneur, et soyez clément. Voyons, asseyez-vous, par grâce!

D'Artagnan, muet de colère et d'inquiétude, s'assit, menaçant comme un juge. Planchet s'adossa fièrement à son fauteuil.

— Voici l'histoire, Monseigneur, reprit l'hôte tout tremblant, car je vous reconnais à cette heure ; c'est vous qui êtes parti quand j'eus ce malheureux démêlé avec ce gentilhomme dont vous parlez.

— Oui, c'est moi ; ainsi vous voyez bien que vous n'avez pas de grâce à attendre si vous ne dites pas toute la vérité.

— Aussi veuillez m'écouter, et vous la saurez tout entière.

— J'écoute.

— J'avais été prévenu par les autorités qu'un faux-monnayeur célèbre arriverait à mon auberge avec plusieurs de ses compagnons, tous déguisés sous le costume de garde ou de mousquetaire. Vos chevaux, vos laquais, votre figure, Messeigneurs, tout m'avait été dépeint.

— Après, après? dit d'Artagnan, qui reconnut bien vite d'où venait le signalement si exactement donné.

— Je pris donc, d'après les ordres de l'autorité, qui m'envoya un renfort de six hommes, telles mesures que je crus urgentes afin de m'assurer de la personne des prétendus faux-monnayeurs.

— Encore! dit d'Artagnan, à qui ce mot de faux-monnayeur échauffait terriblement les oreilles.

— Pardonnez-moi, Monseigneur, de dire de telles choses, mais elles sont justement mon excuse. L'autorité m'avait fait peur, et vous savez qu'un aubergiste doit ménager l'autorité.

— Mais encore une fois, ce gentilhomme, où est-il? Qu'est-il devenu? Est-il mort? Est-il vivant?

— Patience, Monseigneur, nous y voici. Il arriva donc ce que vous savez, et dont votre départ précipité, ajouta l'hôte avec une finesse qui n'échappa point à d'Artagnan, semblait autoriser l'issue. Ce gentilhomme votre ami se défendit en désespéré. Son valet, qui, par un malheur imprévu, avait cherché querelle aux gens de l'autorité, déguisés en garçons d'écurie...

— Ah! misérable! s'écria d'Artagnan, vous étiez tous d'accord, et je ne sais à quoi tient que je ne vous extermine tous!

— Hélas! non, Monseigneur, nous n'étions pas tous d'accord, et vous l'allez bien voir. Monsieur votre ami (pardon de ne point l'appeler par le nom honorable qu'il porte sans doute, mais nous ignorons ce nom), Monsieur

votre ami, après avoir mis hors de combat deux hommes
de ses deux coups de pistolet, battit en retraite en se
défendant avec son épée dont il estropia encore un de mes
hommes, et d'un coup du plat de laquelle il m'étourdit.

— Mais, bourreau, finiras-tu ? dit d'Artagnan. Athos,
que devint Athos ?

— En battant en retraite, comme j'ai dit à Monseigneur, il trouva derrière lui l'escalier de la cave, et
comme la porte était ouverte, il tira la clef à lui et se
barricada en dedans. Comme on était sûr de le retrouver
là, on le laissa libre.

— Oui, dit d'Artagnan, on ne tenait pas tout à fait
à le tuer, on ne cherchait qu'à l'emprisonner.

— Juste Dieu! à l'emprisonner, Monseigneur ? Il
s'emprisonna bien lui-même, je vous le jure. D'abord
il avait fait de rude besogne, un homme était tué sur le
coup, et deux autres étaient blessés grièvement. Le
mort et les deux blessés furent emportés par leurs
camarades, et jamais je n'ai plus entendu parler ni des
uns ni des autres. Moi-même, quand je repris mes sens,
j'allai trouver M. le gouverneur, auquel je racontai
tout ce qui s'était passé, et auquel je demandai ce que
je devais faire du prisonnier. Mais M. le gouverneur eut
l'air de tomber des nues ; il me dit qu'il ignorait complètement ce que je voulais dire, que les ordres qui
m'étaient parvenus n'émanaient pas de lui, et que si
j'avais le malheur de dire à qui que ce fût qu'il était
pour quelque chose dans toute cette échauffourée, il me
ferait pendre. Il paraît que je m'étais trompé, Monsieur,
que j'avais arrêté l'un pour l'autre, et que celui qu'on
devait arrêter était sauvé.

— Mais Athos ? s'écria d'Artagnan, dont l'impatience
se doublait de l'abandon où l'autorité laissait la chose :
Athos, qu'est-il devenu ?

— Comme j'avais hâte de réparer mes torts envers
le prisonnier, reprit l'aubergiste, je m'acheminai vers
la cave afin de lui rendre sa liberté. Ah! Monsieur, ce
n'était plus un homme, c'était un diable. A cette proposition de liberté, il déclara que c'était un piège qu'on
lui tendait et qu'avant de sortir il entendait imposer
ses conditions. Je lui dis bien humblement, car je ne me
dissimulais pas la mauvaise position où je m'étais mis
en portant la main sur un mousquetaire de Sa Majesté,
je lui dis que j'étais prêt à me soumettre à ses conditions.

« — D'abord, dit-il, je veux qu'on me rende mon
valet tout armé.

« On s'empressa d'obéir à cet ordre; car vous comprenez bien, Monsieur, que nous étions disposés à faire
tout ce que voudrait votre ami. M. Grimaud (il a dit
son nom, celui-là, quoiqu'il ne parle pas beaucoup),
M. Grimaud fut donc descendu à la cave, tout blessé
qu'il était; alors, son maître l'ayant reçu, rebarricada
la porte et nous ordonna de rester dans notre boutique.

— Mais enfin, s'écria d'Artagnan, où est-il? Où est
Athos?

— Dans la cave, Monsieur.

— Comment, malheureux, vous le retenez dans la
cave depuis ce temps-là?

— Bonté divine! Non, Monsieur. Nous, le retenir
dans la cave! Vous ne savez donc pas ce qu'il y fait,
dans la cave! Ah! si vous pouviez l'en faire sortir, Monsieur, je vous en serais reconnaissant toute ma vie, je
vous adorerais comme mon patron.

— Alors il est là, je le retrouverai là?

— Sans doute, Monsieur, il s'est obstiné à y rester.
Tous les jours on lui passe par le soupirail du pain au
bout d'une fourche, et de la viande quand il en demande;

mais, hélas! ce n'est pas de pain et de viande qu'il fait
la plus grande consommation. Une fois, j'ai essayé de
descendre avec deux de mes garçons, mais il est entré
dans une terrible fureur. J'ai entendu le bruit de ses
pistolets qu'il armait et de son mousqueton qu'armait
son domestique. Puis, comme nous leur demandions
quelles étaient leurs intentions, le maître a répondu qu'ils
avaient quarante coups à tirer lui et son laquais, et
qu'ils les tireraient jusqu'au dernier plutôt que de permettre qu'un seul de nous mît le pied dans la cave.
Alors, Monsieur, j'ai été me plaindre au gouverneur,
lequel m'a répondu que je n'avais que ce que je méritais,
et que cela m'apprendrait à insulter les honorables
seigneurs qui prenaient gîte chez moi.

— De sorte que, depuis ce temps?... reprit d'Artagnan, ne pouvant s'empêcher de rire de la figure piteuse
de son hôte.

— De sorte que, depuis ce temps, Monsieur, continua
celui-ci, nous menons la vie la plus triste qui se puisse
voir ; car, Monsieur, il faut que vous sachiez que toutes
nos provisions sont dans la cave ; il y a notre vin en
bouteilles et notre vin en pièces, la bière, l'huile et les
épices, le lard et les saucissons ; et comme il nous est
défendu d'y descendre, nous sommes forcés de refuser
le boire et le manger aux voyageurs qui nous arrivent,
de sorte que tous les jours notre hôtellerie se perd. Encore
une semaine avec votre ami dans ma cave, et nous
sommes ruinés.

— Et ce sera justice, drôle. Ne voyait-on pas bien,
à notre mine, que nous étions gens de qualité et non
faussaires, dites?

— Oui, Monsieur, oui, vous avez raison, dit l'hôte.
Mais tenez, tenez, le voilà qui s'emporte.

— Sans doute qu'on l'aura troublé, dit d'Artagnan.

— Mais il faut bien qu'on le trouble, s'écria l'hôte ;
il vient de nous arriver deux gentilshommes anglais.

— Eh bien ?

— Eh bien ! les Anglais aiment le bon vin, comme
vous savez, Monsieur ; ceux-ci ont demandé du meilleur.
Ma femme alors aura sollicité de M. Athos la permission
d'entrer pour satisfaire ces Messieurs ; et il aura refusé
comme de coutume. Ah ! bonté divine ! voilà le sabbat
qui redouble !

D'Artagnan, en effet, entendit mener un grand bruit
du côté de la cave ; il se leva et, précédé de l'hôte qui se
tordait les mains, et suivi de Planchet qui tenait son
mousqueton tout armé, il s'approcha du lieu de la
scène.

Les deux gentilshommes étaient exaspérés, ils
avaient fait une longue course et mouraient de faim et
de soif.

— Mais c'est une tyrannie, s'écriaient-ils en très bon
français ; quoique avec un accent étranger, que
ce maître fou ne veuille pas laisser à ces bonnes gens
l'usage de leur vin. Çà, nous allons enfoncer la porte,
et s'il est trop enragé, eh bien ! nous le tuerons.

— Tout beau, Messieurs ! dit d'Artagnan en tirant
ses pistolets de sa ceinture ; vous ne tuerez personne,
s'il vous plaît.

— Bon, bon, disait derrière la porte la voix calme
d'Athos, qu'on les laisse un peu entrer, ces mangeurs
de petits enfants, et nous allons voir.

Tout braves qu'ils paraissaient être, les deux gentilshommes anglais se regardèrent en hésitant ; on eût dit
qu'il y avait dans cette cave un de ces ogres faméliques,
gigantesques héros des légendes populaires, et dont nul
ne force impunément la caverne.

Il y eut un moment de silence ; mais enfin les deux

Anglais eurent honte de reculer, et le plus hargneux des deux descendit les cinq ou six marches dont se composait l'escalier et donna dans la porte un coup de pied à fendre une muraille.

— Planchet, dit d'Artagnan en armant ses pistolets, je me charge de celui qui est en haut, charge-toi de celui qui est en bas. Ah! Messieurs! vous voulez de la bataille! Eh bien! on va vous en donner!

— Mon Dieu, s'écria la voix creuse d'Athos, j'entends d'Artagnan, ce me semble.

— En effet, dit d'Artagnan en haussant la voix à son tour, c'est moi-même, mon ami.

— Ah, bon! alors, dit Athos, nous allons les travailler, ces enfonceurs de portes.

Les gentilshommes avaient mis l'épée à la main, mais ils se trouvaient pris entre deux feux; ils hésitèrent un instant encore; mais, comme la première fois, l'orgueil l'emporta, et un second coup de pied fit craquer la porte dans toute sa hauteur.

— Range-toi, d'Artagnan, range-toi, cria Athos, range-toi, je vais tirer.

— Messieurs, dit d'Artagnan, que la réflexion n'abandonnait jamais, Messieurs, songez-y! De la patience, Athos. Vous vous engagez là dans une mauvaise affaire, et vous allez être criblés. Voici mon valet et moi qui vous lâcherons trois coups de feu, autant vous arriveront de la cave; puis nous aurons encore nos épées, dont, je vous assure, mon ami et moi nous jouons passablement. Laissez-moi faire vos affaires et les miennes. Tout à l'heure vous aurez à boire, je vous en donne ma parole.

— S'il en reste, grogna la voix railleuse d'Athos.

L'hôtelier sentit une sueur froide couler le long de son échine.

— Comment, s'il en reste! murmura-t-il.

— Que diable! il en restera, reprit d'Artagnan ; soyez donc tranquille, à eux deux ils n'auront pas bu toute la cave. Messieurs, remettez vos épées au fourreau.

— Eh bien! vous, remettez vos pistolets à votre ceinture.

— Volontiers.

Et d'Artagnan donna l'exemple. Puis, se retournant vers Planchet, il lui fit signe de désarmer son mousqueton.

Les Anglais, convaincus, remirent en grommelant leurs épées au fourreau. On leur raconta l'histoire de l'emprisonnement d'Athos. Et comme ils étaient bons gentilshommes, ils donnèrent tort à l'hôtelier.

— Maintenant, Messieurs, dit d'Artagnan, remontez chez vous, et, dans dix minutes, je vous réponds qu'on vous y portera tout ce que vous pourrez désirer.

Les Anglais saluèrent et sortirent.

— Maintenant que je suis seul, mon cher Athos, dit d'Artagnan, ouvrez-moi la porte, je vous en prie.

— A l'instant même, dit Athos.

Alors on entendit un grand bruit de fagots entrechoqués et de poutres gémissantes : c'étaient les contrescarpes et les bastions d'Athos, que l'assiégé démolissait lui-même.

Un instant après, la porte s'ébranla, et l'on vit paraître la tête pâle d'Athos qui, d'un coup d'œil rapide, explorait les environs.

D'Artagnan se jeta à son cou et l'embrassa tendrement ; puis il voulut l'entraîner hors de ce séjour humide, alors il s'aperçut qu'Athos chancelait.

— Vous êtes blessé ? lui dit-il.

— Moi! pas le moins du monde ; je suis ivre mort, voilà tout, et jamais homme n'a mieux fait ce qu'il fallait pour cela. Vive Dieu! mon hôte, il faut que j'en aie bu au moins pour ma part cent cinquante bouteilles.

— Miséricorde! s'écria l'hôte, si le valet en a bu la moitié du maître seulement, je suis ruiné.

— Grimaud est un laquais de bonne maison, qui ne se serait pas permis le même ordinaire que moi ; il a bu à la pièce seulement ; tenez, je crois qu'il a oublié de remettre le fosset. Entendez-vous? Cela coule.

D'Artagnan partit d'un éclat de rire qui changea le frisson de l'hôte en fièvre chaude.

En même temps, Grimaud parut à son tour derrière son maître, le mousqueton sur l'épaule, la tête tremblante, comme ces satyres ivres des tableaux de Rubens. Il était arrosé par-devant et par-derrière d'une liqueur grasse que l'hôte reconnut pour être sa meilleure huile d'olive.

Le cortège traversa la grande salle et alla s'installer dans la meilleure chambre de l'auberge, que d'Artagnan occupa d'autorité.

Pendant ce temps, l'hôte et sa femme se précipitèrent avec des lampes dans la cave, qui leur avait été si longtemps interdite et où un affreux spectacle les attendait.

Au-delà des fortifications auxquelles Athos avait fait brèche pour sortir et qui se composaient de fagots, de planches et de futailles vides entassées selon toutes les règles de l'art stratégique, on voyait çà et là, nageant dans les mares d'huile et de vin, les ossements de tous les jambons mangés, tandis qu'un amas de bouteilles cassées jonchait tout l'angle gauche de la cave et qu'un tonneau, dont le robinet était resté ouvert, perdait par cette ouverture les dernières gouttes de son sang. L'image de la dévastation et de la mort, comme dit le poète de l'Antiquité, régnait là comme sur un champ de bataille.

Sur cinquante saucissons, pendus aux solives, dix restaient à peine.

Alors les hurlements de l'hôte et de l'hôtesse percèrent la voûte de la cave, d'Artagnan lui-même en fut ému. Athos ne tourna pas même la tête.

Mais à la douleur succéda la rage. L'hôte s'arma d'une broche et, dans son désespoir, s'élança dans la chambre où les deux amis s'étaient retirés.

— Du vin! dit Athos en apercevant l'hôte.

— Du vin! s'écria l'hôte stupéfait, du vin! mais vous m'en avez bu pour plus de cent pistoles; mais je suis un homme ruiné, perdu, anéanti!

— Bah! dit Athos, nous sommes constamment restés sur notre soif.

— Si vous vous étiez contentés de boire, encore; mais vous avez cassé toutes les bouteilles.

— Vous m'avez poussé sur un tas qui a dégringolé. C'est votre faute.

— Toute mon huile est perdue!

— L'huile est un baume souverain pour les blessures, et il fallait bien que ce pauvre Grimaud pansât celles que vous lui avez faites.

— Tous mes saucissons rongés!

— Il y a énormément de rats dans cette cave.

— Vous allez me payer tout cela, cria l'hôte exaspéré.

— Triple drôle! dit Athos en se soulevant. Mais il retomba aussitôt; il venait de donner la mesure de ses forces. D'Artagnan vint à son secours en levant sa cravache.

L'hôte recula d'un pas et se mit à fondre en larmes.

— Cela vous apprendra, dit d'Artagnan, à traiter d'une façon plus courtoise les hôtes que Dieu vous envoie.

— Dieu..., dites le diable!

— Mon cher ami, dit d'Artagnan, si vous nous rompez encore les oreilles, nous allons nous renfermer tous les quatre dans votre cave, et nous verrons si véritablement le dégât est aussi grand que vous le dites.

— Eh bien! oui, Messieurs, dit l'hôte, j'ai tort, je l'avoue, mais à tout péché miséricorde ; vous êtes des seigneurs et je suis un pauvre aubergiste, vous aurez pitié de moi.

— Ah! si tu parles comme cela, dit Athos, tu vas me fendre le cœur, et les larmes vont couler de mes yeux comme le vin coulait de tes futailles. On n'est pas si diable qu'on en a l'air. Voyons, viens ici et causons.

L'hôte s'approcha avec inquiétude.

— Viens, te dis-je, et n'aie pas peur, continua Athos. Au moment où j'allais te payer, j'avais posé ma bourse sur la table.

— Oui, Monseigneur.

— Cette bourse contenait soixante pistoles, où est-elle ?

— Déposée au greffe, Monseigneur ; on avait dit que c'était de la fausse monnaie.

— Eh bien! fais-toi rendre ma bourse, et garde les soixante pistoles.

— Mais Monseigneur sait bien que le greffe ne lâche pas ce qu'il tient. Si c'était de la fausse monnaie, il y aurait encore de l'espoir ; mais malheureusement ce sont de bonnes pièces.

— Arrange-toi avec lui, mon brave homme, cela ne me regarde pas, d'autant plus qu'il ne me reste pas une livre.

— Voyons, dit d'Artagnan, l'ancien cheval d'Athos, où est-il ?

— A l'écurie.

— Combien vaut-il ?

— Cinquante pistoles tout au plus.

— Il en vaut quatre-vingts ; prends-le, et que tout soit dit.

— Comment! tu vends mon cheval, dit Athos, tu vends mon Bajazet? Et sur quoi ferai-je la campagne? Sur Grimaud?

— Je t'en amène un autre, dit d'Artagnan.

— Un autre?

— Et magnifique! s'écria l'hôte.

— Alors, s'il y en a un autre plus beau et plus jeune, prends le vieux, et à boire!

— Duquel? demanda l'hôte tout à fait rasséréné.

— De celui qui est au fond, près des lattes ; il en reste encore vingt-cinq bouteilles, toutes les autres ont été cassées dans ma chute. Montez-en six.

— Mais c'est un foudre que cet homme! dit l'hôte à part lui ; s'il reste seulement quinze jours ici, et qu'il paye ce qu'il boira, je rétablirai mes affaires.

— Et n'oublie pas, continua d'Artagnan, de monter quatre bouteilles du pareil aux deux seigneurs anglais.

— Maintenant, dit Athos, en attendant qu'on nous apporte du vin, conte-moi, d'Artagnan, ce que sont devenus les autres ; voyons.

D'Artagnan lui raconta comment il avait trouvé Porthos dans son lit avec une foulure, et Aramis à une table entre les deux théologiens. Comme il achevait, l'hôte rentra avec les bouteilles demandées et un jambon qui, heureusement pour lui, était resté hors de la cave.

— C'est bien, dit Athos en emplissant son verre et celui de d'Artagnan, voilà pour Porthos et pour Aramis ; mais vous, mon ami, qu'avez-vous et que vous est-il arrivé personnellement? Je vous trouve un air sinistre.

— Hélas! dit d'Artagnan, c'est que je suis le plus malheureux de nous tous, moi!

— Toi malheureux, d'Artagnan! dit Athos. Voyons, comment es-tu malheureux? Dis-moi cela.

— Plus tard, dit d'Artagnan.

— Plus tard! Et pourquoi plus tard? Parce que tu crois que je suis ivre, d'Artagnan? Retiens bien ceci : je n'ai jamais les idées plus nettes que dans le vin. Parle donc, je suis tout oreilles.

D'Artagnan raconta son aventure avec Mme Bonacieux.

Athos l'écouta sans sourciller ; puis, lorsqu'il eut fini :

— Misères que tout cela, dit Athos, misères!

C'était le mot d'Athos.

— Vous dites toujours *misères!* mon cher Athos, dit d'Artagnan ; cela vous sied bien mal, à vous qui n'avez jamais aimé.

L'œil mort d'Athos s'enflamma soudain ; mais ce ne fut qu'un éclair, il redevint terne et vague comme auparavant.

— C'est vrai, dit-il tranquillement, je n'ai jamais aimé, moi.

— Vous voyez bien alors, cœur de pierre, dit d'Artagnan, que vous avez tort d'être dur pour nous autres cœurs tendres.

— Cœurs tendres, cœurs percés, dit Athos.

— Que dites-vous?

— Je dis que l'amour est une loterie où celui qui gagne, gagne la mort! Vous êtes bien heureux d'avoir perdu, croyez-moi, mon cher d'Artagnan. Et si j'ai un conseil à vous donner, c'est de perdre toujours.

— Elle avait l'air de si bien m'aimer!

— Elle en avait l'air.

— Oh! elle m'aimait.

— Enfant! il n'y a pas un homme qui n'ait cru comme

vous que sa maîtresse l'aimait, et il n'y a pas un homme
qui n'ait été trompé par sa maîtresse.

— Excepté vous, Athos, qui n'en avez jamais eu.

— C'est vrai, dit Athos après un moment de silence,
je n'en ai jamais eu, moi. Buvons!

— Mais alors, philosophe que vous êtes, dit d'Artagnan, instruisez-moi, soutenez-moi ; j'ai besoin de savoir
et d'être consolé.

— Consolé de quoi?

— De mon malheur.

— Votre malheur fait rire, dit Athos en haussant les
épaules ; je serais curieux de savoir ce que vous diriez si
je vous racontais une histoire d'amour.

— Arrivée à vous?

— Ou à un de mes amis, qu'importe!

— Dites, Athos, dites.

— Buvons, nous ferons mieux.

— Buvez et racontez.

— Au fait, cela se peut, dit Athos en vidant et remplissant son verre, les deux choses vont à merveille
ensemble.

— J'écoute, dit d'Artagnan.

Athos se recueillit, et, à mesure qu'il se recueillait,
d'Artagnan le voyait pâlir ; il en était à cette période de
l'ivresse où les buveurs vulgaires tombent et dorment
Lui, il rêvait tout haut sans dormir. Ce somnambulisme
de l'ivresse avait quelque chose d'effrayant.

— Vous le voulez absolument? demanda-t-il.

— Je vous en prie, dit d'Artagnan.

— Qu'il soit fait donc comme vous le désirez. Un
de mes amis, un de mes amis, entendez-vous bien! Pas
moi, dit Athos en s'interrompant avec un sourire sombre ; un des comtes de ma province, c'est-à-dire du
Berry, noble comme un Dandolo ou un Montmorency

devint amoureux à vingt-cinq ans d'une jeune fille de
seize, belle comme les amours. A travers la naïveté de
son âge perçait un esprit ardent, un esprit non pas de
femme, mais de poète ; elle ne plaisait pas, elle enivrait ;
elle vivait dans un petit bourg, près de son frère qui
était curé. Tous deux étaient arrivés dans le pays, ils
venaient on ne savait d'où ; mais en la voyant si belle et
en voyant son frère si pieux, on ne songeait pas à leur
demander d'où ils venaient. Du reste, on les disait
de bonne extraction. Mon ami, qui était le seigneur
du pays, aurait pu la séduire ou la prendre de force, à
son gré, il était le maître ; qui serait venu à l'aide de deux
étrangers, de deux inconnus ? Malheureusement il était
honnête homme, il l'épousa. Le sot, le niais, l'imbécile !

— Mais pourquoi cela, puisqu'il l'aimait ? demanda
d'Artagnan.

— Attendez donc, dit Athos. Il l'emmena dans son
château, et en fit la première dame de sa province; et il
faut lui rendre justice, elle tenait parfaitement son rang.

— Eh bien ? demanda d'Artagnan.

— Eh bien ! un jour qu'elle était à la chasse avec son
mari, continua Athos à voix basse et en parlant fort vite,
elle tomba de cheval et s'évanouit ; le comte s'élança à
son secours, et comme elle étouffait dans ses habits, il
les fendit avec son poignard et lui découvrit l'épaule.
Devinez ce qu'elle avait sur l'épaule, d'Artagnan ? dit
Athos avec un grand éclat de rire.

— Puis-je le savoir ? demanda d'Artagnan.

— Une fleur de lys, dit Athos. Elle était marquée !

Et Athos vida d'un seul trait le verre qu'il tenait à la
main.

— Horreur ! s'écria d'Artagnan, que me dites-vous là ?

— La vérité. Mon cher, l'ange était un démon. La
pauvre jeune fille avait volé.

— Et que fit le comte?

— Le comte était un grand seigneur, il avait sur ses terres droit de justice basse et haute : il acheva de déchirer les habits de la comtesse, il lui lia les mains derrière le dos et la pendit à un arbre.

— Ciel! Athos! un meurtre! s'écria d'Artagnan.

— Oui, un meurtre, pas davantage, dit Athos pâle comme la mort. Mais on me laisse manquer de vin, ce me semble.

Et Athos saisit au goulot la dernière bouteille qui restait, l'approcha de sa bouche et la vida d'un seul trait, comme il eût fait d'un verre ordinaire.

Puis il laissa tomber sa tête sur ses deux mains ; d'Artagnan demeura devant lui, saisi d'épouvante.

— Cela m'a guéri des femmes belles, poétiques et amoureuses, dit Athos en se relevant et sans songer à continuer l'apologue du comte. Dieu vous en accorde autant! Buvons!

— Ainsi elle est morte? balbutia d'Artagnan.

— Parbleu! dit Athos. Mais tendez votre verre. Du jambon, drôle, cria Athos, nous ne pouvons plus boire!

— Et son frère? ajouta timidement d'Artagnan.

— Son frère? reprit Athos.

— Oui, le prêtre?

— Ah! je m'en informai pour le faire pendre à son tour ; mais il avait pris les devants, il avait quitté sa cure depuis la veille.

— A-t-on su au moins ce que c'était que ce misérable?

— C'était sans doute le premier amant et le complice de la belle, un digne homme qui avait fait semblant d'être curé peut-être pour marier sa maîtresse et lui assurer un sort. Il aura été écartelé, je l'espère.

— Oh! mon Dieu! mon Dieu! fit d'Artagnan, tout étourdi de cette horrible aventure.

— Mangez donc de ce jambon, d'Artagnan, il est
exquis, dit Athos en coupant une tranche qu'il mit sur
l'assiette du jeune homme. Quel malheur qu'il n'y en
ait pas eu seulement quatre comme celui-là dans la cave!
J'aurais bu cinquante bouteilles de plus.

D'Artagnan ne pouvait plus supporter cette conversation, qui l'eût rendu fou ; il laissa tomber sa tête sur
ses deux mains et fit semblant de s'endormir.

— Les jeunes gens ne savent plus boire, dit Athos
en le regardant en pitié, et pourtant celui-là est des
meilleurs!...

XXVIII

RETOUR

D'Artagnan était resté étourdi de la terrible confidence d'Athos ; cependant bien des choses lui paraissaient encore obscures dans cette demi-révélation ;
d'abord elle avait été faite par un homme tout à fait ivre
à un homme qui l'était à moitié, et cependant, malgré
ce vague que fait monter au cerveau la fumée de deux
ou trois bouteilles de bourgogne, d'Artagnan, en se ré-
veillant le lendemain matin, avait chaque parole d'Athos
aussi présente à son esprit que si, à mesure qu'elles
étaient tombées de sa bouche, elles s'étaient imprimées
dans son esprit. Tout ce doute ne lui donna qu'un plus
vif désir d'arriver à une certitude, et il passa chez son
ami avec l'intention bien arrêtée de renouer sa conversation de la veille ; mais il trouva Athos de sens tout à
fait rassis, c'est-à-dire le plus fin et le plus impénétrable
des hommes.

Au reste, le mousquetaire, après avoir échangé avec lui une poignée de main, alla le premier au-devant de sa pensée.

— J'étais bien ivre hier, mon cher d'Artagnan, dit-il, j'ai senti cela ce matin à ma langue, qui était encore fort épaisse, et à mon pouls qui était encore fort agité ; je parie que j'ai dit mille extravagances.

Et, en disant ces mots, il regarda son ami avec une fixité qui l'embarrassa.

— Mais non pas, répliqua d'Artagnan, et, si je me le rappelle bien, vous n'avez rien dit que de fort ordinaire.

— Ah! vous m'étonnez! Je croyais vous avoir raconté une histoire des plus lamentables.

Et il regardait le jeune homme comme s'il eût voulu lire au plus profond de son cœur.

— Ma foi! dit d'Artagnan, il paraît que j'étais encore plus ivre que vous, puisque je ne me souviens de rien.

Athos ne se paya point de cette parole, et il reprit :

— Vous n'êtes pas sans avoir remarqué, mon cher ami, que chacun a son genre d'ivresse, triste ou gaie ; moi, j'ai l'ivresse triste, et, quand une fois je suis gris, ma manie est de raconter toutes les histoires lugubres que ma sotte nourrice m'a inculquées dans le cerveau. C'est mon défaut ; défaut capital, j'en conviens ; mais, à cela près, je suis bon buveur.

Athos disait cela d'une façon si naturelle que d'Artagnan fut ébranlé dans sa conviction.

— Oh! c'est donc cela, en effet, reprit le jeune homme en essayant de ressaisir la vérité, c'est donc cela que je me souviens, comme, au reste, on se souvient d'un rêve, que nous avons parlé de pendus.

— Ah! vous voyez bien, dit Athos en pâlissant et cependant en essayant de rire, j'en étais sûr, les pendus sont mon cauchemar, à moi.

— Oui, oui, reprit d'Artagnan, et voilà la mémoire qui me revient ; oui, il s'agissait... attendez donc... il s'agissait d'une femme.

— Voyez, répondit Athos en devenant presque livide, c'est ma grande histoire de la femme blonde, et quand je raconte celle-là, c'est que je suis ivre mort.

— Oui, c'est cela, dit d'Artagnan, l'histoire de la femme blonde, grande et belle, aux yeux bleus.

— Oui, et pendue.

— Par son mari, qui était un seigneur de votre connaissance, continua d'Artagnan en regardant fixement Athos.

— Eh bien! voyez cependant comme on compromettrait un homme quand on ne sait plus ce que l'on dit, reprit Athos en haussant les épaules, comme s'il se fût pris lui-même en pitié. Décidément, je ne veux plus me griser, d'Artagnan, c'est une trop mauvaise habitude.

D'Artagnan garda le silence.

Puis Athos, changeant tout à coup de conversation :

— A propos, dit-il, je vous remercie du cheval que vous m'avez amené.

— Est-il de votre goût ? demanda d'Artagnan.

— Oui, mais ce n'était pas un cheval de fatigue.

— Vous vous trompez ; j'ai fait avec lui dix lieues en moins d'une heure et demie, et il n'y paraissait pas plus que s'il eût fait le tour de la place Saint-Sulpice.

— Ah çà! mais vous allez me donner des regrets.

— Des regrets ?

— Oui, je m'en suis défait.

— Comment cela ?

— Voici le fait : ce matin, je me suis réveillé à six heures, vous dormiez comme un sourd, et je ne savais que faire ; j'étais encore tout hébété de notre débauche d'hier ; je descendis dans la grande salle, et j'avisai un

de nos Anglais qui marchandait un cheval à un maquignon, le sien étant mort hier d'un coup de sang. Je
m'approchai de lui, et comme je vis qu'il offrait cent
pistoles d'un alezan brûlé : « Par Dieu, lui dis-je, mon
» gentilhomme, moi aussi j'ai un cheval à vendre.

« — Et très beau même, dit-il, je l'ai vu hier, le valet
» de votre ami le tenait en main.

« — Trouvez-vous qu'il vaille cent pistoles ?

« — Oui, et voulez-vous me le donner pour ce prix-
là ?

« — Non, mais je vous le joue.

« — Vous me le jouez ?

« — Oui.

« — A quoi ?

« — Aux dés ».

« Ce qui fut dit fut fait ; et j'ai perdu le cheval. Ah !
mais, par exemple, continua Athos, j'ai regagné le
caparaçon. »

D'Artagnan fit une mine assez maussade.

— Cela vous contrarie ? dit Athos.

— Mais oui, je vous l'avoue, reprit d'Artagnan ; ce
cheval devait servir à nous faire reconnaître un jour de
bataille ; c'était un gage, un souvenir. Athos, vous avez
eu tort.

— Eh ! mon cher ami, mettez-vous à ma place, reprit
le mousquetaire ; je m'ennuyais à périr, moi, et puis,
d'honneur, je n'aime pas les chevaux anglais. Voyons,
s'il ne s'agit que d'être reconnu par quelqu'un, eh bien !
la selle suffira ; elle est assez remarquable. Quant au
cheval, nous trouverons quelque excuse pour motiver
sa disparition. Que diable ! un cheval est mortel ; mettons que le mien a eu la morve ou le farcin.

D'Artagnan ne se déridait pas.

— Cela me contrarie, continua Athos, que vous

paraissiez tant tenir à ces animaux, car je ne suis pas au bout de mon histoire.

— Qu'avez-vous donc fait encore?

— Après avoir perdu mon cheval, neuf contre dix, voyez le coup, l'idée me vint de jouer le vôtre.

— Oui, mais vous vous en tîntes, j'espère, à l'idée?

— Non pas, je la mis à exécution à l'instant même.

— Ah! par exemple! s'écria d'Artagnan inquiet.

— Je jouai, et je perdis.

— Mon cheval?

— Votre cheval; sept contre huit; faute d'un point..., vous connaissez le proverbe.

— Athos, vous n'êtes pas dans votre bon sens, je vous jure!

— Mon cher, c'était hier, quand je vous contais mes sottes histoires, qu'il fallait me dire cela, et non pas ce matin. Je le perdis donc avec tous les équipages et harnais possibles.

— Mais c'est affreux!

— Attendez donc, vous n'y êtes point, je ferais un joueur excellent, si je ne m'entêtais pas; mais je m'entête, c'est comme quand je bois; je m'entêtai donc...

— Mais que pûtes-vous jouer, il ne vous restait plus rien?

— Si fait, si fait, mon ami; il nous restait ce diamant qui brille à votre doigt, et que j'avais remarqué hier.

— Ce diamant! s'écria d'Artagnan, en portant vivement la main à sa bague.

— Et comme je suis connaisseur, en ayant eu quelques-uns pour mon propre compte, je l'avais estimé mille pistoles.

— J'espère, dit sérieusement d'Artagnan à demi mort de frayeur, que vous n'avez aucunement fait mention de mon diamant?

— Au contraire, cher ami ; vous comprenez, ce diamant devenait notre seule ressource ; avec lui, je pouvais regagner nos harnais et nos chevaux, et, de plus, l'argent pour faire la route.

— Athos, vous me faites frémir! s'écria d'Artagnan.

— Je parlai donc de votre diamant à mon partenaire, lequel l'avait aussi remarqué. Que diable aussi, mon cher, vous portez à votre doigt une étoile du ciel, et vous ne voulez pas qu'on y fasse attention! Impossible!

— Achevez, mon cher ; achevez! dit d'Artagnan, car, d'honneur! avec votre sang-froid, vous me faites mourir!

— Nous divisâmes donc ce diamant en dix parties de cent pistoles chacune.

— Ah! vous voulez rire et m'éprouver? dit d'Artagnan, que la colère commençait à prendre aux cheveux comme Minerve prend Achille, dans l'*Iliade*.

— Non, je ne plaisante pas, mordieu! J'aurais bien voulu vous y voir, vous! Il y avait quinze jours que je n'avais envisagé face humaine et que j'étais là à m'abrutir en m'abouchant avec des bouteilles.

— Ce n'est point une raison pour jouer mon diamant, cela! répondit d'Artagnan en serrant sa main avec une crispation nerveuse.

— Écoutez donc la fin ; dix parties de cent pistoles chacune en dix coups sans revanche. En treize coups je perdis tout. En treize coups! Le nombre 13 m'a toujours été fatal, c'était le 13 du mois de juillet que...

— Ventrebleu! s'écria d'Artagnan en se levant de table, l'histoire du jour lui faisant oublier celle de la veille.

— Patience, dit Athos, j'avais un plan. L'Anglais était un original, je l'avais vu le matin causer avec Grimaud, et Grimaud m'avait averti qu'il lui avait fait

des propositions pour entrer à son service. Je lui joue
Grimaud, le silencieux Grimaud, divisé en dix portions.

— Ah! pour le coup! dit d'Artagnan éclatant de rire
malgré lui.

— Grimaud lui-même, entendez-vous cela! Et avec
les dix parts de Grimaud, qui ne vaut pas en tout un
ducaton, je regagne le diamant. Dites maintenant que
la persistance n'est pas une vertu.

— Ma foi, c'est très drôle! s'écria d'Artagnan consolé
et se tenant les côtes de rire.

— Vous comprenez que, me sentant en veine, je me
remis aussitôt à jouer sur le diamant.

— Ah! diable, dit d'Artagnan assombri de nouveau.

— J'ai regagné vos harnais, puis votre cheval, puis
mes harnais, puis mon cheval, puis reperdu. Bref, j'ai
rattrapé votre harnais, puis le mien. Voilà où nous
en sommes. C'est un coup superbe ; aussi je m'en suis
tenu là.

D'Artagnan respira comme si on lui eût enlevé
l'hôtellerie de dessus la poitrine.

— Enfin, le diamant me reste? dit-il timidement.

— Intact! cher ami ; plus les harnais de votre Bucé-
phale et du mien.

— Mais que ferons-nous de nos harnais sans chevaux?

— J'ai une idée sur eux.

— Athos, vous me faites frémir.

— Écoutez, vous n'avez pas joué depuis longtemps,
vous, d'Artagnan?

— Et je n'ai point l'envie de jouer.

— Ne jurons de rien. Vous n'avez pas joué depuis
longtemps, disais-je, vous devez donc avoir la main
bonne.

— Eh bien! après?

— Eh bien! l'Anglais et son compagnon sont encore

là. J'ai remarqué qu'ils regrettaient beaucoup les harnais. Vous, vous paraissez tenir à votre cheval. A votre
place, je jouerais vos harnais contre votre cheval.

— Mais il ne voudra pas un seul harnais.

— Jouez les deux, pardieu! Je ne suis point un
égoïste comme vous, moi.

— Vous feriez cela? dit d'Artagnan indécis, tant la
confiance d'Athos commençait à le gagner à son
insu.

— Parole d'honneur, en un seul coup.

— Mais c'est qu'ayant perdu les chevaux, je tenais
énormément à conserver les harnais.

— Jouez votre diamant, alors.

— Oh! ceci, c'est autre chose; jamais, jamais.

— Diable! dit Athos, je vous proposerais bien de
jouer Planchet; mais comme cela a déjà été fait, l'Anglais ne voudrait peut-être plus.

— Décidément, mon cher Athos, dit d'Artagnan,
j'aime mieux ne rien risquer.

— C'est dommage, dit froidement Athos, l'Anglais
est cousu de pistoles. Eh! mon Dieu! essayez un coup,
un coup est bientôt joué.

— Et si je perds?

— Vous gagnerez.

— Mais si je perds?

— Eh bien! vous donnerez les harnais.

— Va pour un coup, dit d'Artagnan.

Athos se mit en quête de l'Anglais et le trouva dans
l'écurie, où il examinait les harnais d'un œil de convoi-
tise. L'occasion était bonne. Il fit ses conditions : les
deux harnais contre un cheval ou cent pistoles, à choisir.
L'Anglais calcula vite : les deux harnais valaient trois
cents pistoles à eux deux; il topa.

D'Artagnan jeta les dés en tremblant et amena le

nombre trois ; sa pâleur effraya Athos, qui se contenta
de dire :

— Voilà un triste coup, compagnon ; vous aurez les
chevaux tout harnachés, Monsieur.

L'Anglais, triomphant, ne se donna pas même la
peine de rouler les dés, il les jeta sur la table sans regarder, tant il était sûr de la victoire ; d'Artagnan s'était
détourné pour cacher sa mauvaise humeur.

— Tiens, tiens, tiens, dit Athos avec sa voix tranquille, ce coup de dés est extraordinaire, et je ne l'ai
vu que quatre fois dans ma vie : deux as !

L'Anglais regarda et fut saisi d'étonnement, d'Artagnan regarda et fut saisi de plaisir.

— Oui, continua Athos, quatre fois seulement : une
fois chez M. de Créquy ; une autre fois chez moi, à la
campagne, dans mon château de... quand j'avais un
château ; une troisième fois chez M. de Tréville, où il
nous surprit tous ; enfin une quatrième fois au cabaret,
où il échut à moi et où je perdis sur lui cent louis et
un souper.

— Alors, Monsieur reprend son cheval, dit l'Anglais.

— Certes, dit d'Artagnan.

— Alors il n'y a pas de revanche ?

— Nos conditions disaient : pas de revanche, vous
vous le rappelez ?

— C'est vrai ; le cheval va être rendu à votre valet,
Monsieur.

— Un moment, dit Athos ; avec votre permission,
Monsieur, je demande à dire un mot à mon ami.

— Dites.

Athos tira d'Artagnan à part.

— Eh bien ! lui dit d'Artagnan, que me veux-tu
encore, tentateur, tu veux que je joue, n'est-ce pas ?

— Non, je veux que vous réfléchissiez.

— A quoi ?

— Vous allez reprendre le cheval, n'est-ce pas ?

— Sans doute.

— Vous avez tort, je prendrais les cent pistoles ; vous savez que vous avez joué les harnais contre le cheval ou cent pistoles, à votre choix.

— Oui.

— Je prendrais les cent pistoles.

— Eh bien, moi, je prends le cheval!

— Et vous avez tort, je vous le répète ; que ferons-nous d'un cheval pour nous deux, je ne puis pas monter en croupe, nous aurions l'air des deux fils Aymon qui ont perdu leurs frères ; vous ne pouvez pas m'humilier en chevauchant près de moi, en chevauchant sur ce magnifique destrier. Moi, sans balancer un seul instant, je prendrais les cent pistoles, nous avons besoin d'argent pour revenir à Paris.

— Je tiens à ce cheval, Athos.

— Et vous avez tort, mon ami ; un cheval prend un écart, un cheval bute et se couronne, un cheval mange dans un râtelier où a mangé un cheval morveux : voilà un cheval ou plutôt cent pistoles perdues ; il faut que le maître nourrisse son cheval, tandis qu'au contraire cent pistoles nourrissent leur maître.

— Mais comment reviendrons-nous ?

— Sur les chevaux de nos laquais, pardieu! on verra toujours bien à l'air de nos figures que nous sommes gens de condition.

— La belle mine que nous aurons sur des bidets, tandis qu'Aramis et Porthos caracoleront sur leurs chevaux!

— Aramis! Porthos! s'écria Athos, et il se mit à rire.

— Quoi? demanda d'Artagnan, qui ne comprenait rien à l'hilarité de son ami.

— Bien, bien, continuons, dit Athos.

— Ainsi, votre avis...

— Est de prendre les cent pistoles, d'Artagnan ;
avec les cent pistoles nous allons festiner jusqu'à la fin
du mois ; nous avons essuyé des fatigues, voyez-vous,
et il sera bon de nous reposer un peu.

— Me reposer ! Oh ! non, Athos, aussitôt à Paris je me
mets à la recherche de cette pauvre femme.

— Eh bien ! croyez-vous que votre cheval vous sera
aussi utile pour cela que de bons louis d'or ? Prenez les
cent pistoles, mon ami, prenez les cent pistoles.

D'Artagnan n'avait besoin que d'une raison pour se
rendre. Celle-là lui parut excellente. D'ailleurs, en résis-
tant plus longtemps, il craignait de paraître égoïste
aux yeux d'Athos ; il acquiesça donc et choisit
les cent pistoles, que l'Anglais lui compta sur-le-
champ.

Puis l'on ne songea plus qu'à partir. La paix signée
avec l'aubergiste, outre le vieux cheval d'Athos, coûta
six pistoles ; d'Artagnan et Athos prirent les chevaux de
Planchet et de Grimaud, les deux valets se mirent en route
à pied, portant les selles sur leurs têtes.

Si mal montés que fussent les deux amis, ils prirent
bientôt les devants sur leurs valets et arrivèrent à
Crèvecœur. De loin ils aperçurent Aramis mélancoliquement appuyé sur sa fenêtre et regardant, comme
ma sœur Anne, poudroyer l'horizon.

— Holà ! eh ! Aramis ! que diable faites-vous donc là ?
crièrent les deux amis.

— Ah ! c'est vous, d'Artagnan, c'est vous, Athos,
dit le jeune homme ; je songeais avec quelle rapidité
s'en vont les biens de ce monde, et mon cheval anglais,
qui s'éloignait et qui vient de disparaître au milieu d'un
tourbillon de poussière, m'était une vivante image de

la fragilité des choses de la terre. La vie elle-même peut
se résoudre en trois mots : *Erat, est, fuit.*

— Cela veut dire au fond ? demanda d'Artagnan, qui
commençait à se douter de la vérité.

— Cela veut dire que je viens de faire un marché de
dupe : soixante louis, un cheval qui, à la manière dont
il file, peut faire au trot cinq lieues à l'heure.

D'Artagnan et Athos éclatèrent de rire.

— Mon cher d'Artagnan, dit Aramis, ne m'en veuillez
pas trop, je vous prie : nécessité n'a pas de loi ; d'ailleurs je suis le premier puni, puisque cet infâme maquignon m'a volé de cinquante louis au moins. Ah ! vous
êtes bons ménagers, vous autres ! Vous venez sur les
chevaux de vos laquais et vous faites mener vos chevaux
de luxe en main, doucement et à petites journées.

Au même instant un fourgon, qui depuis quelques
instants pointait sur la route d'Amiens, s'arrêta, et l'on
vit sortir Grimaud et Planchet leurs selles sur la tête.
Le fourgon retournait à vide vers Paris, et les deux
laquais s'étaient engagés, moyennant leur transport, à
désaltérer le voiturier tout le long de la route.

— Qu'est-ce que cela ? dit Aramis en voyant ce qui
se passait ; rien que les selles ?

— Comprenez-vous maintenant ? dit Athos.

— Mes amis, c'est exactement comme moi. J'ai
conservé le harnais, par instinct. Holà, Bazin ! portez
mon harnais neuf auprès de celui de ces Messieurs.

— Et qu'avez-vous fait de vos curés ? demanda
d'Artagnan.

— Mon cher, je les ai invités à dîner le lendemain,
dit Aramis : il y a ici du vin exquis, cela soit dit en
passant ; je les ai grisés de mon mieux ; alors le curé
m'a défendu de quitter la casaque, et le jésuite m'a prié
de le faire recevoir mousquetaire.

— Sans thèse! cria d'Artagnan, sans thèse! Je demande la suppression de la thèse, moi!

— Depuis lors, continua Aramis, je vis agréablement. J'ai commencé un poème en vers d'une syllabe; c'est assez difficile, mais le mérite en toutes choses est dans la difficulté. La matière est galante, je vous lirai le premier chant, il a quatre cents vers et dure une minute.

— Ma foi, mon cher Aramis, dit d'Artagnan, qui détestait presque autant les vers que le latin, ajoutez au mérite de la difficulté celui de la brièveté, et vous êtes sûr au moins que votre poème aura deux mérites.

— Puis, continua Aramis, il respire des passions honnêtes, vous verrez. Ah çà! mes amis, nous retournons donc à Paris? Bravo, je suis prêt; nous allons donc revoir ce bon Porthos, tant mieux. Vous ne croyez pas qu'il me manquait, ce grand niais-là? Ce n'est pas lui qui aurait vendu son cheval, fût-ce contre un royaume. Je voudrais déjà le voir sur sa bête et sur sa selle. Il aura, j'en suis sûr, l'air du Grand Mogol.

On fit une halte d'une heure pour faire souffler les chevaux; Aramis solda son compte, plaça Bazin dans le fourgon avec ses camarades, et l'on se mit en route pour aller retrouver Porthos.

On le trouva debout, moins pâle que ne l'avait vu d'Artagnan à sa première visite, et assis à une table où, quoiqu'il fût seul, figurait un dîner de quatre personnes; ce dîner se composait de viandes galamment troussées, de vins choisis et de fruits superbes.

— Ah! pardieu! dit-il en se levant, vous arrivez à merveille, Messieurs, j'en étais justement au potage, et vous allez dîner avec moi.

— Oh! oh! fit d'Artagnan, ce n'est pas Mousqueton qui a pris au lasso de pareilles bouteilles, puis voilà un fricandeau piqué et un filet de bœuf...

— Je me refais, dit Porthos, je me refais, rien n'affaiblit comme ces diables de foulures ; avez-vous eu des foulures, Athos ?

— Jamais ; seulement je me rappelle que dans notre échauffourée de la rue Férou je reçus un coup d'épée qui, au bout de quinze ou dix-huit jours, m'avait produit exactement le même effet.

— Mais ce dîner n'était pas pour vous seul, mon cher Porthos ? dit Aramis.

— Non, dit Porthos ; j'attendais quelques gentils-hommes du voisinage qui viennent de me faire dire qu'ils ne viendraient pas ; vous les remplacerez, et je ne perdrai pas au change. Holà ! Mousqueton ! des sièges, et que l'on double les bouteilles !

— Savez-vous ce que nous mangeons ici ? dit Athos au bout de dix minutes.

— Pardieu ! répondit d'Artagnan, moi je mange du veau piqué aux cardons et à la moelle.

— Et moi des filets d'agneau, dit Porthos.

— Et moi un blanc de volaille, dit Aramis.

— Vous vous trompez tous, Messieurs, répondit Athos, vous mangez du cheval.

— Allons donc ! dit d'Artagnan.

— Du cheval ! fit Aramis avec une grimace de dégoût.

Porthos seul ne répondit pas.

— Oui, du cheval, n'est-ce pas, Porthos, que nous mangeons du cheval ? Peut-être même les caparaçons avec !

— Non, Messieurs, j'ai gardé le harnais, dit Porthos.

— Ma foi, nous nous valons tous, dit Aramis : on dirait que nous nous sommes donné le mot.

— Que voulez-vous, dit Porthos, ce cheval faisait honte à mes visiteurs, et je n'ai pas voulu les humilier !

— Puis, votre duchesse est toujours aux eaux, n'est-ce pas? reprit d'Artagnan.

— Toujours, répondit Porthos. Or, ma foi, le gouverneur de la province, un des gentilshommes que j'attendais aujourd'hui à dîner, m'a paru le désirer si fort que je le lui ai donné.

— Donné! s'écria d'Artagnan.

— Oh! mon Dieu! oui, donné! c'est le mot, dit Porthos; car il valait certainement cent cinquante louis, et le ladre n'a voulu me le payer que quatre-vingts.

— Sans la selle? dit Aramis.

— Oui, sans la selle.

— Vous remarquerez, Messieurs, dit Athos, que c'est encore Porthos qui a fait le meilleur marché de nous tous.

Ce fut alors un hourra de rires dont le pauvre Porthos fut tout saisi; mais on lui expliqua bientôt la raison de cette hilarité, qu'il partagea bruyamment selon sa coutume.

— De sorte que nous sommes tous en fonds? dit d'Artagnan.

— Mais pas pour mon compte, dit Athos; j'ai trouvé le vin d'Espagne d'Aramis si bon que j'en ai fait charger une soixantaine de bouteilles dans le fourgon des laquais: ce qui m'a fort désargenté.

— Et moi, dit Aramis, imaginez donc que j'avais donné jusqu'à mon dernier sou à l'église de Montdidier et aux jésuites d'Amiens; que j'avais pris en outre des engagements qu'il m'a fallu tenir, des messes commandées pour moi et pour vous, Messieurs, que l'on dira, Messieurs, et dont je ne doute pas que nous ne nous trouvions à merveille.

— Et moi, dit Porthos, ma foulure, croyez-vous qu'elle

ne m'a rien coûté? Sans compter la blessure de Mousqueton, pour laquelle j'ai été obligé de faire venir le chirurgien deux fois par jour, lequel m'a fait payer ses visites double, sous prétexte que cet imbécile de Mousqueton avait été se faire donner une balle dans un endroit qu'on ne montre ordinairement qu'aux apothicaires ; aussi je lui ai bien recommandé de ne plus se faire blesser là.

— Allons, allons, dit Athos en échangeant un sourire avec d'Artagnan et Aramis, je vois que vous vous êtes conduit grandement à l'égard du pauvre garçon ; c'est d'un bon maître.

— Bref, continua Porthos, ma dépense payée, il me restera bien une trentaine d'écus.

— Et à moi une dizaine de pistoles, dit Aramis.

— Allons, allons, dit Athos, il paraît que nous sommes les Crésus de la société. Combien vous reste-t-il sur vos cent pistoles, d'Artagnan ?

— Sur mes cent pistoles ? D'abord, je vous en ai donné cinquante.

— Vous croyez ?

— Pardieu !

— Ah! c'est vrai, je me rappelle.

— Puis, j'en ai payé six à l'hôte.

— Quel animal que cet hôte ! Pourquoi lui avez-vous donné six pistoles ?

— C'est vous qui m'avez dit de les lui donner.

— C'est vrai que je suis trop bon. Bref, en reliquat ?

— Vingt-cinq pistoles, dit d'Artagnan.

— Et moi, dit Athos en tirant quelque menue monnaie de sa poche, moi...

— Vous, rien.

— Ma foi, ou si peu de chose que ce n'est pas la peine de rapporter à la masse.

— Maintenant, calculons combien nous possédons
en tout : Porthos ?

— Trente écus.

— Aramis ?

— Dix pistoles.

— Et vous, d'Artagnan ?

— Vingt-cinq.

— Cela fait en tout ? dit Athos.

— Quatre cent soixante-quinze livres ! dit d'Artagnan, qui comptait comme Archimède.

— Arrivés à Paris, nous en aurons bien encore quatre
cents, dit Porthos, plus les harnais.

— Mais nos chevaux d'escadron ? dit Aramis.

— Eh bien ! des quatre chevaux des laquais nous en
ferons deux de maître que nous tirerons au sort ; avec
les quatre cents livres, on en fera un demi pour un des
démontés, puis nous donnerons les grattures de nos
poches à d'Artagnan, qui a la main bonne, et qui ira
les jouer dans le premier tripot venu, voilà.

— Dînons donc, dit Porthos, cela refroidit.

Les quatre amis, plus tranquilles désormais sur leur
avenir, firent honneur au repas, dont les restes furent
abandonnés à MM. Mousqueton, Bazin, Planchet et
Grimaud.

En arrivant à Paris, d'Artagnan trouva une lettre
de M. de Tréville qui le prévenait que, sur sa demande,
le roi venait de lui accorder la faveur d'entrer dans les
mousquetaires.

Comme c'était tout ce que d'Artagnan ambitionnait
au monde, à part bien entendu le désir de retrouver
Mme Bonacieux, il courut tout joyeux chez ses camarades, qu'il venait de quitter il y avait une demi-heure,
et qu'il trouva fort tristes et fort préoccupés. Ils
étaient réunis en conseil chez Athos, ce qui indiquait

toujours des circonstances d'une certaine gravité.

M. de Tréville venait de les faire prévenir que l'intention bien arrêtée de Sa Majesté étant d'ouvrir la campagne le 1er mai, ils eussent à préparer incontinent leurs équipages.

Les quatre philosophes se regardèrent tout ébahis : M. de Tréville ne plaisantait pas sous le rapport de la discipline.

— Et à combien estimez-vous ces équipages? dit d'Artagnan.

— Oh! il n'y a pas à dire, reprit Aramis, nous venons de faire nos comptes avec une lésinerie de Spartiate, et il nous faut à chacun quinze cents livres.

— Quatre fois quinze font soixante, soit six mille livres, dit Athos.

— Moi, dit d'Artagnan, il me semble qu'avec mille livres chacun ; il est vrai que je ne parle pas en Spartiate, mais en procureur...

Ce mot de procureur réveilla Porthos.

— Tiens, j'ai une idée! dit-il.

— C'est déjà quelque chose, moi, je n'en ai pas même l'ombre, dit froidement Athos ; mais quant à d'Artagnan, Messieurs, le bonheur d'être désormais des nôtres l'a rendu fou. Mille livres! Je déclare que pour moi seul il m'en faut deux mille.

— Quatre fois deux font huit, dit alors Aramis ; c'est donc huit mille livres qu'il nous faut pour nos équipages, sur lesquels équipages, il est vrai, nous avons déjà les selles.

— Plus, dit Athos, en attendant que d'Artagnan qui allait remercier M. de Tréville eût fermé la porte, plus ce beau diamant qui brille au doigt de notre ami. Que diable! d'Artagnan est trop bon camarade pour laisser des frères dans l'embarras, quand il porte à son médius la rançon d'un roi.

XXIX

LA CHASSE A L'ÉQUIPEMENT

Le plus préoccupé des quatre amis était bien certainement d'Artagnan, quoique d'Artagnan, en sa qualité de garde, fût bien plus facile à équiper que Messieurs les mousquetaires, qui étaient des seigneurs ; mais notre cadet de Gascogne était, comme on a pu le voir, d'un caractère prévoyant et presque avare, et avec cela (expliquez les contraires) glorieux presque à rendre des points à Porthos. A cette préoccupation de sa vanité, d'Artagnan joignait en ce moment une inquiétude moins égoïste. Quelques informations qu'il eût pu prendre sur Mme Bonacieux, il ne lui en était venu aucune nouvelle. M. de Tréville en avait parlé à la reine ; la reine ignorait où était la jeune mercière et avait promis de la faire chercher. Mais cette promesse était bien vague et ne rassurait guère d'Artagnan.

Athos ne sortait pas de sa chambre ; il était résolu à ne pas risquer une enjambée pour s'équiper.

— Il nous reste quinze jours, disait-il à ses amis ; eh bien! si au bout de ces quinze jours je n'ai rien trouvé, ou plutôt si rien n'est venu me trouver, comme je suis trop bon catholique pour me casser la tête d'un coup de pistolet, je chercherai une bonne querelle à quatre gardes de Son Éminence ou à huit Anglais, et je me battrai jusqu'à ce qu'il y en ait un qui me tue, ce qui, sur la quantité, ne peut manquer de m'arriver. On dira alors que je suis mort pour le roi, de sorte que j'aurai fait mon service sans avoir eu besoin de m'équiper.

Porthos continuait à se promener, les mains derrière le dos, en hochant la tête de haut en bas et disant :

— Je poursuivrai mon idée.

Aramis, soucieux et mal frisé, ne disait rien.

On peut voir par ces détails désastreux que la désolation régnait dans la communauté.

Les laquais, de leur côté, comme les coursiers d'Hippolyte, partageaient la triste peine de leurs maîtres. Mousqueton faisait des provisions de croûtes ; Bazin, qui avait toujours donné dans la dévotion, ne quittait plus les églises ; Planchet regardait voler les mouches ; et Grimaud, que la détresse générale ne pouvait déterminer à rompre le silence imposé par son maître, poussait des soupirs à attendrir des pierres.

Les trois amis — car, ainsi que nous l'avons dit, Athos avait juré de ne pas faire un pas pour s'équiper — les trois amis sortaient donc de grand matin et rentraient fort tard. Ils erraient par les rues, regardant sur chaque pavé pour savoir si les personnes qui y étaient passées avant eux n'y avaient pas laissé quelque bourse. On eût dit qu'ils suivaient des pistes, tant ils étaient attentifs partout où ils allaient. Quand ils se rencontraient, ils avaient des regards désolés qui voulaient dire : As-tu trouvé quelque chose ?

Cependant, comme Porthos avait trouvé le premier son idée, et comme il l'avait poursuivie avec persistance, il fut le premier à agir. C'était un homme d'exécution que ce digne Porthos. D'Artagnan l'aperçut un jour qu'il s'acheminait vers l'église de Saint-Leu, et le suivit instinctivement ; il entra au lieu saint après avoir relevé sa moustache et allongé sa royale, ce qui annonçait toujours de sa part les intentions les plus conquérantes. Comme d'Artagnan prenait quelques précautions pour se dissimuler, Porthos crut n'avoir pas été vu. D'Arta-

gnan entra derrière lui ; Porthos alla s'adosser au côté
d'un pilier ; d'Artagnan, toujours inaperçu, s'appuya
de l'autre.

Justement il y avait un sermon, ce qui faisait que
l'église était fort peuplée. Porthos profita de la circonstance pour lorgner les femmes ; grâce aux bons soins de
Mousqueton, l'extérieur était loin d'annoncer la détresse
de l'intérieur : son feutre était bien un peu râpé, sa
plume était bien un peu déteinte, ses broderies étaient
bien un peu ternies, ses dentelles étaient bien éraillées ;
mais dans la demi-teinte toutes ces bagatelles disparais-
saient, et Porthos était toujours le beau Porthos.

D'Artagnan remarqua, sur le banc le plus rapproché
du pilier où Porthos et lui étaient adossés, une espèce de
beauté mûre, un peu jaune, un peu sèche, mais raide et
hautaine sous ses coiffes noires. Les yeux de Porthos
s'abaissaient furtivement sur cette dame, puis papil-
lonnaient au loin dans la nef.

De son côté, la dame, qui de temps en temps rougis-
sait, lançait avec la rapidité de l'éclair un coup d'œil
sur le volage Porthos, et aussitôt les yeux de Porthos
de papillonner avec fureur. Il était clair que c'était
un manège qui piquait au vif la dame aux coiffes noires,
car elle se mordait les lèvres jusqu'au sang, se grattait le
bout du nez, et se démenait désespérément sur son siège.

Ce que voyant, Porthos retroussa de nouveau sa
moustache, allongea une seconde fois sa royale, et se
mit à faire des signaux à une belle dame qui était près
du chœur, et qui non seulement était une belle dame,
mais encore une grande dame sans doute, car elle avait
derrière elle un négrillon qui avait apporté le coussin
sur lequel elle était agenouillée, et une suivante qui
tenait le sac armorié dans lequel on renfermait le livre
où elle lisait sa messe.

La dame aux coiffes noires suivit à travers tous ses détours le regard de Porthos, et reconnut qu'il s'arrêtait sur la dame au coussin de velours, au négrillon et à la suivante.

Pendant ce temps, Porthos jouait serré : c'étaient des clignements d'yeux, des doigts posés sur les lèvres, de petits sourires assassins qui réellement assassinaient la belle dédaignée.

Aussi poussa-t-elle, en forme de meâ-culpâ et en se frappant la poitrine, un hum! tellement vigoureux que tout le monde, même la dame au coussin rouge, se retourna de son côté ; Porthos tint bon, pourtant il avait bien compris, mais il fit le sourd.

La dame au coussin rouge fit un grand effet, car elle était fort belle, sur la dame aux coiffes noires, qui vit en elle une rivale véritablement à craindre ; un grand effet sur Porthos, qui la trouva plus jolie que la dame aux coiffes noires ; un grand effet sur d'Artagnan, qui reconnut la dame de Meung, de Calais et de Douvres, que son persécuteur, l'homme à la cicatrice, avait saluée du nom de Milady.

D'Artagnan, sans perdre de vue la dame au coussin rouge, continua de suivre le manège de Porthos, qui l'amusait fort ; il crut deviner que la dame aux coiffes noires était la procureuse de la rue aux Ours, d'autant mieux que l'église de Saint-Leu n'était pas très éloignée de ladite rue.

Il devina alors par induction que Porthos cherchait à prendre sa revanche de sa défaite de Chantilly, alors que la procureuse s'était montrée si récalcitrante à l'endroit de la bourse.

Mais, au milieu de tout cela, d'Artagnan remarqua aussi que pas une figure ne correspondait aux galanteries de Porthos. Ce n'étaient que chimères et illusions ;

mais pour un amour réel, pour une jalousie véritable,
y a-t-il d'autre réalité que les illusions et les chimères?

Le sermon finit ; la procureuse s'avança vers le bénitier ; Porthos l'y devança, et, au lieu d'un doigt, y mit
toute la main. La procureuse sourit, croyant que c'était
pour elle que Porthos se mettait en frais, mais elle fut
promptement et cruellement détrompée : lorsqu'elle
ne fut plus qu'à trois pas de lui, il détourna la tête,
fixant invariablement les yeux sur la dame au coussin
rouge, qui s'était levée et qui s'approchait suivie de
son négrillon et de sa fille de chambre.

Lorsque la dame au coussin rouge fut près de Porthos,
Porthos tira sa main toute ruisselante du bénitier ;
la belle dévote toucha de sa main effilée la grosse main
de Porthos, fit en souriant le signe de la croix et sortit
de l'église.

C'en fut trop pour la procureuse, elle ne douta plus
que cette dame et Porthos ne fussent en galanterie. Si
elle eût été une grande dame, elle se serait évanouie ;
mais comme elle n'était qu'une procureuse, elle se
contenta de dire au mousquetaire avec une fureur
concentrée :

— Eh! Monsieur Porthos, vous ne m'en offrez pas
à moi, d'eau bénite?

Porthos fit, au son de cette voix, un soubresaut comme
ferait un homme qui se réveillerait après un somme de
cent ans.

— Ma... Madame! s'écria-t-il, est-ce bien vous?
Comment se porte votre mari, ce cher Monsieur Coquenard? Est-il toujours aussi ladre qu'il était? Où avais-
je donc les yeux, que je ne vous ai pas même aperçue
pendant les deux heures qu'a duré ce sermon?

— J'étais à deux pas de vous, Monsieur, repondit
la procureuse ; mais vous ne m'avez pas aperçue parce

que vous n'aviez d'yeux que pour la belle dame à qui vous venez de donner de l'eau bénite.

Porthos feignit d'être embarrassé.

— Ah! dit-il, vous avez remarqué...

— Il eût fallu être aveugle pour ne pas le voir.

— Oui, dit négligemment Porthos, c'est une duchesse de mes amies avec laquelle j'ai grand-peine à me rencontrer à cause de la jalousie de son mari, et qui m'avait fait prévenir qu'elle viendrait aujourd'hui, rien que pour me voir, dans cette chétive église, au fond de ce quartier perdu.

— Monsieur Porthos, dit la procureuse, auriez-vous la bonté de m'offrir le bras pendant cinq minutes, je causerais volontiers avec vous?

— Comment donc, Madame, dit Porthos en se clignant de l'œil à lui-même comme un joueur qui rit de la dupe qu'il va faire.

Dans ce moment, d'Artagnan passait poursuivant Milady ; il jeta un regard de côté sur Porthos, et vit ce coup d'œil triomphant.

— Eh! eh! se dit-il à lui-même en raisonnant dans le sens de la morale étrangement facile de cette époque galante, en voici un qui pourrait bien être équipé pour le terme voulu.

Porthos, cédant à la pression du bras de sa procureuse comme une barque cède au gouvernail, arriva au cloître Saint-Magloire, passage peu fréquenté, enfermé d'un tourniquet à ses deux bouts. On n'y voyait, le jour, que mendiants qui mangeaient ou enfants qui jouaient.

— Ah! Monsieur Porthos! s'écria la procureuse, quand elle se fut assurée qu'aucune personne étrangère à la population habituelle de la localité ne pouvait les voir ni les entendre ; ah! Monsieur Porthos, vous êtes un grand vainqueur, à ce qu'il paraît!

— Moi, Madame! dit Porthos en se rengorgeant, et pourquoi cela?

— Et les signes de tantôt, et l'eau bénite? Mais c'est une princesse pour le moins, que cette dame avec son négrillon et sa fille de chambre!

— Vous vous trompez; mon Dieu, non, répondit Porthos, c'est tout bonnement une duchesse.

— Et ce coureur qui attendait à la porte, et ce carrosse avec un cocher à grande livrée qui attendait sur son siège?

Porthos n'avait vu ni le coureur ni le carrosse; mais, de son regard de femme jalouse, Mme Coquenard avait tout vu.

Porthos regretta de n'avoir pas, du premier coup, fait la dame au coussin rouge princesse.

— Ah! vous êtes l'enfant chéri des belles, Monsieur Porthos! reprit en soupirant la procureuse.

— Mais, répondit Porthos, vous comprenez qu'avec un physique comme celui dont la nature m'a doué, je ne manque pas de bonnes fortunes.

— Mon Dieu! comme les hommes oublient vite! s'écria la procureuse en levant les yeux au ciel.

— Moins vite encore que les femmes, ce me semble, répondit Porthos; car enfin, moi, Madame, je puis dire que j'ai été votre victime, lorsque blessé, mourant, je me suis vu abandonné des chirurgiens; moi, le rejeton d'une famille illustre, qui m'étais fié à votre amitié, j'ai manqué mourir de mes blessures d'abord, et de faim ensuite, dans une mauvaise auberge de Chantilly, et cela sans que vous ayez daigné répondre une seule fois aux lettres brûlantes que je vous ai écrites.

— Mais, Monsieur Porthos..., murmura la procureuse, qui sentait qu'à en juger par la conduite des plus grandes dames de ce temps-là, elle était dans son tort.

— Moi qui avais sacrifié pour vous la comtesse de Peñaflor...

— Je le sais bien.

— La baronne de...

— Monsieur Porthos, ne m'accablez pas.

— La duchesse de...

— Monsieur Porthos, soyez généreux!

— Vous avez raison, Madame, et je n'achèverai pas.

— Mais c'est mon mari qui ne veut pas entendre parler de prêter.

— Madame Coquenard, dit Porthos, rappelez-vous la première lettre que vous m'avez écrite et que je conserve gravée dans ma mémoire.

La procureuse poussa un gémissement.

— Mais c'est qu'aussi, dit-elle, la somme que vous demandiez à emprunter était un peu bien forte.

— Madame Coquenard, je vous donnais la préférence. Je n'ai eu qu'à écrire à la duchesse de... Je ne veux pas dire son nom, car je ne sais pas ce que c'est que de compromettre une femme; mais ce que je sais, c'est que je n'ai eu qu'à lui écrire pour qu'elle m'en envoyât quinze cents.

La procureuse versa une larme.

— Monsieur Porthos, dit-elle, je vous jure que vous m'avez grandement punie, et que si dans l'avenir vous vous retrouviez en pareille passe, vous n'auriez qu'à vous adresser à moi.

— Fi donc, Madame! dit Porthos comme révolté, ne parlons pas argent, s'il vous plaît, c'est humiliant.

— Ainsi, vous ne m'aimez plus! dit lentement et tristement la procureuse.

Porthos garda un majestueux silence.

— C'est ainsi que vous me répondez? Hélas! je comprends.

— Songez à l'offense que vous m'avez faite, Madame ; elle est restée là, dit Porthos, en posant la main à son cœur et en l'y appuyant avec force.

— Je la réparerai ; voyons, mon cher Porthos !

— D'ailleurs, que vous demandais-je, moi ? reprit Porthos avec un mouvement d'épaules plein de bonhomie ; un prêt, pas autre chose. Après tout, je ne suis pas un homme déraisonnable. Je sais que vous n'êtes pas riche, Madame Coquenard, et que votre mari est obligé de sangsurer les pauvres plaideurs pour en tirer quelques pauvres écus. Oh ! si vous étiez comtesse, marquise ou duchesse, ce serait autre chose, et vous seriez impardonnable.

La procureuse fut piquée.

— Apprenez, Monsieur Porthos, dit-elle, que mon coffre-fort, tout coffre-fort de procureuse qu'il est, est peut-être mieux garni que celui de toutes vos mijaurées ruinées.

— Double offense que vous m'avez faite alors, dit Porthos en dégageant le bras de la procureuse de dessous le sien ; car si vous êtes riche, Madame Coquenard, alors votre refus n'a plus d'excuse.

— Quand je dis riche, reprit la procureuse, qui vit qu'elle s'était laissé entraîner trop loin, il ne faut pas prendre le mot au pied de la lettre. Je ne suis pas précisément riche, je suis à mon aise.

— Tenez, Madame, dit Porthos, ne parlons plus de tout cela, je vous prie. Vous m'avez méconnu ; toute sympathie est éteinte entre nous.

— Ingrat que vous êtes !

— Ah ! je vous conseille de vous plaindre ! dit Porthos.

— Allez donc avec votre belle duchesse ! Je ne vous retiens plus.

— Eh ! elle n'est déjà point si décharnée, que je crois !

— Voyons, Monsieur Porthos, encore une fois, c'est la dernière : m'aimez-vous encore ?

— Hélas! Madame, dit Porthos du ton le plus mélancolique qu'il put prendre, quand nous allons entrer en campagne, dans une campagne où mes pressentiments me disent que je serai tué...

— Oh! ne dites pas de pareilles choses! s'écria la procureuse en éclatant en sanglots.

— Quelque chose me le dit, continua Porthos en mélancolisant de plus en plus.

— Dites plutôt que vous avez un nouvel amour.

— Non pas, je vous parle franc. Nul objet nouveau ne me touche, et même je sens là, au fond de mon cœur, quelque chose qui parle pour vous. Mais, dans quinze jours, comme vous le savez ou comme vous ne le savez pas, cette fatale campagne s'ouvre ; je vais être affreusement préoccupé de mon équipement. Puis je vais faire un voyage dans ma famille, au fond de la Bretagne, pour réaliser la somme nécessaire à mon départ.

Porthos remarqua un dernier combat entre l'amour et l'avarice.

— Et comme, continua-t-il, la duchesse que vous venez de voir à l'église a ses terres près des miennes, nous ferons le voyage ensemble. Les voyages, vous le savez, paraissent beaucoup moins longs quand on les fait à deux.

— Vous n'avez donc point d'amis à Paris, Monsieur Porthos ? dit la procureuse.

— J'ai cru en avoir, dit Porthos en prenant son air mélancolique, mais j'ai bien vu que je me trompais.

— Vous en avez, Monsieur Porthos, vous en avez, reprit la procureuse dans un transport qui la surprit elle-même ; revenez demain à la maison. Vous êtes le fils de ma tante, mon cousin par conséquent ; vous

venez de Noyon en Picardie, vous avez plusieurs procès
à Paris, et pas de procureur. Retiendrez-vous bien tout
cela?

— Parfaitement, Madame.

— Venez à l'heure du dîner.

— Fort bien.

— Et tenez ferme devant mon mari, qui est retors,
malgré ses soixante-seize ans.

— Soixante-seize ans! Peste! le bel âge! reprit Porthos.

— Le grand âge, vous voulez dire, Monsieur Porthos.
Aussi le pauvre cher homme peut me laisser veuve d'un
moment à l'autre, continua la procureuse en jetant un
regard significatif à Porthos. Heureusement que, par
contrat de mariage, nous nous sommes tout passé au
dernier vivant.

— Tout? dit Porthos.

— Tout.

— Vous êtes femme de précaution, je le vois, ma
chère Madame Coquenard, dit Porthos en serrant tendrement la main de la procureuse.

— Nous sommes donc réconciliés, cher Monsieur
Porthos? dit-elle en minaudant.

— Pour la vie, répliqua Porthos sur le même air.

— Au revoir donc, mon traître.

— Au revoir, mon oublieuse.

— A demain, mon ange!

— A demain, flamme de ma vie!

Introduction de Roger Nimier. 7

LES TROIS MOUSQUETAIRES

Impression Bussière à Saint-Amand (Cher),
le 17 octobre 1990.
Dépôt légal : octobre 1990.
1er dépôt légal dans la collection : novembre 1973.
Numéro d'imprimeur : 3255.
ISBN 2-07-036526-3./Imprimé en France.